El ministerio del

PASTOR CONSEJERO

James E. Giles

EDITORIAL MUNDO HISPANO

EDITORIAL MUNDO HISPANO
7000 Alabama Street, El Paso, TX 79904, EE. UU. de A.
www.editorialmundohispano.org

Nuestra pasión: Comunicar el mensaje de Jesucristo y facilitar la formación de discípulos por medios impresos y electrónicos.

Primera edición: 1991
Décima edición: 2015

Clasificación Decimal Dewey: 253.5

Tema: 1. Psicología Pastoral

ISBN: 987-0-311-42084-1
EMH Art. núm. 42084

1 M 6 15

Impreso en Colombia
Printed in Colombia

Dedicado
a Mary Nell,
mi esposa
y ayuda en todo sentido.

CONTENIDO

Nota: Las citas bíblicas son de la Santa Biblia Reina-Valera Actualizada.

PREFACIO

La invitación a escribir un libro sobre Cuidado Pastoral y Consejería sirvió como estímulo para retomar un proyecto que había iniciado hace unos cuantos años, cuando escribí *La Psicología y el Ministerio Cristiano.*

Expreso mi gratitud a muchos que han contribuido a este trabajo en maneras diferentes. En primer lugar, mi esposa siempre ha estado a mi lado para dar sugestiones y aliento. Aprecio profundamente su tierno apoyo, especialmente en tiempos de presión. En segundo lugar, un número de personas ha contribuido a mi pensamiento mediante palabras impresas y contactos personales. Kenneth Pepper me introdujo primero al entrenamiento clínico en un programa de tiempo parcial. Después, Robert Lloyd continuó abriendo el panorama al ayudarme a lanzarme en mi jornada interior tanto como en la exterior. Tom Cole me ayudó a acomodarme en el mundo de la supervisión de estudiantes en el entrenamiento clínico. Joe Gross ha servido como confidente, catalizador y consolador. A cada uno de ellos expreso mi gratitud.

En tercer lugar, mis estudiantes a través de los años me han desafiado mientras trabajamos juntos en el campo del cuidado pastoral. Mentes inquisitivas y corazones abiertos nos han hecho buscar juntos esas verdades que son más útiles para otros.

En cuarto lugar, los pacientes y aconsejados, cuyas historias se desenvuelven en las siguientes páginas, han sido maestros competentes. De cada contacto uno aprende algo que puede ser útil en el ministerio futuro. Verdaderamente, los "documentos humanos vivos" representan para nosotros el estímulo que es básico en el aprendizaje en este campo.

Debo una palabra especial de gratitud a mi hija, Debbie, que pasó una parte de sus vacaciones del verano del colegio mecanografiando mi manuscrito. También expreso gratitud a Karen Hickman, que ayudó con la mecanografía final. Diferentes colegas han cooperado al leer porciones del manuscrito y haciendo valiosas sugestiones. Otros han tomado responsabilidad adicional para darme más tiempo para dedicarlo a este proyecto. Todos ellos tienen mi voto especial de gratitud.

James E. Giles

INTRODUCCION

El título de este libro puede dar la impresión a algunas personas de que realmente son dos libros en uno, porque consideran el cuidado pastoral como un campo independiente de la consejería. He tratado de fundir las dos actividades en una a través de las páginas de la presente obra. La consejería es parte del cuidado pastoral. Podemos concebir el cuidado pastoral como un campo más amplio en el que el pastor, en su intento por ministrar a la gente en sus necesidades, se ocupa de todo, menos de aconsejar. Sin embargo, hay otro sentido en el que el buen cuidado pastoral puede ser sinónimo de consejería. A través de los años he enseñado cuidado pastoral en un seminario en América Latina. Frecuentemente encuentro que los jóvenes que apenas inician su ministerio no entienden lo que incluye el cuidado pastoral. Han tenido la impresión de que incluye visitar a los miembros de la iglesia y los prospectos en sus hogares y persuadirlos a estar en el templo el domingo. Ellos no pueden ver el potencial de influir en las vidas mediante la inversión de unos cuantos minutos de conversación significativa mientras el pastor circula entre la gente de su comunidad. Este libro es un intento por ayudar a esos ministros jóvenes a estar alertas a las oportunidades que vienen en el cuidado pastoral y en la consejería mediante su rutina diaria.

La parte I trata de la postura teológica y filosófica de la que fluye el ministerio. Presenta asuntos que son reales para la gente cuando enfrentan diariamente experiencias de la vida. El punto de vista teológico de uno indudablemente determinará su comprensión de los eventos que acontecen. Su creencia respecto al hombre y su naturaleza influirá en su pensamiento y acciones y en la dirección de su ministerio. Su propia creencia respecto a la necesidad de redención del hombre y cómo ésta se obtiene afectará el enfoque de su ministerio en sus tratos con la gente en la comunidad. La manera en que el pastor o el laico se ve a sí mismo como un ayudador será el enfoque del capítulo sobre el consejero. Es importante que el ayudador tenga un sentido de dirección de sí mismo y de las metas que tiene en su ministerio. También, él debe poder entender a profundidad las fuerzas que están en acción entre los que buscan ayuda. El comprender la teoría básica del desarrollo de la personalidad y cómo funcionamos dará una mejor comprensión del aconsejado.

La parte II es un intento por dar algunos principios básicos para el pastor y consejero para ayudarlo a asumir su ministerio. Siempre hay el peligro de pensar que por aprender de memoria ciertas respuestas para ciertas condiciones y repetirlas, uno será un buen consejero. El cuidado pastoral y la consejería son primordialmente un proceso de relación. En la presente obra decimos repetidamente que la relación es la que sana las vidas heridas. Procuramos dar directrices para permitir el desarrollo de una relación satisfactoria que conduzca a dar y recibir ayuda. Ninguna cantidad de buenas respuestas para situaciones específicas, aprendidas de memoria puede alcanzar este fin. El pastor aprenderá por experiencia que ser capaz de establecer una relación de apertura, confianza y esperanza es la mejor terapia que la gente puede recibir. De este principio avanzan a enfrentarse con sus propias circunstancias o problemas.

La parte III se enfoca sobre aspectos específicos en los que el pastor y laico serán llamados a ministrar. He escogido estos aspectos en los que frecuentemente he sido llamado a ayudar. Estos capítulos procuran dar tanto información como material ilustrativo para que los lectores puedan ser conscientes de la dinámica que se pone en acción bajo la superficie de cualquier problema que la gente enfrenta. Aunque es imposible ser exhaustivo en este aspecto de la presente obra, tal vez las ideas presentadas estimularán a los que ministran para investigar más. Se espera que el pastor sea un especialista en consejo marital, en tratar con los jóvenes, con los alcohólicos y drogadictos, en responder a la gente que tiene dudas religiosas, en ministrar a la gente que está en medio de cualquiera de una multitud de crisis, en ministrar a los que están muriendo y en ayudar a la gente que está en proceso de luto. Por eso, el pastor y el laico deben ser desafiados a estudiar más en cada una de las áreas específicas que se mencionan en la parte III. Se da una biografía selecta como recomendación para estudio posterior.

La obra contiene muchos estudios de casos. Estos son fruto de años de enseñanza en el aula de clase, sirviendo en iglesias como pastor, interino, maestro y consejero, y por participar en varias fases del entrenamiento clínico en cuatro diferentes ambientes hospitalarios a través de los años. Como misionero he tenido oportunidad de comprometerme en todas estas actividades en diferentes tiempos.

Tuve mi primera experiencia en entrenamiento clínico durante una licencia en 1964. Esto fue suficiente para hacerme consciente del gran potencial de aprendizaje experimental en este medio. En 1973-74 pasé dieciocho meses en entrenamiento clínico de tiempo completo en el ambiente de dos hospitales. En 1977-78 tuve el privilegio de servir como supervisor activo de estudiantes en entrenamiento clínico mientras estaba de licencia y con permiso. El fruto de estas experiencias variadas se verá en mucho del material de casos que se usa en la presente obra.

PARTE I
CONSIDERACIONES BASICAS

CAPITULO 1
BASE TEOLOGICA PARA EL CUIDADO Y CONSEJO PASTORALES

CAPITULO 2
BASE TEOLOGICA PARA EL CUIDADO Y CONSEJO PASTORALES (CONTINUA)

CAPITULO 3
EL PASTOR COMO CONSEJERO

CAPITULO 4
EL ACONSEJADO

1

BASE TEOLOGICA PARA EL CUIDADO Y CONSEJO PASTORALES

La Naturaleza de Dios

El cuidado y consejo pastorales funcionan bajo la premisa de que este ministerio se hace dentro de un contexto cristiano. Por lo tanto, no es necesario que tratemos de convencer a las personas de que Dios existe. Si ellas toman la iniciativa de buscar un líder religioso para ayudarles, esta acción implica cierta orientación religiosa como fundamento para el ministerio con dichas personas. Algunas llegarán a la oficina del pastor con desconfianza o con impresiones equivocadas basadas en sus prejuicios o sus experiencias anteriores con pastores evangélicos. Nuestra tarea es relacionarnos con ellas de tal manera que experimenten una comunión más íntima con Dios.

Las experiencias en la vida tienden a transformar la teología de lo teórico a lo práctico y de lo estático a lo dinámico. Una cosa es el ejercicio académico de sentarse en una aula para escuchar la clase de teología y dialogar acerca de cómo es Dios y cómo los teólogos lo han percibido a través de los siglos, y otra distinta es darle la mano a alguien que ha perdido a un ser querido por causa de muerte accidental y tratar de consolarlo con la fe en un Dios que le ama y es misericordioso. El presente trabajo busca destacar los aspectos pragmáticos de la fe cristiana comenzando con la naturaleza de Dios.

¿Es Dios inmanente o aislado?

Cuando las personas están luchando con las tragedias de la vida y reflexionan sobre ellas y sus circunstancias, se preguntan: "¿Dónde está

Dios en todo esto?" O: "Si Dios existe, ¿por qué no contesta mis oraciones en una forma más clara?" O: "¿Por qué yo me siento tan solo en esta experiencia?" Cuando yo trabajaba como capellán en un centro médico, fui llamado para estar con una persona cuya familia resultó envuelta en un grave accidente automovilístico. Entré en el cuarto para ver a un joven familiar de las víctimas. El caminaba por el cuarto nerviosamente. Yo me presenté como capellán y le dije que me habían avisado que su familia había sufrido un accidente. Su respuesta inmediata fue: "¿Dónde está Dios en todo esto?" Me explicó que el auto en que viajaban su padre, su madre y dos hermanos, había sido golpeado en una esquina por un conductor borracho. Su padre murió instantáneamente y los otros estaban muy graves. Uno de los hermanos quedaría lisiado para toda la vida, si sobrevivía, y el futuro para su madre y el otro hermano era incierto. Más tarde me explicó que la familia había sido muy activa en su iglesia local y se les consideraba personas devotas. El joven preguntaba por qué Dios no había estado presente con ellos en el momento del accidente, y por qué no había impedido que el accidente sucediera.

Esta interrogante traslada el aspecto académico de la existencia de Dios y su trascendencia a la esfera de nuestra experiencia diaria. A fines del siglo pasado y a principios de este siglo, muchos teólogos de orientación teológica liberal, concibieron a Dios como un personaje inmanente, como un hermano mayor.

Un movimiento reaccionario llamado neoortodoxia surgió para corregir este error. Los neoortodoxos comenzaron a hacer hincapié en el Dios trascendente. Esto significa que Dios es santo y justo y nos acercamos más a él en reverencia. El hombre no puede descubrir a Dios a menos que Dios tome la iniciativa para revelarse al hombre. Dios ha hecho esto y la Biblia es el registro de esta autorrevelación de Dios. Pero muchos teólogos, de las escuelas de neoortodoxia y de Bultman, interpretan mucho de la Biblia como mitos y parábolas y no como hechos históricos. El juicio de Dios es prominente en el pensamiento de otros teólogos. El concepto de Dios como padre amoroso que se interesa por nuestros dolores es un énfasis necesario para personas en crisis.

Si la experiencia de alguien en el pasado ha sido que Dios existe, pero está distante e inalcanzable, entonces esta persona tendrá dudas, y cuando le resulten dificultades en sus actividades diarias, no sabrá si debe acudir a Dios o no.

Hemos dicho que la interpretación liberal de la teología tendía a rebajar a Dios al nivel de "hermano mayor". Los liberales humanizaron a Dios hasta el punto de que él era poco más que un hermano. Esta perspectiva humanística de la vida tiende a dar mucha más estatura al hombre, mostrando que es capaz de sobrellevar sus problemas, usando su propia inteligencia y fuerza. El énfasis contemporáneo sobre la confianza en sí mismo, la fe en sí mismo, y la autorrealización, reflejarían esta actitud.[1]

Probablemente, el punto de vista más correcto sería la alternativa de establecer un equilibrio entre la inmanencia y la trascendencia de Dios, respetando la revelación bíblica que ilustra esta verdad. Nosotros necesitamos mantener la reverencia por Dios porque él es Santo, Soberano y Justo, pero también necesitamos recordar que él está con nosotros en nuestros momentos difíciles. Podemos contar con él para acompañarnos en momentos de angustia, y podemos invocarlo y estar seguros de que nos escucha y nos ministra de acuerdo con nuestras necesidades.

¿Es Dios propicio o severo?

La pregunta fundamental que las personas se hacen cuando se enfrentan a problemas en la vida es: "¿Es Dios propicio?" "¿Puede socorrerme?" "¿Es un acompañante benévolo que está ansioso por que el hombre que sufre se le acerque?" "¿Es Dios un juez colérico, despiadado, que está buscando constantemente una oportunidad para sorprender al hombre en algún pecado y castigarlo?" Parsons se refiere a este conflicto como el que simboliza las diferencias entre las ideas de Arrio y Atanasio, Pelagio y Agustín, Abelardo y Anselmo, Erasmo y Lutero, Locke y Hobbes, Paine y Burke, Mill y Newman, Weiman y Niebuhr.[2]

Muchos teólogos calvinistas han insistido en que Dios es severo y exige del hombre una conducta muy alta que refleje una interpretación autoritaria y absoluta de los Diez Mandamientos y las enseñanzas éticas de la Biblia. La visión teológica más flexible resalta más la permisividad de Dios, su amor y su bondad hacia el hombre y afirma que él acompaña al hombre a pesar de sus debilidades.

Quizá el punto de vista más correcto relativo a la naturaleza de Dios buscaría seguir el punto medio entre estos dos extremos. Una teología adecuada del cuidado pastoral verá claramente el aspecto severo de la naturaleza de Dios y que sus normas de conducta son para que el hombre las tome en serio. Pero al mismo tiempo, esto reconoce la naturaleza del perdón de Dios, que es comunicada a través de su gracia y buena voluntad para perdonar al hombre de su orgullo y rebelión. El que cree en Dios tiene la confianza de que él es fiel y justo para perdonar nuestros pecados y limpiarnos de toda maldad (Jn. 1:9). Tenemos que reconocer que la mayoría de la humanidad ni reconoce que Dios existe o que un poder sobrenatural obra en el universo. Ellos no tienen a Dios a quien pueden acudir en momentos de dolor.

¿Es Dios soberano o limitado?

El pastor que está profundamente involucrado en el ministerio a personas necesitadas tendrá una amplia oportunidad para reflexionar con aquellos a quienes él ministra sobre el significado divino de los eventos que acontecen en sus vidas. El puede insistir en la providencia de Dios en cada acto, accidente, enfermedad, y desdicha. O puede ser menos dogmático en sus intentos por explicar con una perspectiva teológica todo lo que sucede en la vida de sus feligreses. Puede enfocar la verdad de que Dios está presente con la persona en sus momentos de congoja, aunque Dios no está haciendo estas cosas para castigar o hacer sufrir. Dios le permite al hombre la libertad de actuar en maneras que redundan a veces en contra de su propio bienestar y comodidad.

Este punto de vista permite un entendimiento más dinámico de lo que le sucede a uno. Por ejemplo, Dios ha estado consciente de las limitaciones de los recursos naturales en el mundo, que han estado a disposición del hombre por siglos. ¿Por qué él no ha intervenido para que el hombre sea más conservador en la preservación de estos recursos en vez de permitirle al hombre ser extravagante y derrocharlos por su egoísmo? ¿Es Dios misericordioso porque espera que el hombre descubra por sí mismo las limitaciones de los recursos y tome las medidas para preservar estos recursos? ¿No habría sido mejor para Dios intervenir años antes de esta etapa crítica y forzar al hombre a hacer cambios? Esto podría haber permitido su sobrevivencia bajo condiciones más favorables para toda la humanidad.

Nosotros no podemos decir que una decisión de parte de Dios sería mejor que otra. Nosotros reconocemos y aceptamos que la sabiduría de Dios es mucho más completa que la nuestra, y él nos está formando en su pueblo a través de las variadas experiencias de la vida. El pastor que está dedicado al cuidado y consejo pastorales, debe acercarse a su tarea con humildad al intentar dar una explicación del porqué Dios permite que pasen ciertas cosas y cómo trabaja Dios en las vidas de su pueblo. En vez de lanzar en forma rápida una respuesta "estereotipada" cuando las personas preguntan "¿Por qué?"; el ministro que es alerta y sensible, gentilmente devolverá la pregunta al aconsejado o a la persona que está buscando ayuda. "Francamente no sé. ¿Por qué piensas tú que será. . .?" De esta manera la persona podrá entender la perspectiva de la persona que está luchando con las complejidades de la vida. Si el ministro trata de responder sin entender el trasfondo de la persona que está preguntando, probablemente contestará con respuestas fuera de contexto. Esto no llenará la necesidad de la persona con problemas espirituales.

Así, la pregunta de si Dios es soberano o no, es un problema básico, el cual confunde a la gente cuando experimenta dificultades. El pastor que está administrando el cuidado pastoral irá a su gente con el mensaje básico de un Dios amoroso y bueno. Aunque hay pasajes que afirman que Dios castiga el pecado, el pastor no debe imponer estos versículos al aconsejado como explicación de lo que le ha pasado. Tal explicación podría llevar a la persona a una actitud de rebeldía y cinismo.

Hace unos meses fui despertado por una llamada telefónica a las 11:30 de la noche. Era una llamada de larga distancia desde los Estados Unidos de América. La persona en la línea me dio la espantosa noticia de que el hijo de 21 años de edad, de un colega, había muerto hacía unas pocas horas en un accidente entre una motocicleta y un automóvil. Me pidió ir y dar la noticia a la madre. Mi esposa y yo nos vestimos y fuimos a su casa. Entramos y nos sentamos, y entonces explicamos que su yerno había llamado de los Estados Unidos para darnos la trágica noticia. Ella puso sus manos en su cabeza y comenzó a llorar. A los pocos momentos ella sollozó: "Yo no entiendo, yo he orado por mi hijo diariamente a través de los años, para que Dios lo protegiera, pero ahora recibo esta noticia de su muerte. ¿Por qué Dios no contestó la oración cuidando a mi hijo?" Al día siguiente tramitamos los documentos para conseguirle permiso para salir del país e ir a los funerales. Yo mencioné que Dios nos había ayudado a terminar la tramitación de los documentos rápidamente. Ella contestó preguntándome: "Yo no entiendo cómo trabaja Dios. Si él estuvo ayudándonos a tramitar todos mis documentos en un día, ¿por qué él no pudo hacer que ese auto pasara unos segundos antes o después y así se habría evitado el accidente que le costó la vida a mi hijo?"

El caso citado señala una de las paradojas de la fe cristiana: ¿Cómo reconciliamos la soberanía de Dios y la presencia del mal y el sufrimiento en el mundo? Creemos que Dios es todo poderoso, que él controla el universo que ha creado. Dios ha establecido las leyes de la naturaleza por las cuales todo lo que está en el universo funciona y se ajusta perfectamente. Estas leyes funcionan en forma armónica para el beneficio de toda la humanidad. En la operación de estas leyes a veces algunas personas son heridas. La gravedad, la inercia y la fuerza centrífuga, que trabajan para el beneficio de la humanidad, pueden traer muerte y/o sufrimiento para algunos bajo ciertas condiciones. Las leyes por las cuales el universo funciona no pueden ser anuladas de vez en cuando y así ser acomodadas al individuo, para una necesidad especial. Las personas pasan por épocas en las cuales sufren intensamente como resultado de esas leyes, pero toda la gente sufriría más si ellas no existieran. Hace pocos años yo ministré a una familia que estaba desconsolada a causa de la muerte de su hija y su novio en el choque de un automóvil. El padre preguntó por qué Dios no había interrumpido sus leyes en ese instante fatal para permitir que la pareja llegara a la esquina unos segundos después que el otro auto hubiera pasado. ¿Por qué Dios no podría haber hecho esto posible para la chica y su novio, para evitar que ella muriera trágicamente?

El intentar responder a preguntas como éstas, resulta en descubrirnos inadecuados como ministros y en dejar a las personas insatisfechas. Aun cuando nuestra razón nos diga de la sabiduría del funcionamiento constante de las leyes de Dios, todavía viene el momento cuando cada persona quisiera poder interrumpir esas leyes para su propio bien. Es mejor confesar que no sabemos por qué, y asegurar a las personas que Dios las ama y está con ellas en sus horas de prueba. Podemos orar con ellas pidiendo que la gracia divina las sustente mientras atraviesan esa experiencia difícil. Más tarde, la persona será capaz de aceptar todo lo que ha sucedido y no insistirá en una explicación.

¿Es Dios punitivo o clemente?

Me senté calladamente en el salón del hospital, mientras la joven pareja expresaba su dolor entre sollozos al recibir la noticia de que su hijo recién nacido había muerto a causa de un mal funcionamiento del corazón. El joven esposo y padre estaba tratando de consolar a su esposa. Ella continuaba repitiendo la pregunta: "¿Será que Dios está castigándonos por algo que hemos hecho?" El padre estaba tratando de explicar que él no entendía esta experiencia como un castigo. Yo busqué asegurarles a ellos que la relación de Dios para con nosotros es tal que él no castigaría un pecado tomando la vida de un inocente o haciendo que el bebé naciera en esa condición. Pasamos un rato en una conversación tranquila en la cual yo procuré asegurarles que Dios está con ellos aun en la tristeza. Cuando los dejé estaban conversando sobre la recomendación de los médicos de practicar al infante una autopsia para determinar si los padres tenían problemas hereditarios y si esto afectaría a otros niños que quisieran tener.

¿Son la enfermedad y la muerte una manifestación del castigo de Dios? Las revelaciones veterotestamentarias indicarían que hay retribución de pecado (Gn. 9:6; Ez. 18:20). El Nuevo Testamento se refiere a sufrimientos que no se pueden vincular con el pecado (Jn. 9:23). Por consiguiente, no se debe concluir que todas las enfermedades, sufrimientos y muertes, tienen el elemento punitivo en ellas (Gn. 6:5-9; He. 12:7-11). Cuando un paciente pregunta si Dios le está castigando, esta es una señal para tratar de averiguar (en forma diplomática) con preguntas muy suaves, intentado descubrir qué hay detrás de la pregunta. ¿Por qué una persona siente que Dios puede estar castigándola? ¿Siente la necesidad de confesar un pecado oculto? Al mismo tiempo el ministro buscará asegurarles que Dios está con ellos en la experiencia y que cada persona tiene que descubrir lo que Dios le está diciendo a través de cada experiencia en la vida.

La actitud hacia el pecado y el concepto que uno tiene de Dios están relacionados.

> Si Dios, para el ministro, es considerado principalmente como juez, entonces el ministro tenderá a pensar de su función en el mismo papel, y en su consejo pasará un juicio. Si Dios es considerado en los términos de padre que ama, el pastor desempeña este papel tocando suavemente a la persona en el hombro, diciendo, no te desesperes, Dios cuidará de ustedes en esta crisis. Si Dios es considerado y sentido realmente como el amor redentor, que busca la redención y la realización de cada persona, el ministro sentirá la necesidad de expresar una actitud similar hacia la persona que busca ayuda.[3]

Phillips, en su pequeño libro *Your God is Too Small* (Tu Dios es demasiado pequeño), señala cómo algunas personas tienen falsos dioses. Algunos ven a Dios como San Nicolás, quien siempre está listo para darles regalos a sus niños, si han sido buenos durante el año anterior. Otros ven a Dios como el policía que está listo a "darle garrote" al que se salga de su línea en desobediencia a sus mandamientos. Otros ven a Dios como una figura autoritaria, hacia quien ellos tienen hostilidad o son completamente sumisos.[4]

Phillips enfatiza la verdad de que nuestro concepto de Dios está basado en el concepto que uno tiene de su padre desde la infancia. Si el niño teme al padre como un tirano, pensará en Dios en la misma manera. Esto no es una base satisfactoria para formar el concepto de Dios. Dice Phillips: "Mucho del temor de Dios, que caracterizó a una generación anterior, fue el fruto del temor de los padres, y no fue difícil despertar un sentido de pecado o temor del infierno en aquellos cuya niñez fue altamente influida por recuerdos de culpa, vergüenza y temor al castigo."[5] La generación actual ha superado el uso del miedo como motivación hasta la experiencia religiosa, pero aún tiende a buscar acercarse a Dios especialmente, y a veces, únicamente, cuando llega una crisis. "No son las tormentas exteriores ni la tensión de la vida las que frustran y desorganizan la personalidad; más bien, son sus conflictos interiores y miserias."[6] Todos estos factores influyen en uno, y el pastor necesitará entender cómo se sienten sus feligreses acerca del pecado y sus efectos.

El cuidado pastoral implica que la gracia de Dios puede ser provechosa para las personas en momentos de necesidad. Tal vez, esta es una de las más grandes bendiciones que llegan al pastor. Por su fidelidad al ministrar a través de los años él puede dar testimonios sin número de cómo la gracia de Dios obra en las vidas de las personas que han confiado en él y han vivido en la periferia de la vida cristiana cuando todo marcha bien, pero en experiencias de crisis, experimentan una relación más profunda con Dios que la que habían conocido antes. El ministro puede ser el mediador de esta gracia a través del consuelo que ofrece en momentos de necesidad. "Bendito sea el Dios... de toda consolación, quien nos consuela en todas nuestras tribulaciones. De esta manera, con la consolación con que nosotros mismos somos consolados por Dios, también nosotros podemos consolar a los que están en cualquier tribulación" (2 Co. 1:3, 4).

La gracia de Dios es experimentada por el creyente cuando se le proporciona el perdón y la reintegración por causa de algún pecado que ha cometido. Las cargas de culpa son múltiples y pesadas y ellas cobran su cuota agotando la energía de uno, creando depresión y buscando medios de expiación para aliviar sus efectos. Pero es solamente cuando las personas son llevadas al "Lugar Santísimo" en completa confesión, por medio del ministro, que sienten el alivio de esta carga de culpa. Muchas veces estas cargas son disipadas a través del ministerio del pastor en el Lugar Santísimo, cuando las personas confiesan sus pecados y reciben el perdón de Dios. El ministro sabio no insistirá necesariamente en la confesión pública, sabiendo que puede ser más dañina que provechosa para las personas. Cuando alguien confiesa sinceramente con un corazón penitente ante Dios, y en la presencia de otra persona significativa como un ministro, usualmente será suficiente para darle a la persona un sentido de purificación. De vez en cuando alguien le dirá al ministro que aunque ellos se han confesado repetidamente, aún sienten culpa. Posiblemente necesitarán que el ministro escuche de nuevo los detalles de sus sufrimientos y les comunique la encarnación de Cristo quien perdonó los pecados de los que vienen a él.

Las personas serán sensibles a la actitud del ministro después de haber hecho una confesión, para ver si el ministro es menos amigable con ellas. Si él las quita de los puestos de liderazgo después de escuchar su confesión, entonces sentirán que su pecado era muy grave y Dios las ha rechazado. Paul Tournier, en su libro *Guilt and Grace* (Culpa y Gracia), ofrece una guía por medio de la cual el ministro puede ser eficaz en su apropiación de la gracia de Dios para aquellos que están luchando con el problema de culpa.

¿Es Dios anticuado o actual?

Hace un siglo Friedrich Nietzsche propagó sus ideas de que las normas cristianas producían gente débil; pronosticaba en el futuro la época del superhombre, cuando el ser humano no dependería de la fe cristiana para ayudarle a encararse con la vida. (*Así hablaba Zaratustra*, New York: The Modern Library, s.t.). Hay muchas personas que han seguido esta norma, dado que están viviendo sus vidas independientemente de cualquier base espiritual. Pero el pastor que ministra a las personas en las crisis de la vida está ofreciéndole una fuente de fuerza e inspiración que alivia y es provechosa.

En la década de los '60 los teólogos pronunciaron la impresionante noticia de que "Dios está muerto". Las reacciones fueron extremas y variadas. Lo que los teólogos estaban diciendo es que los conceptos arcaicos de Dios como arriba en el cielo no respondían al hombre moderno que entiende más del universo que los de la antigüedad. Ese concepto no es aceptable cuando el hombre tiene un mejor entendimiento del universo. Sicólogos tales como Eric Fromm, enseñan que Dios fue creado a la imagen del hombre.[7] Lo que dice este siquiatra es que el hombre fabrica la idea de un dios por su profunda necesidad de seguridad y protección. Esto le da un sentido de seguridad que le faltaría si él no tuviera la creencia en un poder sobrenatural que está cuidando de él. Estos conceptos de Dios como evidencia de nuestra dependencia e inseguridad indican los extremos a los cuales ha llegado el hombre en los últimos años. Aún el hombre busca ayuda fuera de sí mismo en sus momentos de crisis.

Frecuentemente, las personas con inquietudes espirituales buscan al pastor para pedir ayuda. Su problema puede ser que en medio de todo su enfoque sobre las cosas materiales de la vida, han descuidado la dimensión espiritual. Ellos quieren que el ministro les ayude a entender más claramente las enseñanzas acerca de Dios. Otros que han sido educados en una tradición religiosa que es diferente de la nuestra se preguntarán acerca de cómo nuestra fe en Dios nos ayuda. Estas preguntas le dan la oportunidad al ministro de explicarle a las personas la naturaleza de nuestro Dios.

Algunos se han dado cuenta de que la ciencia y la tecnología no les han dado la paz del espíritu que ellos pensaron que lograrían a través de la prosperidad material. Muchos en el Tercer Mundo están luchando por las necesidades básicas de la vida. Su lucha está estrechamente asociada con Dios y con lo que él puede hacer por ellos. Esto representa un desafío para nosotros para explicarles el papel de Dios en nuestro mundo hoy en día.

La Naturaleza del Hombre

Diferentes puntos de vista con relación al hombre

El cuidado pastoral y el consejo espiritual se practican dentro del marco de referencia de las relaciones interpersonales. El pastor que trabaja diariamente con personas tendrá la oportunidad de hacer la pregunta: "Qué es el hombre?" "No hay debate más fundamental hoy en el mundo que el debate acerca de la naturaleza del hombre." [8] El pastor verá lo mejor y lo peor en los seres humanos que intenta ayudar. Necesitará entender todo lo posible de la naturaleza del hombre derivada de las enseñanzas bíblicas, sus propias observaciones del comportamiento humano, un conocimiento de las teorías de personalidad y la dinámica del comportamiento humano. Hay abundante material en estas áreas para desafiar al pastor durante toda su vida. El ministro estará perplejo a veces al observar lo demoníaco en el hombre, que sale en sus actitudes y relaciones con otros. A veces estará atónito al percibir la actitud altruísta de otros. Los siguientes párrafos intentan resaltar algunos de los temas básicos relacionados con la naturaleza humana y las luchas que tiene en su diario vivir.

En la actualidad han surgido en el mundo diversos sistemas filosóficos, fuertes y competitivos, como resultado de los diferentes puntos de vista con relación a la naturaleza del hombre.

Darwin sacudió al mundo cristiano en el último siglo con su teoría de la evolución, la cual afirma que el hombre ha descendido de las formas animales más simples. Aunque la mayor parte del cristianismo se ha opuesto a esta teoría, ha sido aceptada más o menos en círculos científicos y humanísticos como la explicación más aceptable del origen del hombre.

Nietzsche, un filósofo alemán del último siglo, basó sus puntos de vista filosóficos sobre la teoría de Darwin, y combinó su propio escepticismo religioso para llegar a la conclusión de que el "superhombre" debe reinar sobre los seres humanos más débiles y menos adecuados en este mundo en que Dios ha muerto.

Karl Marx ha agregado al debate sobre "¿Qué es el hombre?" su punto de vista naturalista, adoptando la filosofía de Fuerbach de que "el hombre es lo que come", e insistiendo en que no hay valores ni eternos ni morales. Un número creciente de personas en el mundo vive bajo la sombra del martillo y de la hoz. ¿En qué consiste la vida, la fe y el sentido para estas multitudes?

¿Cuáles son los temas pertinentes relacionados con el hombre y su naturaleza para nosotros que ministramos en el campo de cuidado pastoral y el consejo? El ministro contemporáneo debe estar alerta a las necesidades del hombre, y las condiciones que ocasionan necesidad para el ministerio, y la lucha del hombre con el mal, la cual es parte de la vida diaria de cada uno.

El concepto bíblico de la naturaleza del hombre

El concepto bíblico del hombre debe ser examinado mediante un estudio de los términos usados en el Antiguo y el Nuevo Testamentos, a fin de entender la complejidad de la naturaleza humana. Tenemos que reconocer que los hebreos, en los tiempos bíblicos, tenían un conocimiento muy limitado de la sicología y la filosofía humanas. Otra dificultad radica en la naturaleza del lenguaje hebreo, que a veces no tiene una idea básica para una palabra específica que ellos usaron; más bien la misma palabra en hebreo puede tener varios significados que para nosotros parecen sin relación alguna. Además, la mente hebrea, que no era analítica o filosófica, como era en el caso de los griegos, complica nuestros esfuerzos para desarrollar una idea o concepto definido de la naturaleza del hombre. Otro factor que entra en juego es el desarrollo del sentido de palabras durante los períodos del Antiguo Testamento.

Muchos opinan que palabras como santidad, rectitud y justicia experimentaron un desarrollo en su sentido durante los siglos en que fueron escritos los libros del Antiguo Testamento. Seguramente había más entendimiento con relación a la inmortalidad a fines del Antiguo Testamento de lo que había cuando vivieron Abraham, Isaac, Jacob y sus descendientes inmediatos. Génesis 2:7 dice: "Entonces Jehová Dios formó al hombre del polvo de la tierra. Sopló en su nariz aliento de vida, y el hombre llegó a ser un ser viviente." Posteriormente, el autor de Job, dice: "En mi carne he de ver a Dios" (19:26b).

El concepto del Antiguo Testamento. Podemos concluir de la terminología del Antiguo Testamento que los hebreos creían que el hombre está compuesto de dos elementos básicos, uno material y otro espiritual, inmaterial. La palabra "hombre" o *Adán*, tiene la idea básica de rojizo, y viene de una forma verbal en hebreo que significa "ser rojo, rojizo", y del sustantivo para la palabra "tierra". Este término es a menudo usado en sentido genérico para referirse a la raza humana (Gn. 1:26, 27; 6:1; Sal. 68:18; 76:11; Job 20:29).

El término para "carne" es usado para distinguir la parte muscular del hombre de sus huesos y su sangre. Además se usa para referirse a toda la raza humana, (Gn. 6:12; Sal. 65:2; Is. 20: 5, 6). También se refiere a todo el cuerpo para señalar la debilidad del hombre y su inclinación al pecado (Ec. 2:3; 5:5). Se usa para referirse a lo opuesto de Dios y su poder en el mundo (Gn. 6:3; Job 10:4; Is. 31:3; 40:5).

El término "cuerpo" no tiene su equivalente en el hebreo. La palabra griega "soma", traducida "cuerpo" en la Septuaginta, se utilizó para referirse a once palabras hebreas diferentes. La Septuaginta, traducción griega del Antiguo Testamento fue usada por judíos y cristianos en el primer siglo y posteriormente.

La parte inmaterial del hombre fue mencionada por los hebreos con el término *nephesh* traducido "aliento". La palabra probablemente en el principio significaba "cuello" o "garganta", pero el significado básico en el Antiguo Testamento parece ser "principio de vida". De los 754 usos de este término en el Antiguo Testamento, 282 llevan esta connotación. Se traduce "alma" 482 veces en el Antiguo Testamento y "vida" 117 veces. El uso de este término es variado. Se refiere a la vida física, la que se pierde en la muerte. Además, se utiliza para referirse a los procesos físicos de tristeza, alegría, ira, deseo, amor, dolor, problemas, pesar y odio.[9] Lo más importante del caso es que el término nunca se usa de un espíritu separado del cuerpo o alguna idea de preexistencia del alma, ni de la inmortalidad.

Otro término, *ruach*, usado 378 veces en el Antiguo Testamento tiene el significado básico de "viento" y es traducido "espíritu". Este término se refiere a una influencia sobrenatural que actúa sobre el hombre, y es el elemento en el hombre que está más cercano a Dios. El hombre no es un espíritu, pero tiene espíritu, de acuerdo con el Antiguo Testamento.

La terminología del Antiguo Testamento sobre el hombre no nos da un concepto muy completo de su naturaleza. Robinson recalca esta perspectiva cuando dice: "el énfasis final debe caer en el hecho de que los cuatro términos (incluyendo el término para "carne") simplemente presentan diferentes aspectos de la unidad de la personalidad".[10]

El concepto del Nuevo Testamento. El cristianismo y las Sagradas Escrituras del Nuevo Testamento comenzaron en un mundo que era fuertemente helénico. La cultura griega era una influencia dominante en el mundo de aquel entonces. El Nuevo Testamento fue escrito en griego y los patrones de pensamiento de muchas personas estaban influidos por la filosofía griega. "La mayor influencia puramente intelectual, que se ha ejercido jamás sobre la vida del pensamiento de la humanidad, fue la cultura griega."[11]

Los griegos percibían al hombre como una dicotomía con dos partes, la mente y el cuerpo, o una tricotomía: cuerpo, alma y espíritu. El cuerpo representaba la sustancia material, que era maligna. Esta posición filosófica produjo implicaciones éticas que se dividieron en dos prácticas opuestas: el ascetismo por un lado y el libertinaje por el otro. El Nuevo Testamento condena estos extremos en varios pasajes (1 Co. 13:3; 15:32).

Los escritores del Nuevo Testamento conocían el concepto griego de la naturaleza del hombre, pero mantuvieron el concepto hebreo. Sin embargo, a veces la terminología es griega. En los Evangelios sinópticos tenemos mayormente el significado de los términos en hebreo traducidos a las correspondientes palabras en griego. *Psuche* (A. T. *nephesh*) se repite 37 veces, pero la diferencia importante es que en once de estas veces denota una continuación de vida después de la muerte. *Nephesh* no lleva este significado en el Antiguo Testamento. *Pneuma* (A.T. *ruach*) indica un aspecto algo más grande y más espiritual de la vida de lo que significa *psuche*. También, los griegos tenían un término general para cuerpo (*soma*), que los hebreos no tenían.

Pablo estaba más influido por patrones de pensamiento de origen hebreo que por patrones de pensamiento griego. Es cierto que Pablo usa terminología como "el hombre interior", "mente", "conciencia", "carne" y "carnal". Sin embargo, al examinar más de cerca estos términos, vemos que Pablo era más hebreo que griego en el significado de lo que buscó comunicar.

Pablo usó el término *sarx* (carne) 91 veces. Entre los usos hay referencias a estructuras físicas, parentesco, la esfera de existencia en el presente, debilidad de la carne y experiencia ética.[12] Los dos últimos usos nos interesan aquí más que los otros. Pablo implica una relación general entre la "carne" y el pecado, mostrando que la carne está activa en la producción del mal. Gálatas 5:17 dice: "Porque la carne desea lo que es contrario al Espíritu, y el Espíritu lo que es contrario a la carne. Ambos se oponen mutuamente, para que no hagáis lo que quisierais." Debería ser notado aquí y también en el uso que da Pablo en Romanos 7 que el máximo enemigo de Dios no es la carne, sino el pecado, del cual la carne ha llegado a ser el instrumento débil y corrompido.

El Nuevo Testamento hace muy claro que el máximo propósito de Dios es la redención del hombre, su alma, espíritu y cuerpo. Los griegos pensaban que el alma era inmortal, pero que el cuerpo decaería; ansiaban la liberación del alma de su prisión en el cuerpo, pero Pablo rehuía la idea de un espíritu separado del cuerpo; él deseaba un cuerpo transformado que no estuviera limitado a la debilidad del pecado. Este concepto es importante para nosotros porque en el cuidado pastoral frecuentemente encontramos personas que culpan sus pecados sobre su "carne" como queriendo decir que ésta está bajo el control de Satanás y que ellas ansían el día cuando la carne y el espíritu o el alma estarán bajo el completo control del Espíritu.

Así nosotros vemos que el Nuevo Testamento hace bien claro que el mensaje de Dios es para el hombre íntegro que no tiene la intención de ser interpretado como para el alma del hombre, aparte del cuerpo. Nuestra teología para el cuidado pastoral y el consejo debe tener en cuenta esta verdad.

En el cuidado pastoral nosotros veremos muchos casos de enfermedades sicosomáticas. Algunas veces la siquiatría ha seguido una senda alejada de la religión y especialmente del cristianismo, pero ha llegado al mismo destino final: al reconocimiento de que la salud abarca cuerpo, mente y alma. Jung estableció que en todo su tiempo tratando enfermedades no había encontrado una sola persona mayor de 35 años de edad, que tuviera una perspectiva religiosa saludable en la vida con problemas emocionales, y que no había visto ninguna cura que no fuera resultado de encontrar o volver a ganar una perspectiva religiosa.[13]

Nosotros concluimos, entonces, que el hombre no debe ser dividido en varias partes componentes por medio de las cuales sus dolencias físicas son tratadas por el médico, sus problemas emocionales por el siquiatra y sus problemas espirituales por el ministro. La enfermedad en un área de la vida afecta los otros aspectos de la vida. El médico, el siquiatra y el ministro verán al paciente como una persona intrínsecamente inmortal, en la terminología bíblica, "creado a la imagen de Dios", que encuentra la máxima salud y felicidad cuando vive en armonía con Dios y sus leyes para el universo. Una adecuada teología para el cuidado pastoral y el consejo resultará en un intento de ministrar a las necesidades físicas, emocionales y espirituales del hombre. Reconocerá que el hombre es un ser íntegro. Buscará emplear los mejores adelantos científicos en el campo médico y el conocimiento de las varias escuelas de sicología, junto con su apreciación teológica, para dar la mejor terapia espiritual que sea posible.

El pastor que ministra a las personas necesitadas debe desarrollar un punto de vista antropológico con el cual puede estar cómodo y sin duda muchas veces tratará con personas cuyo punto de vista es materialista en relación con la naturaleza del hombre. Para ellos, el hombre es lo que come, nada más, y cuando esta vida se termina su cuerpo pasa a ser abono para las plantas, las cuales a su vez, alimentan al hombre y a los animales.

Muchos que no tienen una perspectiva cristiana ven el trabajo del pastor como inútil. Otros, a causa de las enseñanzas materialistas, se oponen a la fe cristiana, diciendo que es una parte de la meta imperialista de las naciones más prósperas. Otros están influidos por el existencialismo ateo. Creen que la vida es insignificante y que la existencia sólo trae vacío, dolor y frustración. Su apreciación de los valores espirituales es mínima. Otros tienden a ver al hombre con los mismos instintos de los animales. Estos sienten que el hombre responde a estímulos, como el perro de Pavlov, que salivaba al escuchar el sonido de la campana cuando llegaba el tiempo para comer. Para ellos el comportamiento del hombre es el resultado de un proceso de condicionamiento que puede ser programado por aquellos que establecen las metas y valores.

El desafío actual

Todas estas ideas circulan en nuestro mundo hoy. Los cristianos predicamos sermones y creemos que el hombre es creado a la imagen de Dios y a causa de esta imagen su comportamiento responde a los ideales más altos que se derivan de la revelación divina, cuyas fuentes principales son la Biblia y la presencia del Espíritu Santo en nuestras vidas. Esto quiere decir que el hombre es capaz de comunicarse con Dios y sentirse mejor cuando acepta los valores de Dios como los suyos y vive de acuerdo con las leyes que Dios ha establecido para el hombre en el mundo de hoy. La Biblia contiene el registro de lo que Dios exige del hombre. El hombre, por la desobediencia y el desconocimiento de las leyes de Dios, se vuelve frustrado y pierde su camino. El también trae sufrimiento sobre sí mismo y sobre otros cuando viola las normas de Dios. La mayor parte del trabajo del pastor es ayudar a las personas a encontrar su camino a través de este laberinto de conceptos antagónicos y a lograr la felicidad y armonía con Dios, consigo mismo, con los miembros de su familia y con la comunidad en general.

El pastor puede hacer grandes cosas por la gente con sus sermones y su ministerio pastoral, ayudándoles a aceptar a Cristo y a encontrar el significado de su vida al seguir las enseñanzas de Jesús relacionadas con el mandamiento más grande (Mt. 22:34-40). Si ellos siguen este mandamiento, experimentarán una vida llena de significado y armonía. Cuando las relaciones llegan a ser tensas en la vida del hombre, usualmente es el resultado de cambiar el orden de prioridad que está establecido por Jesús en este mandamiento. Si nosotros podemos ayudar a los cristianos a seguir las enseñanzas básicas del Sermón del monte, haremos una gran labor para mantener la paz en el hogar, en el lugar de trabajo y aun en las relaciones internacionales. Así el pastor puede predicar acerca de estos temas y buscar ponerlos en práctica en sus relaciones con la congregación. Cuando tenga la oportunidad de ministrar a las personas en una forma personal, él buscará seguir estos mismos principios.

El hombre vive lo mejor cuando está en comunión íntima con Dios y en armoniosas relaciones con otros. La meta del ministro es ayudar a la gente a alcanzar esta relación y mantenerla en forma dinámica por medio de la obediencia a las enseñanzas del reino de Dios.

> Oh Jehovah, ¿quién habitará en tu tabernáculo?
> ¿Quién residirá en tu santo monte?
> El que anda en integridad y hace justicia,
> el que habla verdad en su corazón,
> el que no calumnia con su lengua,
> ni hace mal a su prójimo,
> ni hace agravio a su vecino;
> aquel ante cuyos ojos es menospreciado el vil,
> pero que honra a los que temen a Jehovah;
> aquel que a pesar de haber jurado en perjuicio suyo, no por eso cambia;
> aquel que no presta su dinero con usura
> ni contra el inocente acepta soborno.
> ¡El que hace estas cosas no será movido jamás! (Sal. 15).

Conclusión

¿Cómo es Dios y cómo se relaciona con el hombre de hoy? ¿Qué es el hombre? Estas son las preguntas básicas para la teología y la antropología. Los pastores o laicos que estén interesados en ayudar a la gente, se sumergirán en su trabajo con entusiasmo y confianza cuando tengan los puntos de vista teológicos y antropológicos que afirman que Dios está activo e interesado en lo que sucede al hombre, y que muestran que la naturaleza del hombre es tal que se es más feliz y realizado cuando se vive en armonía con las leyes de Dios para la humanidad. La tarea del ministro es ayudar a las personas a entender estas leyes y trazar su curso en la vida para que pueda experimentar la máxima felicidad y efectividad.

Mucho del trabajo del cuidado pastoral y el consejo tratará de los resultados de los conceptos erróneos en estas áreas. El comportamiento humano es un comentario sobre sus creencias y valores. El ayudar a la formación de valores será el fruto de trabajo informativo y correctivo en la esfera de las creencias. El pastor y otros colaboradores trabajarán en ambas áreas con facilidad y efectividad sabiendo que este ministerio es una contribución positiva para el bienestar de todos.

Notas

[1] Paul C. Vitz, *Psychology as Religion: The Cult of Self Worship* (Grand Rapids: Wm. B. Eerdmans, 1977).

[2] Howard L. Parsons, "Rooted and Grounded in Love", The Nature of Man in *Theological and Psychological Perspective*, ed., Simon Doniger (New York: Harper and Bros., 1962), p. 78.

[3] Carroll A. Wise, *Pastoral Counseling - Its Theory and Practice* (New York: Harper and Bros., 1951), p. 10.

[4] J. B. Phillips, *Your God is too Small* (England: Wyvern Books, 1956), p. 17.

[5] *Ibid.*, p. 17.

[6] *Ibid.*, p. 32.

[7] Erich Fromm, *Man for Himself* (New York: Rinehart & Company, 1947), p. 148ss.

[8] David Cairns, *God's Image in Man* (London: S. C. M. Press, 1953), p. 9.

[9] A. B. Johnson, *The Vitality of the Individual in the Thought of Ancient Israel* (Cardiff: The Univ. of Wales Press, 1949), p. 25.

[10] H. W. Robinson, *The Christian Doctrine of Man* (Edinburgh: T. and T. Clark, 1913), p. 27

[11] H. E. Dana, *El Mundo del Nuevo Testamento* (El Paso: Casa Bautista de Publicaciones, 1956), p. 183.

[12] H. W. Robinson, *op. cit.*, p. 113.

[13] Carl G. Jung, *Modern Man in Search of a Soul* (New York: Harcourt, Brace & Co., 1933), p. 264-65.

2

BASE TEOLOGICA PARA EL CUIDADO Y CONSEJO PASTORALES

(Continúa)

El Problema del Pecado

¿Es anticuada la idea del pecado?

El pastor tendrá que tratar constantemente con el problema y las consecuencias del pecado. Aunque en los últimos años muchos sicólogos, antropólogos y científicos han desacreditado la idea del pecado tildándola de idea pasada de moda, entre otros todavía existe el reconocimiento de la existencia del pecado y de sus efectos destructivos sobre la humanidad. Cuando leemos en los diarios de las atrocidades que los hombres cometen con su prójimo, no nos queda lugar para dudar de que el mal existe en nuestro medio. Esto también se ve en la avaricia que motiva a algunos a aprovecharse de otros, pagándoles un sueldo por debajo de lo necesario para sobrevivir. El hambre y el desempleo en el mundo, resultado de la explosión demográfica y la mala distribución de los bienes materiales de parte de los dirigentes políticos, dan testimonio al hecho de que algo anda muy mal en nuestro mundo.

Podemos decir con seguridad que el pastor estará en condiciones de ayudar a personas y salvar vidas que han sido destrozadas por los efectos del pecado. El pecado es personal y social, y el pastor tendrá ocasión de trabajar con los que han sentido los efectos personales y sociales en sus vidas. El pastor ayudará a los que se arrepienten de sus pecados para experimentar la gracia y el perdón de Dios en sus vidas. A veces su responsabilidad será la de predicar el mensaje profético, condenando el pecado que algunos han cometido, y así creando sufrimiento de otros con la esperanza de crear en éstos el deseo de arrepentirse por su sentido de culpa. Otras veces el pastor tendrá un ministerio muy personal, ayudando a las personas a experimentar el perdón y el retorno a Dios, del que han estado alejadas por mucho tiempo.

¿Es el Pecado Amor Propio u Odio Propio?

Reinhold Niebuhr en *The Nature and Destiny of Man* (La Naturaleza y el Destino del Hombre) y en *The Self in the Dramas of History* (El Yo en los Dramas de la Historia), señala que el amor propio u orgullo es el pecado básico del hombre. El hombre en su amor propio tiende a negar el lugar que por derecho le pertenece a Dios y se entroniza a sí mismo como el centro de su propia existencia. Este amor propio lleva a la sensualidad, que es una expresión más de la rebelión contra Dios. La verdad es que el hombre es lo suficientemente libre para escoger y en su elección crea un distanciamiento de Dios.

Esta verdad puede ser ilustrada en la explicación del origen del pecado en Génesis 3. Allí, la libertad del hombre para elegir lo indujo a desobedecer los mandamientos de Dios. La poca voluntad del hombre para someterse a las normas que Dios ha establecido es una expresión de su orgullo. Es reconocido por los escritores de la Biblia que el hombre tiene la libertad para escoger entre dos alternativas, y el hombre tiende a elegir el camino hacia el mal (Ro. 3:23). Así, el hombre es responsable de sus acciones porque él ha escogido el camino de la rebelión contra los ideales de Dios.

Una rama de la sicología moderna presenta un punto de vista en donde se insiste en que el problema básico en el hombre es su falta de autoestima. De acuerdo con este criterio, la gran mayoría de las personas tienen sus frustraciones debido a que se ven a sí mismas como inútiles y poco dignas de ser amadas. La sicología trata de enfrentar este problema ayudando a las personas a desarrollar una autoimagen más sana de ellas mismas y a aceptarse tal y como son. El libro de Robert H. Bonthius *Christian Paths to Self Acceptance* (Sendas Cristianas a la Autoaceptación) es un trabajo que busca presentar varios modos de ver la autoaceptación desde una perspectiva religiosa y psicológica.[1]

El evangelio también hace hincapié en el valor de la autoaceptación. Aunque los desafíos de Jesús se dirigen a sus seguidores a negarse a sí mismos y tomar la cruz, también él los desafía: "Amarás a tu prójimo como a ti mismo", indicando que la autoestima es necesaria y normal (Mt. 22:39). Pablo enfatiza también el lugar de la autoestima en la vida de uno: "No hagáis nada por rivalidad ni por vanagloria, sino estimad humildemente a los demás como superiores a vosotros mismos; no considerando cada cual solamente los intereses propios, sino considerando cada uno también los intereses de los demás" (Fil. 2:3, 4). Walter M. Horton trata de hacer compatibles los puntos de vista de Reinhold Niebuhr y Carl R. Rogers cuando establece que, aunque Niebuhr menciona que el amor propio y el orgullo son los principales pecados del hombre, interpreta esto para significar que por debajo de estas actitudes superficiales hay ansiedad y falta de fe en Dios.[2] Estos elementos aproximan lo que Rogers llama la falta de autoestima y falta de amor propio. Es evidente que Rogers tiene una doctrina del pecado muy débil y percibe al hombre como saludable. "Solamente necesita ser exonerado de los lazos atados de la autocondena a fin de poder realizar su potencial completo". Que Rogers busca esta meta para sus pacientes y que es totalmente permisivo en ayudarles a alcanzarla, es evidente en su libro *Becoming Partners* (Llegando a Ser Compañeros), en el cual da asentimiento a las otras alternativas del matrimonio aparte de la monogamia y la naturaleza permanente del matrimonio.[3]

Niebuhr pinta un cuadro muy oscuro de lo que el hombre puede hacer por él mismo.[4] La mayoría de los esfuerzos del hombre para ser recto llegan a ser "como trapo de inmundicia" (Is. 64:6). Es imposible para el hombre hacer lo que es necesario para salvarse él mismo. Muchos teólogos insisten en que sólo Dios puede salvar al hombre irrumpiendo en su vida en una forma dramática. Doniger recalca: "Jesús llamó al hombre al arrepentimiento del pecado. Un optimismo no justificado y por eso dañino acerca de la naturaleza del hombre es tan irrealista que resulta infructuoso como sería la alternativa de desconocer la complejidad del problema humano y que reduciría al hombre a una simple suma total de mecanismos deterministas y a la predictibilidad consecuente de su desarrollo."[5]

El pecado individual y la culpabilidad

La Biblia y la experiencia personal muestran que el hombre elige desobedecer los mandatos de Dios y personalmente es responsable por su propio pecado de rebelión. "Porque todos pecaron y no alcanzan la gloria de Dios" (Ro. 3:23). Esto no significa que el hombre es tan malo como puede serlo, sino que no hay hombre sin pecado. El problema del hombre no es la falta de educación o cultura. Su problema es que tiene una naturaleza que está inclinada hacia la búsqueda de la satisfacción personal a través de acciones físicas que representan el errar al blanco del ideal de Dios en su vida. El hombre ha heredado de Adán la tendencia a la desobediencia, lo que garantiza que cuando tiene libertad de escoger, escoge la senda del egoísmo y la desobediencia en vez de la sumisión a las leyes de Dios. La Biblia contiene la historia de las acciones del hombre a este respecto. Las experiencias corrientes en la vida testifican que el hombre busca el placer personal y su propio beneficio, lo cual resulta en el alejamiento de Dios.

El pastor y los otros ministros cristianos tendrán amplia oportunidad de ver las consecuencias personales y sociales de esta rebelión contra Dios. Mucho de nuestro ministerio es el de ayudar a las personas a encontrar su camino a través de los laberintos que ellos mismos han construido con sus pensamientos y acciones. Frecuentemente, la gente va a un consejero cuando descubre que sus propias decisiones o las de otros han traído infelicidad y frustración. Los consejeros no necesitarán convencer a la gente de que ellos son pecadores. Más bien, ellos se ocuparán de ayudar a la gente a encontrar el escape del pecado y una forma de vida más satisfactoria.

La creencia teológica del consejero en cuanto al pecado influye en su ministerio al intentar ayudar a otros. Los sicólogos y consejeros en el mundo secular tratan de ministrar sin referencia al aspecto teológico del pecado, y lo hacen con niveles variados de éxito. Algunos ponen responsabilidades mayores sobre el hombre y su propia libertad para hacer decisiones que resultan en sufrimientos que tiene que soportar, y del cual busca alivio. Ellos interpretan los hechos de la vida sin ninguna relación con los ideales divinos y sin un sentido de obligación hacia un ser supremo. Otros van al otro extremo y simplifican todas las dificultades, diciendo que son provocadas por el pecado del hombre. Según este punto de vista, cuando la gente viene por consejo, se anima a reconocer que su problema es básicamente de pecado personal. Entonces son animados a confesarlo a Dios, a arrepentirse, a pedir perdón y a aceptar la promesa del perdón de Dios y luego a seguir adelante como personas perdonadas y reintegradas a una nueva relación con Dios. Esta fórmula representa una "super simplificación" del problema. Los problemas de las personas son el resultado de una complejidad de acciones y relaciones. Nosotros buscamos ayudarles a desenredar todos los hilos enredados a través de la verdad bíblica, la ayuda que viene de las ciencias sociales y cualquier otra fuente que ofrezca esperanza.

Sin duda, el orgullo ególatra es la raíz de todo pecado. La naturaleza no regenerada del hombre lo induce a buscar el primer lugar y la mejor parte para él mismo. El hombre es capaz de poner su sentido de valor en perspectiva correcta, solamente cuando su naturaleza es transformada por medio del nuevo nacimiento. Entonces, se ve a sí mismo como si tuviera valor infinito, porque Dios lo ha amado tanto que dio a su único Hijo para que él tenga vida eterna. Esta experiencia de fe ayuda al hombre a dar lugar a otros primero. El reconoce que recibe más satisfacción personal cuando se interesa en servir a otros.

Una autoimagen sana no es lo mismo que orgullo egoísta. La capacidad de pensar ideas positivas de uno mismo es básica para poder servir con propósito no egoísta. El amor propio sano hace posible que uno ame a otros en una manera saludable. El pastor puede ayudar a las personas a pasar, de esta base de existencia egoísta, a la inversión de la vida en aquellas actividades que enriquecen la vida de uno mismo y de los demás. La mayor parte de su trabajo será buscar la forma de ayudar a las personas a llegar a sentirse bien acerca de ellas mismas, ya que su falta de autoestima las vuelve impotentes. El resultado para ellas será una vida de servicio activo y efectivo con un sentido saludable del valor propio y un espíritu de humildad.

El pecado social y su efecto

Las implicaciones sociales del pecado son evidentes en la siguiente cita:

> La mayor parte de las enfermedades físicas, y virtualmente todas las síquicas, son resultado de fracasos en las relaciones sociales. Una tercera parte del mundo (por no decir más de la mitad del mundo) está mal alimentada, mal vestida y en viviendas infrahumanas, porque las otras dos terceras partes no los aman suficientemente para arreglar el orden económico y político a fin de lograr que ellos estén bien alimentados, vestidos y con vivienda adecuada.[6]

Tratar con el pecado social será más difícil para el pastor. Muchas veces, el pastor y sus feligreses serán las víctimas de este pecado. Al predicar anunciará juicio sobre los males de la sociedad que claman por juicio, y señalará el camino hacia la solución de estos problemas. El podría crear una conciencia de parte de su pueblo, que podría resultar en decisiones que traerían cambios en las condiciones. Los grandes revolucionarios del mundo han comenzado movimientos que dieron como resultado impactos significativos, aunque en el comienzo no había tanta base para esperar tales cambios. En otras ocasiones el ministro sólo podrá comunicar comprensión y apoyo cuando las personas abren sus corazones para mostrar el sufrimiento que experimentan a causa de los pecados de otros. En tales casos, el pastor no tendrá capacidad de hacer nada para cambiar el mundo, pero puede comunicar a un Dios de amor que entiende su sufrimiento. El autor ha tenido oportunidad frecuente de aconsejar a personas que son víctimas de la injusticia económica. Sus vidas han sido afectadas y están luchando por sobrevivir cada día. Muchos no pueden encontrar trabajo y aquellos que lo encuentran no pueden pagar todos sus gastos con los salarios tan pobres que les pagan. Como pastores, ¿qué podríamos hacer para animar a estas compañías a pagar salarios más altos, de modo que ayuden a las personas a vivir mejor? También debemos aceptar el desafío de animar a las personas a dar pasos que les abran puertas con mejores oportunidades para el futuro. Las personas jóvenes lograrán esto a través de más educación formal. Con una mejor preparación para la vida, ellas pueden reclamar oportunidades que ahora no existen. El cuidado pastoral para estas personas tomará la forma de motivarles para que se preparen para mayores oportunidades en el futuro.

El Problema del Sufrimiento

El hombre ha tendido siempre a relacionar el pecado con el sufrimiento en una relación de causa y efecto. El pueblo hebreo pensaba que la buena salud, la prosperidad y numerosos descendientes eran un resultado directo de haber sido favorecidos por Dios. A la vez, pensaban que la enfermedad, la desgracia o esterilidad eran evidencias, o de pecado o de la ira de Dios sobre el individuo. En contraste, los paganos contemporáneos de los hebreos pensaban que el sufrimiento era una plaga o desgracia que sucedía al hombre, sin causa. Por eso, los paganos no intentaban explicar la causa del sufrimiento.

¿Puede el pecado causar el sufrimiento?

La respuesta de Antiguo Testamento. Génesis 3 anuncia claramente que el pecado del hombre ha traído desorden al mundo, incluyendo dolor físico. El pecado trajo la ira del juicio de Dios en el diluvio en el día de Noé (Gn. 6). El salmista enseñó la misma lección cuando dijo: "No te impacientes a causa de los malhechores, ni tengas envidia de los que hacen iniquidad. Porque como la hierba pronto se secan, y se marchitan como el pasto verde" (Sal. 37:1, 2).

Estos pasajes evidencian una conclusión errónea que los hebreos a veces dedujeron: Que la presencia del sufrimiento indicaba que había sido cometido pecado. El único problema que les hacía cuestionar este hecho era que muchas personas, obviamente malas por su comportamiento, todavía disfrutaban de prosperidad. Jeremías había observado esto, y por eso preguntó: ¿Por qué es prosperado el camino de los impíos, y tienen bien todos los que se portan deslealmente? (Jer. 12:1).

El libro de Job fue escrito con el fin de ayudar a corregir esta idea errónea acerca del sufrimiento y el pecado. Job, un hombre justo y perfecto, sufrió la pérdida de sus posesiones, sus hijos y su salud. Sus amigos vinieron a "consolarlo". Su consuelo al comienzo consistió en hacer sugerencias indirectas de que si Job admitiera su pecado, o confesara y se arrepintiera, Dios desistiría de su castigo. Job estaba firme en insistir en que él no tenía un pecado secreto. El libro de Job nos da una respuesta parcial al problema del sufrimiento y su relación con el pecado. Para el escritor, el sufrimiento, como en el caso de Job, era disciplinario o una prueba a su veracidad y fidelidad. Le fue permitido a Satán tentar a Job y ver si se guardaba fiel. Job resultó victorioso en su examen y concluyó con resignación: "He aquí, aunque él me mate, en él he de esperar. Ciertamente defenderé ante su presencia mis caminos" (Job 13:15). Esto nos hace concluir que el mensaje real en el libro es que el sufrimiento de Job fue pedagógico, no retributivo.

La respuesta del Nuevo Testamento. En el período del Nuevo Testamento el sufrimiento todavía era considerado como la pena lógica del pecado. Cuando Jesús y los discípulos estaban pasando por las calles, vieron a un hombre que había estado ciego desde su nacimiento. Los discípulos le preguntaron: "Rabí, ¿quién pecó, éste o sus padres, para que naciera ciego? Respondió Jesús: —No es que éste pecó, ni tampoco sus padres. Al contrario, fue para que las obras de Dios se manifestaran en él" (Jn. 9:2, 3).

En otra ocasión, unos amigos llevaron un paralítico a Jesús y lo bajaron por un hueco del tejado. Jesús le dijo: "Hombre, tus pecados te son perdonados" (Lc. 5:20). La manera en que Jesús relacionó el pecado con el sufrimiento podría dar base a controversia sobre la relación del pecado con el mal moral. Graham Ikin afirma: "Es probable que algunos de los casos en que Cristo exorcizó 'diablos' eran lo que nosotros llamaríamos ahora 'enfermedades mentales'." [7] Jesús no dio una solución teológica o filosófica al problema; al contrario, buscó aliviar el sufrimiento donde lo encontró. El autor de la epístola a los Hebreos nos dice que la disciplina del Señor, aunque no agradable en el momento, es para nuestro bien: "Al momento, ninguna disciplina parece ser causa de gozo, sino de tristeza, pero después da fruto apacible de justicia a los que por medio de ella han sido ejercitados" (He. 12:11). Este versículo nos ayuda a ver que Dios utiliza el sufrimiento para ayudarnos a conocer más claramente la forma de vida que quiere que sigamos. Como ministros tendremos la ocasión de ayudar a las personas a meditar sobre los planes de Dios para sus vidas y de cómo su sufrimiento podría estar relacionado con este plan. Muchos testificarán que comenzaron a escuchar a Dios mientras estaban tendidos en una cama de hospital o convaleciendo en casa.

A finales del primer siglo y durante siglos siguientes, muchos cristianos sufrieron la persecución como resultado de su fe. Por esta razón, Santiago y Pedro escribieron para animar a los cristianos a estar gozosos por la forma en que se les ha dado la oportunidad de sufrir por el Señor (Stg. 1:2; 1 P. 1:6-8). Así nosotros vemos que el ser seguidores de Cristo trajo como consecuencia la persecución en aquellos años primitivos del movimiento cristiano.

Hubo progresión en la explicación del sufrimiento durante el período del N. T. Algunos sufrimientos fueron explicados como resultado del pecado; otros como disciplinarios, a fin de ayudar al cristiano a confiar más en Dios. Otros sufrieron porque dieron testimonio cristiano en un mundo pagano. La muerte de Cristo en la cruz ilustra el sufrimiento vicario, el cual pueden experimentar los cristianos en algunas circunstancias.

Explicaciones parciales del sufrimiento

Los sufrimientos se deben al pecado. Ya hemos dicho que el concepto de que el sufrimiento es enviado por Dios como castigo por el pecado es inadecuado. Es cierto que el sufrimiento en algunos casos es el resultado del pecado, pero no debemos concluir que Dios así lo trajo o lo deseó. Algunos sufrimientos son el resultado del funcionamiento de las leyes naturales que Dios ha establecido en el universo, y en este sentido el precepto bíblico "Todo lo que el hombre siembre, eso mismo cosechará" (Gá. 6:7), es cierto.

A veces el hombre no está dispuesto a admitir y reconocer que él mismo trae mucho sufrimiento al mundo. Las leyes naturales de Dios funcionan en una forma determinada y algunas veces el hombre, por rebelión a estas leyes, cosecha considerable dolor físico y mental.

La ignorancia también causa sufrimiento. En ciertos lugares donde habitan personas que no han tenido la oportunidad de recibir educación en cuanto a la higiene y la salud, tienen la práctica de ungir heridas con estiércol de los animales. Piensan que esta práctica acelera la curación, mientras en verdad contribuye a la infección y al sufrimiento. Muchas de las prácticas de los "sanadores" se debían a la ignorancia.

El ejercicio del libre albedrío del hombre resulta en sufrimiento. El hombre que maneja un automóvil en estado de embriaguez ejerce su libertad, pero pone en peligro la vida de muchos, que en caso de un accidente son víctimas del sufrimiento, aunque inocentes de toda culpa.[8] El pastor que aconseja tendrá muchas ocasiones para ver esta verdad vivida en la experiencia práctica.

Aunque a veces nosotros reconocemos que la función de estas leyes trae efectos negativos sobre nosotros, ninguno de nosotros desearía un universo sin leyes naturales. ¿Cuál sería el efecto de la anulación de la ley de gravedad por unos instantes? Traería caos en el universo y en nuestras vidas.

El cuidado pastoral implica que Dios tiene un mensaje para aquellos que están absortos en su pecado personal. Muchas personas no buscan ayuda hasta que se encuentran atrapadas en las garras de algún pecado que es destructivo para ellos y para sus seres queridos. En estas condiciones el pastor tiene la obligación de ayudar a las personas a reconocer las consecuencias de su acción y a encontrar los fundamentos del perdón a través de la confesión, el arrepentimiento y la restitución.

El sufrimiento puede ser pedagógico. Por medio del sufrimiento Dios le reveló a Job verdades profundas e hizo de él una persona mejor. Por medio del sufrimiento, Job vino a experimentar la presencia de Dios y su poder en una nueva dimensión. "De oídas había oído de ti, pero ahora mis ojos te ven" (Job 42:5). Hace unos meses una familia misionera que trabaja en otro país, perdió un hijo en una forma inesperada, al incendiarse el auto mientras esperaban en una gasolinera para llenar el tanque. Otro hijo y el padre resultaron con quemaduras graves. Los días siguientes estuvieron llenos de sufrimiento, pero ellos tuvieron la profunda convicción interior de que el consuelo de Dios es real en momentos como éste. Luego, dando su testimonio ante otros, los esposos hablaron de cómo Dios les había mostrado a ellos muchísimas cosas a través de esta experiencia. No entendieron por qué murió su hijo, pero experimentaron mucho mejor el amoroso cuidado de Dios y su presencia cercana con ellos. La enfermedad tiene una forma de hacernos reflexionar sobre nuestras prioridades y nos da tiempo para escuchar las lecciones que Dios quiere enseñarnos. Algunas veces nosotros estamos tan ocupados en las rutinas diarias que no tenemos tiempo para escuchar a Dios. Cuando un joven fue hospitalizado por varios días, después de un accidente en la granja en el que perdió una de sus piernas, le dijo al capellán que por medio de esa experiencia de sufrimiento había logrado reorganizar su propio "yo" interior y establecer algunas nuevas prioridades.

El ministro tiene oportunidad constante de escuchar a su rebaño, de dar explicación de todo aquello que han aprendido como resultado de una enfermedad, tragedia, o simplemente de un tiempo de prueba en sus propias vidas personales. Posteriormente, algunos agradecerán a Dios por el tiempo de prueba, porque aprendieron muchas verdades divinas por medio de sus dolores.

El sufrimiento puede ser vicario. La última parte de Isaías revela otro paso en el desarrollo del significado del sufrimiento en el Antiguo Testamento. Es el elemento vicario substitutivo que muestra cómo uno puede sufrir por otro. En el poema del siervo sufriente Isaías dice: "Ciertamente él llevó nuestras enfermedades y sufrió nuestros dolores. Nosotros le tuvimos por azotado, como herido por Dios, y afligido. Pero él fue herido por nuestras transgresiones, molido por nuestros pecados. El castigo que nos trajo paz fue sobre él, y por sus heridas fuimos nosotros sanados" (Is. 53:4, 5).

Este mensaje fue cumplido en la muerte de Jesús sobre la cruz por los pecados de toda la humanidad. Su sufrimiento fue inocente porque él no tenía pecado, pero cumplió con el propósito para que nosotros participemos de vida eterna.

Hay algún sentido en que cada cristiano pasa algún tiempo de su vida cuando soporta sufrimientos por otros. La madre lo experimenta cuando soporta dolores de alumbramiento con el fin de traer una nueva vida al mundo. Cualquier padre arriesgará su vida con el fin de evitarle un peligro a su hijo. La historia nos da abundantes ilustraciones de personas que han soportado penalidades y sufrimientos con el fin de beneficiar a otros, en sentidos espiritual y físico. Todo esto indica que algunos de los sufrimientos en el mundo son soportados voluntariamente con el fin de enriquecer la vida para otros. Las personas han aceptado el desafío de ser "conejillos de indias" para permitir la perfección de una medicina o vacuna que conquiste una enfermedad contagiosa.

El sufrimiento puede ser inocente. Mucho del sufrimiento en el mundo no puede ser explicado. Acontece un terremoto en México y miles pierden sus vidas. Años después hay otro terremoto en Armenia y Rusia y miles mueren. Un volcán arroja piedras calientes y ceniza, que caen en el hielo y la nieve, que producen una avalancha que destruye la ciudad de Armero en Colombia, y que lleva unas 22.000 personas a la muerte y deja miles de otras en sufrimiento. ¿Cómo pueden ser explicados estos casos de sufrimiento? Cada intento por dar una explicación satisfactoria fracasa.

Abundante sufrimiento en nuestro mundo es soportado por víctimas inocentes. Muchos viven y ministran en estas zonas del mundo en donde el hambre y la inanición son reales. Todos nos estremecimos cuando vimos las fotos y leímos los informes de la intensa inanición en Campuchea. En otras partes del mundo el problema es también muy serio. Los efectos del hambre se sentirán por generaciones, mientras que las enfermedades cobran un alto número de víctimas vencidas por la poca resistencia a las infecciones. La capacidad intelectual de los niños es reducida debido a la mala nutrición prolongada. Todo esto indica la verdad que nosotros ministramos a las personas que sufren, sin ser capaces de dar una respuesta a las causas de su sufrimiento.

¿Cuál es, entonces, la relación del cuidado pastoral con este interrogante complejo del sufrimiento? Si el sufrimiento, como algunos han concluido, es el castigo divino por los pecados cometidos, entonces cualquier esfuerzo por aliviar el sufrimiento es una presuntuosa intervención inapropiada por parte del pastor, consejero o médico. Por otro lado, si la posibilidad de sufrimiento es uno de los precios que pagamos por un universo de leyes naturales y libertades personales, entonces el consejero, el pastor y el médico pueden dedicarse a la lucha para aliviar el sufrimiento, confiando que en su papel podrán ser verdaderos embajadores de Cristo. Aunque nosotros nunca encontremos una solución completa al problema del sufrimiento, podemos estar seguros de que nuestra confianza en Dios en semejante momento enriquecerá nuestra propia comprensión de los misterios profundos del universo y nos dará un sentido de dependencia mayor de Dios. Las luchas de esta vida son tales que solamente una fe dinámica en Dios puede dar la motivación verdadera para vivir una vida en todo su esplendor.

La Salvación

¿Es la salvación personal o social?

La salvación es una experiencia personal y espiritual que llega a cada persona que se arrepiente del pecado y confía en Jesucristo como su Señor y Salvador personal. Esto involucra una experiencia transformadora en la que la persona nace de nuevo, espiritualmente, y su naturaleza antigua es transformada a semejanza de la de Jesucristo. Esto nos brinda una nueva perspectiva, al relacionar la vida y las acciones de uno. La persona transformada así ya no es guiada simplemente por una motivación egoísta, sino que tiene un nuevo punto de vista hacia sí misma y hacia los demás. Se ve a sí misma dentro de una perspectiva más amplia, en la cual participa con Dios y otros para lograr armonía y felicidad en el mundo. Esto enriquece la vida y le da al hombre un desafío para invertir sus talentos y energías en aquellas actividades que traen beneficios para otros.

La salvación es personal, pero también social. Esto quiere decir que cuando las personas son redimidas personalmente, forman parte del reino de Dios. Su nueva perspectiva cristiana les dará un punto de vista diferente con respecto a los males sociales del mundo en que viven, y despertará su conciencia acerca de su responsabilidad personal para corregirlos. Esto servirá como motivación para que el cristiano participe en temas políticos que tendrán como meta final el brindar más justicia dentro del orden económico, social y político. El cristiano se encontrará identificado con aquellos que promueven lo que es justo para todos los que sufren tales injusticias. No se alineará ni con los aristócratas que tienden a defender el "statu quo", ni con los extremistas que quieren un cambio radical sin importarles las consecuencias. Los cristianos deben estar atentos a examinar las bases filosóficas de los movimientos que ofrecen mejores condiciones sociales, pero que pueden ser ateos o materialistas en su concepto fundamental de la vida.

El cristiano puede hacer un gran trabajo ayudando a las personas a entrar al redil de fieles cristianos a través de la experiencia personal y la regeneración, y luego animarlos a ser la sal de la tierra, y de esa manera ayudar a redimir la sociedad de la corrupción que existe. Los cristianos han de ser la levadura en el mundo para que otros puedan llegar a conocer a Cristo, y usar su influencia en una forma positiva. Es cuestionable cuánto podemos legislar la moralidad, por lo que los cristianos deberán ejercer mucho cuidado para no involucrarse en movimientos que podrían comprometer su testimonio para Cristo. El pastor tiene la oportunidad de hablar con aquellos de su congregación que son presionados a pertenecer a sindicatos, o a afiliarse con ciertos grupos que promueven proyectos específicos, o a involucrarse en otras formas. Cada uno debe decidir por sí mismo cuál es el mejor procedimiento a seguir, y el pastor hará bien al ayudar a cada uno a ver todas las ramificaciones diferentes de la decisión.

¿Es la salvación presente o futura?

Las consideraciones teológicas actuales que tienen que ver con la naturaleza de la salvación debaten si ésta es algo que nosotros experimentamos aquí y ahora o algo que se está preparando para nosotros en el cielo en un futuro. El concepto bíblico de la inmortalidad no es tan claro como los sistemas teológicos históricos lo han hecho parecer. El Antiguo Testamento carece de una declaración clara de la vida más allá de esta vida. Daniel 12:2, 3 habla de la resurrección que vendrá, cuando algunos serán levantados para vida eterna y otros para vergüenza y confusión perpetua. Las referencias vagas del "infierno" indican que era la morada de los muertos. La persona que buscaba confiar en Dios en aquellos tiempos lo hacía sin una esperanza definida de su vida futura con Dios; más bien lo hacía con la convicción de que este era el mejor curso a seguir. Muchos creían que la retribución del mal viene en forma de sufrimiento, y que la recompensa por la buena vida la experimenta el ser humano con buena salud, prosperidad y el favor de Dios que trae felicidad. Es cierto que los últimos libros en el Antiguo Testamento parecen indicar más claramente la posibilidad y esperanza de la inmortalidad. En Job, nosotros tenemos la declaración más famosa que se cita muy a menudo: "Pero yo sé que mi Redentor vive, y que al final se levantará sobre el polvo" (19:25).

Al estudiar el Antiguo Testamento uno se sorprende de que la inmortalidad no es un concepto muy prominente. Muchas sugerencias se han ofrecido como explicaciones de este hecho. Muchos eruditos del Antiguo Testamento mencionan que la idea de la inmortalidad estaba vinculada más a la nación que al individuo. Parece que había un interés mayor por la continuación de la familia, la tribu y la nación, que una preocupación por la inmortalidad personal. Sabemos que los egipcios tenían un concepto de la inmortalidad, la que los motivaba a embalsamar a los muertos y construir pirámides para enterrar a sus faraones. Las referencias a la vida futura de parte de los hebreos son escasas.

Hay tres pasajes en el Antiguo Testamento que se refieren definitivamente a la resurrección. Isaías 26:19 dice: "Tus muertos volverán a vivir; los cadáveres se levantarán. ¡Despertad y cantad, oh moradores del polvo! Porque tu rocío es como rocío de luces, y la tierra dará a luz a sus fallecidos." Y Daniel 12:2 dice: "Y muchos de los que duermen en el polvo de la tierra serán despertados, unos para vida eterna y otros para vergüenza y eterno horror." Ezequiel 37 contiene la visión del valle de los huesos secos, que fueron devueltos a la vida. Sin duda esta es una referencia a la nación de Israel, pero además se refiere a la resurrección futura de los muertos.

El Nuevo Testamento es mucho más explícito al referirse al cielo, a la vida futura con Dios y a la resurrección. Jesús habló frecuentemente del reino de los cielos, y es muy claro que su naturaleza, desde su perspectiva, era tanto presente como futura. Pablo da una declaración más clara de la certeza de la resurrección en 1 Corintios 15, y Juan, en Apocalipsis, da una visión de la ciudad celestial y del hecho de que reinaremos con Cristo por toda la eternidad (Ap. 21:1-8).

Han surgido controversias teológicas sobre el énfasis que debe ser colocado en estas enseñanzas. Históricamente, la iglesia cristiana llegó a estar más interesada en los aspectos futuros de la inmortalidad que en hacer todo lo posible para enriquecer la vida en el presente.

En los años recientes se ha dado un énfasis creciente a la idea de que nosotros experimentamos cielo o infierno en la vida actual. Muchos que tienen un concepto completamente secular de la vida parecen inclinarse en esta dirección. Insisten en que nosotros recibimos lo que merecemos, ya sea en felicidad o en sufrimiento, y que después no tenemos nada que esperar. Otros creen que la muerte es el fin de todo.

La filosofía marxista ha atacado la fe cristiana repetidamente, insistiendo en que la religión ofrece "un pastel en el cielo" en un tiempo futuro, y que tal creencia es el opio del pueblo. El marxismo insiste en que el hombre tiene derecho a más comodidades y conveniencias durante el transcurso de esta vida. Muchos en el Tercer Mundo han sido atraídos por la posibilidad de satisfacer aquí muchas de sus necesidades físicas, aunque no abandonan completamente la idea de la inmortalidad. La Teología de la Liberación pone un gran énfasis en la liberación de las estructuras contemporáneas que oprimen al pueblo, y casi llegan al punto de pasar por alto el énfasis sobre la salvación personal y la recompensa para el cristiano en la vida futura.

Es necesario un equilibrio entre estos dos extremos en el pastor que ha de ministrar adecuadamente a su pueblo y en el consejero que busca ayudar a las personas a lograr la máxima salud espiritual y emocional. La creencia en la realidad actual y la esperanza futura es el foco más apropiado para el cristiano. Debemos hacer todo lo que sea posible ahora para hacer la vida lo más cómoda y enriquecedora posible, pero al mismo tiempo debemos recordar que hay mucho más en reserva en el cielo para el cristiano.

La salvación abarca una esperanza para la inmortalidad espiritual después de esta vida. En la muerte el cuerpo regresa a la tierra y el alma asciende a la presencia de Dios. El cristiano después de la muerte tiene un cuerpo espiritual y es consciente en la presencia de Dios. En un tiempo futuro Cristo vendrá de nuevo y los cuerpos de los muertos serán resucitados y transformados para existir por toda la eternidad, ya sea en la presencia de Dios o en un infierno separado de Dios. Esto quiere decir que los cristianos tienen seguridad de una vida eterna, y vivirán su vida aquí sobre la tierra sabiendo que es solamente una parte de un plan que envuelve algo mucho más grande en el futuro. Ellos entienden que la salvación tiene un aspecto presente y otro futuro.

¿Cómo se relacionan la salud y la salvación?

Algunos equiparan la salvación y la salud. Aunque es cierto que la persona que experimenta la máxima salud física, emocional y espiritual, también vive en un estado de tranquilidad y serenidad, no consideramos que esto es todo lo que incluye el concepto bíblico de la salvación. Por esta razón, el pastor y consejero trabaja en un esfuerzo para disminuir el sufrimiento de la humanidad por medio de su ministerio, pero también se esfuerza por enfatizar la naturaleza espiritual de la salvación. El lucha por ayudar a las personas a tener una experiencia religiosa que le brinde la seguridad de una vida eterna, y esto es un instrumento para garantizar la salud física y emocional máxima para el individuo.

Las palabras en la Biblia para "sanidad" tienen la misma raíz en hebreo y griego que significa "salvación". El significado es "estar hecho en forma completa". Nuestra tendencia de seguir la práctica griega de separar el cuerpo y alma, y aplicar la sanidad al cuerpo y la salvación al alma, está lejos del concepto bíblico correcto. La buena salud y la salvación están íntimamente relacionadas. La salvación tiene una dimensión escatológica que nosotros no podemos negar, pero necesitamos relacionar más claramente la idea del bienestar espiritual y la salud.

Hace pocos años fue realizado en un hospital un estudio interesante entre pacientes que fueron admitidos para cirugía por desprendimiento de las retinas.[9] Durante un período de ocho años un equipo estudió aproximadamente quinientos casos clínicos. Descubrieron que había un 400 por ciento de diferencia entre la cantidad de tiempo que se necesitó para la recuperación entre las curas más lentas y las más rápidas. Hubo un alto grado de correlación entre los pacientes que aceptaron su situación y su rápida recuperación en contraste con aquellos que rechazaron su situación y, por consiguiente, experimentaron retraso en su recuperación. También la actitud del paciente hacia el cirujano, equipo de enfermeras, capellanes y otros del personal, afectó el tiempo de curación que era necesario. Los pacientes que aceptaron su situación tendieron a vivir más años y a ser más felices, que aquellos que resistieron o renegaron de su condición.

El estudio mostró, además, que había una variación significativa en la manera en que los pacientes experimentaban su fe religosa. Si los pacientes utilizaban su fe como una fuente de fuerza para enfrentar la realidad y tratarla constructivamente, sanaban rápidamente. Si usaban su fe para esconderse de la realidad o para manipular o forzar la mano de Dios, sanaban en forma más lenta. Concluimos que los pacientes que aceptan su enfermedad como una parte de lo negativo que les sucede a veces, con todo lo bueno que también les pasa, tienden a curarse más rápidamente. Aquellos que sienten que su enfermedad es un golpe sucio y que Dios es un monstruo por permitir que esto suceda, sanan lentamente, si llegan a sanar.

Reeves continúa señalando que hay una relación entre la calidad de fe religiosa entre las diferentes personas y la manera en que esta fe es usada. El notó en su investigación que aquellos que eran considerados indiferentes a la religión, pero que tenían un sentimiento básico positivo hacia la vida, tendían a sanar rápidamente. Los que eran muy religiosos, con una religión más bien piadosa o legalistas tendían a distorsionar la realidad, y tenían gran dificultad en sanar.

Muchos en su dedicación religiosa esperan conseguir que las reglas sean a su favor. "A menudo la piedad frenética es una máscara que cubre la desconfianza en la vida, y desafortunadamente muchas personas sinceras confunden tal piedad con la religión."[10]

Hemos citado el estudio de Reeves como base para insistir en que necesitamos revalorar nuestro punto de vista entre la curación, la fe y la salvación. Estar completos en el sentido físico, emocional y espiritual es disfrutar la salvación temporal, y da la base para la seguridad en la salvación eterna.

Recalcamos que hay necesidad de un énfasis en nuestra preparación para la vida futura. El pastor sabio reconoce cuándo esto es una necesidad de las personas con quienes trata. Debe animar también a las personas a ejercitar la fe personal que es la base para esta experiencia de salvación. Mientras fomenta la plenitud de la salud entre las personas, contribuye también a esa meta final.

El Significado de la Vida para el Hombre

La base teológica del cuidado pastoral y la consejería tiene que ver con ayudar a las personas a encontrar sentido a la vida. La fe cristiana nos da una base filosófica para vivir nuestras vidas y para entender lo que nos sucede a nosotros y a otros. Vivimos reconociendo que somos parte de un plan divino mucho más grande en el cual el diseño de Dios para el universo y el hombre está en desarrollo. Cooperamos con Dios a través del uso sabio de nuestros talentos como buenos mayordomos. Vemos progreso en la historia a medida que más y más personas entran en el reino de Dios y aceptan los ideales de él como normas para el comportamiento del hombre. La regresión en la historia resulta cuando el hombre pierde la visión de los ideales establecidos por Dios.

El trabajo diario está incluido en este plan porque a través de esto el hombre está experimentando una autorrealización porque puede hacer aquellas cosas que son significativas y enriquecedoras. Esto también ayuda a proveer las necesidades de la vida y algunas comodidades. Le da al hombre un sentido de valor, porque contribuye, a través del trabajo, al enriquecimiento de la vida para otros. El hombre también invierte sus ratos libres en formas que promueven el bienestar de otros. Puede participar en actividades deportivas, cívicas o familiares y eclesiales, y con esto sentirse relajado y renovado para su trabajo diario.

El placer de las relaciones significativas con otros sirve para enriquecer la vida y agregarle importancia. Los diferentes órdenes de la creación nos dan la oportunidad para relaciones en todos los niveles. Nos relacionamos personalmente con los de nuestra familia y con aquellos con quienes trabajamos, estudiamos, jugamos o participamos en otras actividades. Esto sirve para dar oportunidad a muchas experiencias enriquecedoras. Desafortunadamente, también da ocasión para conflictos y problemas para muchos. Mucho del tiempo del pastor es dedicado al esfuerzo por ayudar a otros a rectificar las relaciones que han sido dañadas en el proceso del vivir diario.

En el orden económico uno hace su contribución por medio del trabajo que hace. Gran parte del tiempo diario se invierte en esta esfera de actividad. Esto ofrece oportunidad para la felicidad o el sufrimiento, de acuerdo con el sentido de valor de uno. Si los valores económicos son predominantes en la vida, uno puede consumir demasiado su tiempo e intereses. Es necesario reconocer que hay otros valores, además de los económicos.

En el orden político nuestras relaciones generalmente son menos personales, pero lo que sucede en la esfera política afecta mucho los otros órdenes de la creación. Cada persona puede dejar una impresión sobre su mundo por medio de la participación en asuntos políticos a nivel local y nacional porque estos temas determinan nuestro futuro como una nación. Muchas personas son víctimas de errores que fueron cometidos por otros en el pasado, y otros se encuentran atrapados en diversas clases de tensión resultante de esfuerzos personales por mejorar nuestro modo de vida. El pastor tiene ocasión para "vendar las heridas" que resultan de esta actividad.

El uso de las disciplinas seculares

El ministro debe desarrollar una convicción personal con relación a cuántas y cuáles de las disciplinas seculares suplementarias son provechosas para él. Probablemente cambiará su actitud personal como resultado de su propia experiencia a través de los años. Hay muchas clases diferentes de terapia que están siendo utilizadas hoy, y cada una tiene un grado variado de eficacia. No podemos decir que una sola es la mejor, porque mucho depende de la naturaleza del problema, la personalidad del que ayuda, y la del ayudado, y la cultura donde las personas viven.

La terapia de integridad, la de realidad, la de consejo indirecto, la de consejería nouthetica, la terapia Gestalt, el sicoanálisis, el análisis transaccional, la terapia sensitiva, la terapia conjunta familiar, la terapia del comportamiento y el existencialismo, para mencionar las que son más populares hoy, representan la amplia variedad de disciplinas que están comprometidas en el proceso de brindar ayuda. Un método que es compatible con el cristianismo puede incluir algunos de los principios de cada una de estas disciplinas. Ningún sistema es adecuado para toda situación. El ministro o laico que quiera tener la máxima eficacia puede estudiar detenidamente cada uno de estos sistemas y ponerlos en práctica para suplementar lo que es fundamental en la fe cristiana. El pastor descubrirá que algunos sistemas parecen acomodarse bien a su propia personalidad y temperamento, mientras encuentra que otros no ayudan mucho. El pastor, con el tiempo, perfeccionará un estilo personal con el que se sienta cómodo. Esto es un proceso normal, y el pastor debe hacerlo. Encontrará mucha satisfacción en ayudar a otros a descubrir los valores más altos en la vida.

Notas

[1] Robert H. Bonthius, *Christian Paths to Self-Acceptance* (New York: King's Crown Press, 1962).

[2] Walter M. Horton, "Niebuhr on the Nature of Man", *The Nature of Man in Theological and Psychological Perspective,* ed. Simon Doniger (New York: Harper & Brothers, 1962), p. 63.

[3] Carl R. Rogers, *Becoming Partners—Marriage and Its Alternatives* (New York: Delacorte Press, 1972).

[4] William Hordern, *A Layman's Guide to Protestant Theology* (New York: The Macmillan Company, 1955), pp. 154-55.

[5] Doniger, *op. cit.*, p. 64.

[6] *Ibid.*, p. 84.

[7] Graham Ikin, *New Concepts in Healing* (New York: The Association Press, 1956), p. 7.

[8] James Bryden, *Letters to Mark* (New York: Harper & Bros., 1953).

[9] Robert B. Reeves, Jr., "Healing and Salvation: Some Research and Its Implication", *Journal of Religion and Health*, Vol. VIII, No. 2, April 1969.

[10] *Ibid.*

3

EL PASTOR COMO CONSEJERO

Tradicionalmente el ministro ha sido uno a quien las personas acuden cuando se encaran con una situación crítica. A pesar de la tendencia hacia el secularismo que experimentamos hoy en muchos países, las personas buscan al pastor cuando tienen dificultades.

En los registros bíblicos más antiguos hay evidencias de que el líder espiritual tenía un papel muy importante en la comunidad, ayudando a las personas a salir adelante cuando las dificultades surgían. Si estudiamos a lo largo de la Biblia podemos percibir que un líder espiritual preparado y escogido por Dios, ha sido el medio de un ministerio significativo.

Estudiaremos algunas de las cualidades que hacen que el ministro sea exitoso en el cuidado pastoral y la consejería. Estas serán mencionadas con el propósito de ayudar a cada ministro a desarrollar aquellas cualidades como parte de su personalidad y ministerio. También daremos énfasis al hecho de que el pastor debe reconocer la naturaleza del ministerio que tiene con cada persona y estar dispuesto a ministrar en el nivel apropiado según el evento en la vida de la persona.

Modelos Bíblicos de Ayudantes

Modelos del Antiguo Testamento

El pastor puede encontrar muchas ilustraciones bíblicas de ayudantes, los cuales le inspiran en su ministerio hacia otros. La Biblia contiene muchas referencias a los hechos en los cuales el líder espiritual de la comunidad tuvo un ministerio importante por ser el guía espiritual del pueblo en momentos de necesidad. Noé buscó la manera de mostrar al pueblo los ideales que Dios tenía para ellos en su vida diaria (Gn.6:12, 13). Sin embargo, el pueblo no hizo caso del mensaje de Noé. Noé llegó a ser, para toda la historia, un ejemplo de alguien que trabajó para evitar la destrucción del pueblo de sus días a través de su ministerio de predicación a ellos.

Abraham, el padre de la nación judía, luchó con las decisiones de su vida, mientras trataba con una variedad de personas en su peregrinaje desde Ur hasta la tierra prometida. El atravesó por muchas crisis en su vida, una de las cuales fue su viaje a Egipto para sobrevivir a la sequía. Otra fue el de los conflictos constantes entre Sara, su esposa, y Agar, su esclava. El luchó con la duda antes de llegar a a experimentar el cumplimiento de la promesa de su heredero, Isaac. Luchó con Abimelec porque le quería quitar a Sara. Pasó en medio de una gran prueba cuando Dios le habló para que sacrificara a su hijo, Isaac, después de esperar tanto para el cumplimiento de la promesa. Abraham debía llegar a ser un pastor manso y sabio para ayudar a las personas que estaban a su alrededor, ya que atravesó por muchas experiencias críticas que le prepararon para ayudar a otros.

El carácter volátil de Jacob, ilustrado en la lucha consigo mismo, con su hermano gemelo, con su suegro y con el ángel, revela que estaba comprometido en dos aspectos de su vida, como actor y catalizador. Tal vez la crisis que surgió en su propia familia mientras estaba viviendo en medio de los heteos, ilustra cómo Jacob llegó a darse cuenta de la necesidad de cumplir con su papel como padre y autoridad espiritual (Gn.34 y 35). Al tomar los heteos a la hija, Dina, Jacob decide que este es el tiempo de renovación espiritual entre los miembros de su propia familia. Manifestó su autoridad y llamó a su familia para que volviera a Dios. Fue líder y guía para su propia familia, porque ellos estaban dejando a Dios y los ideales de sus antepasados.

La confrontación del profeta Natán con David a causa del pecado del rey, ilustra el papel de la técnica de la confrontación en consejería. La exhortación de Natán acusa a David (2 S. 12:7) y lo conduce a la confesión y al arrepentimiento. El pastor hoy debe estar seguro de que tiene una relación segura con su aconsejado y la dirección del Señor si sigue el procedimiento de Natán.

El escritor de Proverbios resalta la gran importancia de escuchar con atención a los consejeros (Pr. 11:14; 12:20; 15:22; 24:6). También nos ayuda para guardarnos en buenas condiciones físicas, emocionales y espirituales. El predicador puede encontrar en los Proverbios mucho material para ayudarle en su predicación.

Los profetas pueden ser modelos para los predicadores que sienten la necesidad de condenar los pecados de injusticia, de opresión, y de corrupción en la sociedad, y los pecados personales de nuestros días. Hay lugar para la condenación del mal y la elevación de los ideales morales y espirituales en nuestro día. El sacerdote era visto como alguien que promovía los aspectos ceremoniales de la expresión religiosa. Hay evidencias de que el sacerdote promovía más una adaptación al estilo de vida que existía en su día. La diferencia se ve en la cita de James Smart: "En el Antiguo Testamento el sacerdote era el cristiano de la tradición religiosa de la nación; el pueblo debía dirigirse a el buscando comprensión y consejo en todos los problemas que involucraban su relación con Dios y con cada uno. . . El profeta participaba también en el cuidado pastoral de la comunidad. Nosotros usualmente pensamos que el profeta era el que lanzaba sus mensajes de condenación como truenos a la nación en general, en vez de tratar con individuos —un predicador más que un pastor".[1]

Isaías fue un líder espiritual para los reyes de su día. El aconsejaba a los líderes políticos para que se guardaran del peligro de alianzas con naciones paganas. Aunque los líderes no siempre hicieron caso a su consejo (Is.7:1-10), esto no lo hizo desistir de su ministerio. La última parte de su libro contiene palabras de aliento para el pueblo que está en cautiverio (40:1ss). Nosotros vemos en él al líder espiritual que era capaz de ayudar a las personas a ver más allá de donde ellas estaban en ese momento, y a esperar mejores días en el futuro.

Jeremías concibió su papel de líder como el de un médico cuya tarea es sanar las heridas en la vida de la nación (Jer. 6:13, 14). Su esperanza en el futuro lo llevó a comprar un pedazo de tierra de un pariente en la espera de la invasión y destrucción de Jerusalén (32:6ss). El nos dio palabras inspiradoras para guardar el Nuevo Pacto de Dios con su pueblo (31:31-34). El ministró en momentos críticos de la desintegración de la vida nacional de su pueblo, pero fue fiel al exhortar a esperar en el propósito de Dios para ellos como nación que sería realizada en el futuro.

Ezequiel cumplió su ministerio en medio de un pueblo que había sido llevado cautivo a una tierra extranjera. El percibía su papel como el de un pastor y vigilante de la comunidad. El enfatizó la responsabilidad individual de cada persona delante de Dios (18:1-20). Estos diez profetas ministraron a las personas en sus días de acuerdo con las necesidades espirituales, lo cual es el desafío para nosotros hoy en día.

Jesús como modelo

Es interesante estudiar el ministerio y las enseñanzas de Jesús desde el punto de vista de las normas de la consejería. Nosotros vemos que Jesús fue capaz de ministrar adecuadamente a aquellos que venían a él. Nos impresiona por su modo de actuar para enfrentarse con la variedad de personas que se le opusieron en diferentes ocasiones. Tampoco se alejó del cojo, del ciego, del leproso, ni de los enfermos mentales. La capacidad de Jesús para relacionarse con todas aquellas personas es un gran ejemplo para el ministro y consejero. Smart resume el ministerio de Jesús en esta declaración.

> En el ministerio de Jesús el enfoque sobre los individuos llega a una gran prominencia, tanto, que algunas veces su misión profética para la nación como un todo es perdida de vista. Si examinamos los casos específicos del ministerio de Jesús, una gran parte es de conversaciones con individuos y pequeños grupos. . . si sacamos de los Evangelios todos los pasajes en los cuales Jesús actúa como pastor, dejarían un gran vacío.[2]

La habilidad de Jesús para ser confrontador es evidente en su conversación con Nicodemo, con la mujer en el pozo, con el joven rico y con Zaqueo. El ayudó a cada una de estas personas a encararse consigo mismas, con su motivación y sus razones para seguir la dirección de Dios para sus vidas. El fue severo con los fariseos en la manera tan directa con la cual condenó su hipocresía, su falso orgullo y su sentido invertido de valores.

Es interesante notar en las enseñanzas de Jesús cuán compasivo fue hacia los demás. El habló del buen pastor como alguien que da su vida por sus ovejas. El hijo pródigo era amado por su padre a pesar de su rebelión y desintegración moral. El buen samaritano estuvo dispuesto a romper con las costumbres de la tradición para ayudar a alguien que tenía necesidad. Jesús ejemplificó a través de sus acciones y enseñanzas que él estaba interesado en ayudar a otros, para que pudieran experimentar la máxima sanidad y sentido de propósito en la vida.

El apóstol Pablo

Pablo y sus compañeros mostraron preocupación pastoral al tratar con las personas que estaban hundidas en el paganismo en las diferentes ciudades que ellos visitaban. Pablo no vaciló en discutir y persuadir, porque entendía que la verdad del evangelio podría encontrar resistencia de parte de Satán (Hch. 19:8). Pablo logró tener un ministerio significativo en períodos relativamente cortos en ciudades como Atenas, Efeso, Corinto y Filipos. El pudo comunicar lo que era de significado para el hombre en sus mensajes, y estos mensajes llenaron las necesidades espirituales de las personas que escuchaban. Mostró un corazón de pastor al amonestar a Timoteo a mostrar amor hacia todos (2 Ti. 2:24).

Pedro y Juan

Las Epístolas de Pedro y Juan contienen amonestaciones a los pastores para ser diligentes en la vigilancia cuidadosa del rebaño de Dios (1 P. 5:1-3; 1 Jn. 3:11; 4:7). Estos hombres habían vivido un largo período como cristianos y habían luchado para vencer muchas crisis cuando escribieron estas palabras. Habían dado ejemplo a otros en su ministerio en tiempos de sufrimiento. Nos dan un ideal que es desafiante. Nosotros en la tradición evangélica encontramos inspiración y motivación en las vidas de las personas cuyas experiencias son recordadas en la Palabra inspirada de Dios. Estos personajes bíblicos nos dan una perspectiva y una metodología que, cuando las combinamos con las circunstancias contemporáneas, llegan a ser pertinentes para nosotros en nuestro ministerio.

El Cuidado Pastoral por Medio de Varias Funciones

Administración funcional

El pastor es llamado para ministrar en variadas funciones, que vamos a considerar brevemente.

> ¿Qué significa ser pastor? Hay una concepción evangelística que dice que el ministro debe predicar el evangelio de casa en casa e intentar la conversión de personas como individuos y no solamente en masa. Hay una concepción menos evangelística pero religiosamente más formal, que insiste en que un ministro simplemente lee y ora, es decir, que dirige cultos de adoración con regularidad en las casas de sus feligreses. . . Luego viene el concepto del visitador amistoso de la iglesia, basado en el principio de que un ministro que va a los hogares hace que la gente vaya al templo. Hay pastores que hacen visitas cortas de diez minutos cada seis meses a cada casa de los feligreses y así mantiene a la gente bajo un sentido de obligación para ir a la iglesia. . . Más recientemente encontramos un concepto del pastor como consejero, en el que la visitación general de la congregación es abandonada y las personas con problemas son animadas para visitar al ministro en su estudio para recibir consejo personal.[3]

Predicación terapéutica

El pastor que puede ministrar a las personas en sus dificultades personales y espirituales a través de su predicación, tendrá un verdadero ministerio de significado en esta manera. Esto le abrirá muchas puertas para aconsejar. El desafío será el buscar el tiempo disponible para atender a la gente que busca ayuda. Las personas vendrán buscando consejos como resultado de algunas cosas que dijo el pastor en un sermón que predicó. Estas experiencias enriquecen la predicación, así como la consejería del pastor. El debe estar alerta a las situaciones que surgen en la vida de sus feligreses y que le desafían a preparar mensajes bíblicos que hablen de las necesidades de las personas en todas aquellas situaciones. Esto no significa que en su predicación él usará ilustraciones personales que pueden poner nerviosas a muchas personas y temerosas de que el predicador divulgue sus confidencias. Más bien, él proclamará las verdades profundas que son apropiadas para esta situación.

Oates se refiere a los ministerios en la predicación y consejería en la siguiente declaración:

> La tarea del predicador es primeramente la de desafiar a los hombres con las luces distantes y parpadeantes, pero inextinguibles, de la ciudad de Dios; la tarea pastoral es principalmente la de poder identificarse con las personas tal como ellas son, de "sentarse donde ellas se sientan", aun en sus "guaridas de maldad" en las ciudades de hombres "donde cruzan los caminos abigarrados de la vida". Las dos funciones son absorbidas en una en la adoración a Dios, a la medida que el ministro aprende para sí a participar con la congregación en los procesos de crecimiento en el pacto del amor y los ideales de Jesús.[4]

Oates posteriormente resume los objetivos de la predicación terapéutica como sigue:

1. La interpretación de la experiencia humana a la luz de las verdades bíblicas en vez de la exhortación del pueblo a la observancia de ciertos preceptos morales como tales.
2. El desarrollo de una comprensión personal de los motivos de la acción personal y de grupo en vez de la condenación de esta o aquella forma de comportamiento.
3. La motivación de la congregación hacia la fe en Dios, la fe mutua de unos para otros y la fe en uno mismo, lo que significa incrementar control sobre nuestro comportamiento que descubrimos que ha sido alejado de la mente de Cristo.
4. El crecimiento de un sentimiento de camaradería con Dios en Cristo y el cambio de la personalidad por medio de esta "amistad" transformadora.[5]

Cuidado pastoral sensitivo

Otra de las responsabilidades del pastor es el cuidado espiritual de la comunidad. La palabra "pastor" tiene su origen en la época nómada de la vida tribal entre los antiguos pueblos. El pastor estaba en constante vigilancia por el bienestar de las ovejas. La palabra "pastor" en latín significa "apacentar o alimentar". El Salmo 23, que se refiere a Jehová como pastor, es uno de los pasajes más famosos en la Biblia y continuamente da inspiración y alimento espiritual a las personas en todas las diferentes etapas de su vida. Isaías 40:11 es otro versículo que describe este cuadro: "Como un pastor, apacentará su rebaño; con su brazo lo reunirá. A los corderitos llevará en su seno, y conducirá con cuidado a los que todavía están criando." Jeremías condenó a los malos pastores que destruían y dispersaban las ovejas del rebaño de Dios (Jer. 23:1ss).

Bajo estas mismas figuras nosotros describimos el trabajo del pastor entre su rebaño hoy. Algunos sienten que la ilustración es anticuada porque la etapa de la vida nómada ha pasado de la escena, excepto en pocos casos; pero ellos no saben el impacto que esta figura puede tener todavía. El pastor hoy en día está llamado a estar alerta a las diferentes clases de alimento espiritual que sus miembros están recibiendo. Muchas iglesias pierden miembros que se van con los Testigos de Jehová, con los Mormones y otras sectas, porque el pastor no está alerta a las amenazas que llegan por medio de las visitas de miembros de aquellos grupos y también por medio de la literatura que distribuyen libre y abundamente entre los evangélicos de las diferentes iglesias. El pastor está llamado a estar alerta a las diferentes fuentes de peligro que amenazan su congregación. También, el pastor dedicado estará entre los primeros en llegar cuando se presenten emergencias y otros problemas entre sus miembros. El pastor puede ejercer mucho cuidado pastoral en la medida que responda a las necesidades especiales que las familias tienen en las experiencias diarias.

El visitar en las casas de los creyentes da más oportunidad para considerar específicamente las necesidades de cada miembro de la familia. Algunos pastores tienen la meta de visitar el hogar de cada miembro de la iglesia durante cierto período dependiendo del número de miembros de su congregación. Algunos pastores sienten que tienen que dar prioridad a los inconversos, y si tienen tiempo para visitar, deben tratar de hacer una visita evangelística. Esto es un error porque el pastor debe equipar a sus miembros para evangelizar y así no tendrá que hacer toda la visitación evangelística. Multiplicará su ministerio si puede desarrollar a algunos cristianos para que ayuden en esta importante parte del programa de la iglesia.

Algunos pastores se resisten a la visitación. Smart llama a esto evasión. El dice:

> Hay varias formas de evadirse. Una es la de encontrar buenas razones para abandonar toda visitación en casas. Otra es acortar la visita a un período tan breve que no hace posible una conversación significativa. Otra es la de resolver mantener la visita en un nivel superficial que efectivamente disuada preguntas serias. Otra más es la visita religiosa formal que da al ministro una buena conciencia porque ha leído la Biblia y orado en voz alta. En realidad, él, como pastor, se esconde detrás de estos elementos religiosos, y así evade los problemas reales de la gente. Hay numerosas maneras de resguardarnos de la costosa exposición a las rudas realidades de las vidas de nuestro pueblo.[6]

Frecuentemente en las visitas pastorales las personas comparten los problemas íntimos que tienen. El pastor tiene la oportunidad en esta situación de aconsejar en una manera eficaz. No tiene que estructurar la situación de tal modo que la persona tenga que hacer un viaje especial a la iglesia o a su oficina para recibir consejería. El pastor puede participar en muchos ministerios preventivos y por este medio ayudar a evitar problemas más críticos que podrían surgir al poco tiempo si no hay intervención pastoral adecuada. El pastor debe ser capaz de reconocer cuándo las personas necesitan ayuda más intensiva, y estructurar la situación como sea necesario. También puede evitar la necesidad de pasar muchas horas en consejería en situaciones difíciles cuando hogares han sido rotos y las vidas han sido destruidas, si actúa preventivamente, tomando el tiempo necesario para escuchar a las personas y aconsejarlas sabiamente mientras visita de casa en casa.

Liderazgo vital en adoración

La religión cristiana enfatiza la importancia de la adoración individual y en grupo. El pastor es quien tradicionalmente dirige esta experiencia de adoración. Por lo tanto, él necesita desarrollar el arte de la conducción de la adoración pública y privada de tal manera que ésta sea significativa para los participantes. Esto también puede ser un medio significativo para profundizar la vida espiritual de la congregación. La adoración ayuda a las personas a ganar un sentido de valor y dirección en sus vidas y las capacita a tomar decisiones, y por lo tanto, evitar las decisiones perjudiciales para su propio sentido de cumplimiento en el futuro.

Oates llama la atención al valor terapéutico de la adoración pública en esta declaración:

> La adoración pública, tanto como la adoración privada, proporciona los recursos necesarios para la conservación y multiplicación de la efectividad pastoral del ministro. Una de las partes distintivas del papel y la función del pastor cristiano es que él esté relacionado con aquellos que él ayuda en forma individual y social en privado o públicamente, en planes horizontales de compañerismo entre hombre y hombre; y en un plano vertical de comunión entre el hombre y Dios. El lugar de la adoración pública es donde se reúnen todas estas líneas de influencia y compañerismo.[7]

Los diferentes aspectos de la adoración tienen un efecto terapéutico sobre el adorador. La participación en alabanza, confesión, meditación de Dios y consagración, pueden ser de mucho significado para ayudar a una persona a guardar su unión espiritual y continuar en su servicio al Señor. El ministro puede usar la adoración en una manera efectiva, para ayudar a las personas a descubrir las necesidades de cambios en sus vidas, tanto como para asimilar los consejos que ellos reciben.

Consejería competente

El ministerio de consejería no es un apéndice a la obra del pastor, más bién es una parte vital de todo lo que hace. En realidad, su ministerio de consejería puede ajustarse perfectamente con sus otras responsabilidades. Esto puede servir para ayudarle a tener información y un punto de vista que sería importante en las funciones administrativas del programa de la iglesia. Al mismo tiempo, a través de la consejería, el ministro llega a tener conocimiento de muchas de las necesidades espirituales de su congregación, y puede preparar sus mensajes bajo el liderazgo del Espíritu Santo, tomando en cuenta las múltiples necesidades. El debe ser cauteloso para no usar ilustraciones personales que incluyen las personas de la congregación que han venido a él a pedir ayuda, pero esto no significa que no pueda hablar de tal manera que busque ayudar a aquellos que tienen las mismas necesidades.

Características de un Consejero

Amor por las personas

El amor por las personas es uno de los requisitos básicos de un pastor exitoso y un buen líder. La verdad involucrada en esta declaración no puede enfatizarse demasiado. La cualidad del amor *agape* es que no espera nada a cambio, no es amor recíproco. Esta es la cualidad que hace que uno se dé a uno mismo, sacrificadamente para ayudar a otros, sin esperar nada en forma recíproca.

Algunas veces el amor ha sido confundido con el temperamento sanguíneo, que entusiastamente busca esparcir felicidad entre otras personas. A veces ha sido confundido con la personalidad compulsiva-obsesiva, que lleva al ministro a sacrificarse día y noche sin considerar las necesidades propias de su mantenimiento y las de su familia. También es confundido con el intento de expiar el comportamiento del pasado, que ha dejado una carga de culpa y que constantemente presiona a la persona a buscar expiación. Ha sido confundido también con egoísmo, en el que en realidad el *servicio* a otros se lleva a cabo con el fin de satisfacer sus propias necesidades patológicas. El cristiano debe procurar estar seguro de que su amor es genuino, sin motivos ocultos. Es importante para el ministro poder usar la razón a medida que expresa su amor. Este es el significado real del amor *agape* que abarca el ejercicio de la razón y la voluntad. Uno descubrirá con la experiencia cuáles expresiones de amor son beneficiosas y cuáles pueden ser debilitantes. Un amor que deja al recipiente menos motivado y menos capacitado para hacer por sí mismo, puede ser más dañino que beneficioso. Un *amor* que permite a las personas manipular al pastor no es necesariamente un amor que las haría más fuertes en el futuro.

Autenticidad

Autenticidad y sinceridad son cualidades importantes para el consejero. Esto significa que el pastor puede reflejar quién es él mientras trabaja con otras personas. Puede ser transparente, lo que involucra un reconocimiento de quién es él y cómo funciona. El es consciente de sus propios sentimientos y la fuente de ellos. Puede ser honesto con las personas sin tener que fingir constantemente o pedir que otros lo defiendan en forma injusta. Si él está comprometido en algo que le impide ayudar en el momento en que alguien tiene una necesidad, explicará esto a las personas y establecerá otro tiempo para ayudarles.

Algunos difieren en este énfasis, declarando que el consejero no debe mostrar emoción mientras escucha los problemas de otros. Sin importar lo que escucha, debe seguir respondiendo a las personas en la misma manera. Otros tienen la opinión de que el mejor consejero es aquel que puede "vibrar" con las personas según lo que está oyendo. El responde con empatía a los que están experimentando tristeza en sus vidas. El celebra con felicidad y risa con quienes vienen y comparten sus ocasiones de alegría en la vida. La franqueza y autenticidad de parte del consejero le permite responder sinceramente de acuerdo con sus propios sentimientos, y esta actitud despertará las mismas cualidades en aquellos que aconseja.

Conciencia de sí mismo y de otros

Ya hemos mencionado brevemente la importancia de estar consciente de uno mismo, de sus emociones, de sus debilidades y de sus fuerzas. "Esta conciencia ayuda al consejero a evitar el uso indebido y no ético de otros para satisfacer sus propias necesidades."[8] Esta conciencia también ayudará al consejero a no imponer su sistema de valores éticos y espirituales sobre el ayudado en una manera ofensiva. Puede tener sus propias convicciones, pero puede permitir que otros tengan convicciones distintas. Puede ofrecer su ayuda a ellos sin esperar que acepten sus principios en cuanto a la conducta. Por ejemplo, el aconsejado puede mencionar la posibilidad de divorciarse, mientras que el consejero puede tener convicciones en contra del divorcio. El consejero necesita ser consciente de su propio punto de vista personal y al mismo tiempo no sentir que su convicción propia debe comunicarla como un juicio hacia el aconsejado. Tiene que darle a éste la libertad para considerar la alternativa del divorcio con la esperanza de decidir que esa no es la mejor solución, sin que él imponga su opinión sobre la persona.

Hay varias maneras para adquirir esta conciencia. El pastor necesita meditar mucho sobre sus propias convicciones morales y espirituales, y reconocer la fuente de ellas. También debe entender la dinámica interna que funciona dentro de él. Si siente que está enfadándose mientras alguien comunica sus problemas, debe poder reconocer la relación entre lo que escucha y su propia reacción interna. Por ejemplo, una consejera que ha sido violada cuando niña, probablemente tendrá una experiencia emotiva muy activa si la aconsejada comienza a relatar una experiencia semejante a la que ella experimentó. El tener a un amigo de confianza con quién podemos comunicar estos sentimientos nos ayuda a mantener nuestro equilibrio mental y emocional.

Interés en ayudar a otros

El consejero debe estar genuinamente interesado en la gente, en sus necesidades y dificultades, en sus alegrías y en su capacidad y disposición para recibir ayuda. El consejero tiene que estar en condiciones para responder a las circunstancias críticas con empatía, lo cual lo capacitará para estar disponible para ayudar. Tiene que saber cuándo extender la mano para ofrecer ayuda a la gente que está sufriendo. A veces tiene que incomodarse personalmente para darse a otros con el fin de ayudar. El relato bíblico que más vívidamente nos lo ilustra es el del Buen Samaritano. Jesús demostró en forma dramática con este relato que a veces los líderes religiosos ven las necesidades físicas y espirituales, pero a veces no quieren incomodarse o simplemente no tienen la capacidad para ayudar a alguien en crisis.

Esta falta de voluntad para ayudar a otros puede brotar de una multitud de razones. Este relato despierta la culpabilidad de todo líder religioso de vez en cuando por no responder a toda necesidad que percibimos, por razones económicas, emocionales o morales. A veces nuestros quehaceres diarios forman un pretexto para no ministrar y no podemos responder con empatía a los necesitados. Es paradójico que en el relato que dio Jesús, la persona con menos posibilidad de ayudar fue precisamente la que extendió la mano. Sus posibilidades eran limitadas por los prejuicios raciales y las tradiciones de su día, por el resentimiento que naturalmente sentiría por el trato que su raza había recibido a manos de los judíos —"los judíos no se tratan con los samaritanos". Pero vemos lo que pueden hacer los dones naturales y un corazón dispuesto cuando actúan con compasión en forma espontánea bajo el impulso del Espíritu Santo.

Es mejor que el pastor no proceda en su ministerio pastoral tomando historias clínicas, como lo haría un trabajador social. Sin embargo, con algunas preguntas bien seleccionadas puede mostrar que tiene interés en las personas, puede descubrir lo que está pasando en sus vidas y ponerse a la orden para ayudar si las personas lo desean. El ministro debe reconocer que su ministerio puede ser decisivo para ayudar a alguien a volverse de la desesperación a la esperanza, por medio de una decisión tomada como consecuencia de algunas conversaciones con el pastor. Muchas personas pasan meses en depresión emocional, después de la muerte de un ser querido, cuando unas conversaciones con el pastor por una hora durante cuatro o seis semanas podrían ayudarles a salir de ese valle de depresión y regresar a la vida normal más rápidamente.

La motivación sana

Es importante comprender las razones por las que uno quiere ayudar a otros. Si el pastor o el consejero tiene necesidades patológicas que está tratando de satisfacer por medio de su entrega a otros y de sus esfuerzos por ayudarles, entonces sus esfuerzos pueden ser neutralizados o anulados por sus propias debilidades. En un hospital donde yo trabajaba como capellán había un programa que permitía a voluntarios ir al hospital y hacer ciertas tareas no profesionales, como llevar los ramos de flores a los cuartos de los pacientes y visitar entre los enfermos. La encargada del programa nos relató que tenía que ejercer mucho cuidado en reclutar a los voluntarios, para eliminar a las personas que no tenían motivación muy sana. En una ocasión se dio cuenta de que una dama voluntaria, que había perdido a su esposo pocos meses antes, estaba visitando a los pacientes y en la visita buscaba ocasión para relatarles de su pérdida y su dolor. Esta era su manera de resolver su propio dolor, pero algunos pacientes comenzaron a quejarse a la jefa de enfermeras, porque no habían venido al hospital a escuchar tales relatos de tristeza. La supervisora tuvo que relevar a la voluntaria hasta que se adaptó mejor a su pérdida, porque no podían permitir que una voluntaria, por mejor voluntad que tuviera, esparciera sus gérmenes emocionales de paciente en paciente. El que va a ayudar no debe hacerlo con la motivación de ayudar a solucionar su propio problema. Jesús dijo: "Médico, sánate a ti mismo" (Lc. 4: 23).

A pesar de esto, la inversión de nuestras energías en actividades que ayudan a otros puede ser una manera sana de mantener nuestro equilibrio emocional. Al ayudar a otros, recibimos una satisfacción que refuerza nuestro sentido de autoestima, nuestra capacidad profesional y la intimidad emocional con los demás, que aportan mucho a nuestro propio sentido de propósito en la vida. Estos son aportes que son legítimos si los limitamos a la esfera de lo normal. Pero aun éstos pueden llegar a ser tan exagerados que pasan de lo normal. Un espíritu altruista es evidente en los pastores y consejeros sanos. También, el cristiano tendrá un motivo misionero y evangelístico en su propósito de ayudar. Esto también es positivo, pero uno no debe permitir que se desarrolle una obsesión por convertir a cada persona que llega a buscar ayuda.[9] Tal obsesión puede llevarle a uno a utilizar métodos demasiado directos y a presionar demasiado en forma agresiva.

La Oportunidad Especial del Pastor Como Consejero

El pastor puede tomar la iniciativa

Hay varias cualidades únicas con relación a la oportunidad del pastor para ayudar. El puede tomar la iniciativa e ir a los miembros de la congregación y a los inconversos cuando se da cuenta de su necesidad. Los médicos y otros profesionales no tienen esta libertad por razones éticas de sus profesiones. Por el contrario, se espera que el pastor responda a las necesidades de su congregación, y esté entre los primeros para llegar a ministrar y visitar cuando se da cuenta de problemas. Una de las críticas que más se escuchan contra el pastor hoy es que no visita suficientemente. La mayoría de los pastores, debido a los límites de tiempo, establecen una prioridad y ministran a los más necesitados. El pastor sabio entrena a los miembros para que le ayuden en la visitación y prepara a los feligreses para aceptar que el ministerio de los laicos es tan válido como el del pastor. El pastor tiene que decidir a quiénes va a visitar en el tiempo disponible. Una lista de prioridades que puede considerar sería la siguiente:

1. Los afligidos por la muerte de seres queridos.
2. Los enfermos en los hospitales y en las casas.
3. Los que necesitan el evangelio.
4. Los que tienen problemas especiales de índole espiritual, relacional o moral.
5. Los de la tercera edad, que no pueden asistir a los cultos y los que padecen enfermedades crónicas.
6. Los miembros en perspectiva.

Cada pastor establece su lista de prioridades. Si el pastor tiene la meta de desarrollar la iglesia más numerosa en el país, puede poner la visitación de los miembros en perspectiva en primer lugar. Pero si su misión es ministrar a las personas más necesitadas, sin tener que considerar resultados estadísticos, su lista de prioridad será otra.

El pastor utiliza distintos actos de ministerio, de acuerdo con las necesidades de las personas y las circunstancias que encuentra donde visita. Tal vez las circunstancias no son propicias en un hogar para hablar en forma específica de un problema especial. Si es así, el pastor estructurará otra oportunidad para hablar especialmente de la situación. Cuando es posible, el pastor puede hacer una llamada telefónica o establecer una cita para tratar un asunto de interés para las personas. A veces la visita será informal y la charla ligera. En otras ocasiones el pastor leerá la Biblia y orará específicamente por el problema de la persona del hogar.

El pastor tiene una relación permanente con las personas

Muchos profesionales no tienen contacto previo con los que buscan su ayuda. La relación dura mientras están dando ayuda, sea durante un tratamiento médico o una serie de consultas de índole legal o de negocios, y después no tienen más contacto con las personas. Algunos, como los siquiatras, prefieren no tener contacto fuera del consultorio cuando están dando ayuda, porque, según ellos, esto entorpece el proceso de tratamiento. No es así con los pastores y consejeros espirituales, porque ellos tienen una relación constante con los que están recibiendo ayuda.

Otra diferencia entre el pastor consejero y otros profesionales es que el pastor continúa con su relación de pastor después de terminada la serie de consejos personales.

Este es un hecho muy importante que el pastor debe tener en cuenta. Puede ser necesario que él advierta a algunas personas que contarle cosas demasiado íntimas o francas puede hacer que después estas personas tiendan a resentirse con el pastor porque sabe demasiado o tengan pena por lo que le han confesado. Por estas razones algunos han dejado de asistir a la iglesia después de recibir ayuda. Por ejemplo, el contador público que trabaja en el banco local confiesa a su pastor su deshonestidad. Aunque el pastor le anima a confesar a Dios y pedir perdón, y después a corregir su delito con restitución, el miembro posiblemente no va a sentirse muy cómodo cuando el pastor predica acerca de la honestidad en los negocios. Aunque el pastor no está refiriéndose a su caso, el miembro tiende a interpretarlo así. El que ha sido infiel a su esposa puede sentirse incómodo en presencia del pastor después de confesarlo a él y a su propia esposa, y aun después de recibir el perdón de Dios, de su pastor y de la esposa. Por esta razón, el pastor tiene que asegurarles a los feligreses que cuando Dios perdona, ya no se enfoca en su pecado, y que él tampoco piensa en su pecado del pasado. A la vez el pastor puede ser la encarnación de la gracia y el perdón de Dios al comunicar, no verbalmente, que el aprecio por las personas no se disminuye por haber escuchado de lo peor de la naturaleza humana. La verdad es que la mayoría de los pastores sentirán más compasión por los que han caído en pecado si los ha ayudado a levantarse de nuevo por medio del perdón de Dios y de otros seres humanos que los aprecian a pesar de sus debilidades. Irán la segunda milla al ayudarles a sentirse bien después de haber luchado con la confesión de algún pecado y la reconciliación con Dios. El pastor les asegurará que Dios les ha perdonado y por eso pueden seguir adelante en su vida cristiana sin sentirse que otros están señalándoles con el dedo.

El pastor tiene recursos espirituales

El pastor tiene recursos espirituales que los consejeros seculares no tienen. Switzer hace hincapié en el hecho de que la mayoría de los que buscan ayuda del pastor le atribuyen poderes humanos y sobrenaturales que los consejeros quisieran tener en su trato con la gente.[10] Además de la competencia profesional que tiene el pastor, él es el vocero de Dios y su representante, según la apreciación de la mayoría de las personas. Ellos le atribuyen al pastor ciertas cualidades de omnisciencia y omnipotencia, y piensan que sus oraciones pueden lograr más que las propias. Muchos sienten que el punto de vista del pastor representa la voluntad de Dios para ellos en todo asunto. Pruyer declara: "El feligrés trae a la sesión con el pastor varias actitudes y sentimientos, entre los cuales está la expectativa que este hombre de Dios traiga poderes mágicos para solucionar todo su problema."[11]

El ministro tiene a su alcance una reserva de recursos que él puede hacer disponibles a sus feligreses, los cuales hacen que su ayuda sea más eficaz. Por ejemplo, allí está la comunidad de la fe, los demás hermanos en la iglesia, a quienes puede llamar por ayuda. Las iglesias tienen diáconos, diaconisas y/u otros grupos, que pueden elaborar y ejecutar proyectos de ayuda para los necesitados. Algunas iglesias tienen programas de oración intercesora y equipos que establecen cadenas de oración según las circunstancias. En los cultos de oración semanales los grupos pueden orar específicamente por los enfermos y otros que tienen necesidades especiales. Además de la ayuda divina que viene de tales actividades, el conocimiento de que otros están orando por nosotros es un estímulo sicológico, emocional y espiritual, y esto ayuda en el proceso de sanar enfermedades y motiva a uno a actuar en forma positiva para solucionar sus problemas. Dios ayuda de acuerdo con su modo de actuar en los asuntos de la humanidad, y nuestro interés, amor y oración representan recursos terapéuticos para los necesitados.

El ministro debe tener como compañero permanente un ejemplar de la Biblia, la Palabra de Dios. Debe estar preparado para utilizar los pasajes bíblicos más apropiados de acuerdo con las necesidades específicas de cada persona o circunstancia. Puede hacer relevantes las circunstancias históricas del caso bíblico o los casos contemporáneos con unas cuantas palabras. Por ejemplo, puede decir: "Yo sé que esta circunstancia trae mucho sufrimiento a esta familia. Dios nos acompaña en esta crisis, como estuvo con ____________ (puede usar el caso más apropiado de la Biblia), y nos dará el consuelo que le(s) dio en aquella experiencia." Puede leer algunos de los versículos, o puede decir: "La Biblia nos ayuda para tales casos. Vamos a considerar lo que nos dice Dios en su Palabra".

El pastor no debe abrir la Biblia "al azar" y comenzar a leer. Debe escoger el pasaje con cuidado, después de considerar las necesidades de la persona. Puede preguntarle al enfermo que es creyente si hay un pasaje especial que quiere que lea. O puede preguntar a un grupo si hay un pasaje o versículo especial que les hable en las circunstancias del momento. A veces el pastor puede relacionar las circunstancias de una persona con algún pasaje de la Biblia, lo cual resulta beneficioso para la persona.

El pastor también debe sentirse en libertad para utilizar las verdades bíblicas y teológicas en sus esfuerzos por ayudar a los que luchan por resolver sus problemas. En una ocasión un hombre me dijo que, después de la muerte accidental de uno de sus hijos, había pasado mucho tiempo leyendo y meditando sobre los pasajes que hablan de la muerte. Estos pasajes habían adquirido una importancia y significado especiales después de la tragedia en su propia familia. Si el pastor toma unos momentos para leer la Biblia y hablar con las personas del amor de Dios en el contexto de lo que les pasa, descubrirá que esto es un medio muy importante para su ministerio.

Las personas tienen hambre por escuchar las palabras: "Así ha dicho Jehovah." En una ocasión estaba hablando con una señora acerca de sus razones para asistir a los cultos en la iglesia, y me dijo: "Yo quiero escuchar la explicación y la aplicación del mensaje de la Biblia. Si quisiera escuchar una charla sobre sicología, los eventos mundiales corrientes u otro tema, yo iría a la universidad u otro lugar. Cuando voy a los cultos, quiero que el pastor me explique el mensaje de Dios para mi situación hoy en día." Esta perspectiva de una laica debe ser una voz de alerta para el pastor. Utilicemos los recursos especiales que Dios nos ha dado, que son inherentes a nuestro llamado, para ministrar más eficazmente a los necesitados.

Peligros para el pastor como consejero

Demasiado involucramiento con la gente que procura ayudar

Uno de los peligros que el pastor tiene que aprender a evitar es el de estar demasiado involucrado con las personas que quiere ayudar. Yo experimenté esto cuando estaba en entrenamiento clínico para capellanes en un hospital general. En las etapas tempranas en el curso descubrí que estaba demasiado comprometido emocionalmente con los problemas personales de cada paciente. Cargaba sus problemas para la casa después de terminarse el día, y me despertaba en la madrugada para pensar en la mejor solución a la dificultad. Pasaba tiempo pensando en problemas, cuando debía haber estado disfrutando de la compañía de mi esposa y mis hijos. Por medio de conversaciones con mi supervisor aprendí que necesitaba saber "cerrar la puerta" de mi trabajo en el hospital, y reasumir el proceso el siguiente día al regresar. Aprendí que así podía ser más eficiente en mi ministerio en el hospital y también ser mejor esposo y padre en la casa.

El pastor experimenta esta dificultad muchas veces en su ministerio. Su amor por la gente y su deseo de lo mejor para ella lo llevará a involucrarse demasiado emocionalmente a veces. Puede presionar demasiado con su solución por querer ayudar a una familia en forma rápida. Las personas que están experimentando una crisis tienden a ser dependientes, y están contentas si el pastor u otros toman las decisiones. Después, tienden a resentir tales decisiones. Las personas también tienden a esperar que el pastor resuelva todo otro problema en el futuro. Pueden desarrollar el concepto que el pastor es el mandadero, a las órdenes de cada miembro en cada momento.

Ser manipulado por los que quiere ayudar

Otro peligro para el pastor que quiere ayudar es el de ser manipulado por las personas. A veces los feligreses pueden apelar al pastor y su deber de amar a la gente como la base para esperar que él cumpla con ciertos deberes que les corresponden a ellos mismos o a miembros de la familia. Un ejemplo sería el aceptar ser fiador en compromisos económicos. Cuando era pastor sin experiencia en una iglesia del campo caí en la trampa de ser chofer para cada persona que necesitaba transporte al médico, al centro para hacer diligencias, y otros motivos. El razonamiento de los miembros era que los hombres estaban ocupados en sus quehaceres de la granja y el pastor tenía tiempo libre para hacer todas estas diligencias "por amor a la gente". Ciertamente el amor exige que hagamos tales tareas en momentos de crisis o de necesidad especial, pero no debemos reducir nuestro ministerio al nivel de "mandadero" o "chofer" de la comunidad.

Otra manera en que las personas manipulan al pastor es esperando que él resuelva el problema en forma específica. Por ejemplo, algunas personas han llegado para relatar dificultades con sus hijos. Piden que el pastor hable con los hijos, pero no quieren que los hijos sepan que sus padres le han comunicado el problema al pastor. Y a veces esperan que el pastor logre con los hijos milagros que ellos como padres no han podido lograr durante años. El pastor probablemente no va a cambiar la actitud del hijo pródigo con dos o tres conversaciones, y es injusto e irreal cuando los padres esperan tanto del pastor.

Otros llegan a la oficina del pastor para relatar que están sin trabajo, y esperan que el pastor les consiga un empleo. El pastor puede sentirse culpable si no puede lograr colocar a alguien que está sin trabajo.

Muchos llegan a la iglesia pidiendo ayuda económica. Sin duda, algunos de ellos merecen ayuda. La Biblia enseña que por amor debemos ser generosos en ayudar a los necesitados. Lo ideal sería tomar el tiempo necesario para investigar cada caso, averiguar qué clase de ayuda necesitan, y luchar por "enseñar a pescar y no regalar pescados". Pero por falta de tiempo y recursos la mayoría optamos por dar una cantidad de dinero, sin saber qué compran con ese dinero. El pastor tiene que decidir hasta dónde irá en su modo de ayudar a otros, pero debe tener precaución para no ir más allá de lo justo en su esfuerzo por ayudar a otros.[12]

Actos indiscretos con los que quieren ayuda

De vez en cuando un pastor experimenta una caída moral y espiritual como consecuencia de su propia indiscreción o la de los que busca ayudar. Pruyser declara: "Si la persona que busca ayuda es una mujer, ella puede estar enamorada del pastor, y espera que por medio de su búsqueda de ayuda sean satisfechos algunos de sus deseos eróticos."[13] El pastor puede empezar su ministerio con las mejores intenciones y nunca soñar con tener una dificultad con nadie, pero de repente, después de una serie de conversaciones, descubre que él mismo ha caído preso en los tentáculos de sus propios deseos sexuales que se han despertado por un gesto o el relato de alguna experiencia de parte de la aconsejada.

Bennett da cuatro principios que ayudan a uno en el proceso de aconsejar a personas que aparentemente desean relacionarse con el pastor en el nivel erótico: (1) El reconocimiento de la naturaleza sexual de su modo de relacionarse, en manera abierta o encubierta, (2) la comprensión de la variedad de razones de por qué una persona puede adoptar un método erótico o seductor para relacionarse con otros, (3) un entendimiento de la naturaleza sexual de uno mismo, y (4) el conocimiento y la implementación de métodos y procedimientos en consejos y consultas que son terapéuticos y no dañinos.[14]

Normas negativas básicas para el pastor en el curso de su ministerio serían el no ir solo a la casa de una dama que está sola, el no aconsejar en lugares no propicios, y el no aceptar una invitación que podría comprometerle en forma inapropiada, tales como invitación a almorzar o comer con una dama bajo circunstancias que podrían dar lugar a los chismes.

Oates hace un resumen de los peligros del ministro en cuatro áreas: (1) No tomar el tiempo para estudiar, (2) no tomar tiempo para su propia familias, (3) no tomar tiempo para un ministerio de persona a persona, y (4) no tomar tiempo para cultivar su vida espiritual. "El pastor se convierte en un personaje aislado, solo y cansado, alejado de la posibilidad de suplir las cuatro funciones en la sociedad que podrían brindarle satisfacción personal al cumplir su llamado al servicio."[15]

Mucho se podría decir acerca de la necesidad de fortalecerse para evitar estos peligros. La mayoría de los ministros saben que necesitan disciplinarse a presupuestar el tiempo necesario para relaciones de tanta importancia en la vida, y para mantener su propio equilibrio emocional y espiritual. Pero la verdad es que la mayoría de nosotros caemos en patrones de comportamiento y horarios que hacen que esto sea difícil. De vez en cuando el ministro descubre que él mismo está en circunstancias en que siente la necesidad de aislarse de los necesitados y recibir el ministerio de otros. Cristo llegó a este punto en varias ocasiones en su ministerio. Se aisló de la multitud para pasar tiempo en la reflexión y la recuperación espiritual. El pastor sabio seguirá el ejemplo de su Maestro.

Notas

[1] James D. Smart, *The Rebirth of Ministry* (Philadelphia: Westminster Press, 1960), p. 112.

[2] *Ibid*, p. 113.

[3] *Ibid*, p. 107.

[4] Wayne E. Oates, *The Christian Pastor* (Philadelphia: The Westminster Press, 1961), p. 66.

[5] *Ibid*, p. 67.

[6] Smart, *op. cit.*, p. 119.

[7] Oates, *op. cit.*, p. 70, citando a O. J. Hodges, "The Distinctive Role of the Minister in Psychotherapy", tesis no publicada, Seminario Teológico Bautista del Sudoeste, 1948.

[8] Lawrence M. Brammer, *The Helping Relationship* (Englewood Cliffs, Nueva Jersey: Prentice-Hall, Inc., 1973), p. 21.

[9] *Ibid*, p. 25.

[10] David Switzer, *The Minister as Crisis Counselor* (Nashville: The Abingdon Press, 1974), pp. 20-28.

[11] Paul W. Pruyser, *The Minister As Diagnostician* (Philadelphia: The Westminster Press, 1976), p. 85.

[12] George Bennett, *When They Ask for Bread* (Atlanta, Georgia: John Knox Press, 1978), pp. 88-95.

[13] Pruyser, *op. cit.*, p. 85.

[14] Bennett, *op. cit.*, p. 67.

[15] Oates, *op. cit.*, p. 82.

4

EL ACONSEJADO

Introducción

Hemos tocado algunas de las doctrinas teológicas que forman la base para el cuidado y consejo pastorales. También hemos presentado algunas verdades importantes con relación al pastor como consejero. El otro elemento introductorio en las consideraciones básicas es el aconsejado. La teología de ayuda pastoral adecuada y un consejero preparado serían como un triángulo de sólo dos lados; falta el otro lado: el de las personas que necesitan ayuda. Con esta tercera dimensión se completa el triángulo. La teología aplicada por medio del ministro equipado ofrece ayuda sana para solucionar problemas de la feligresía. En este capítulo vamos a considerar factores que nos ayudarán a ministrar en forma adecuada.

El Proceso de Comprender al Aconsejado

El método que uno implementa en el proceso de ayudar es influido por su comprensión básica de las personas y su teoría de la personalidad humana. Por esta razón el ministro debe estudiar mucho acerca de la naturaleza humana y las varias teorías de la personalidad. También consideramos el proceso por medio del cual las personas cambian, y cómo las técnicas de los consejos personales ayudan en este proceso.

Los componentes básicos de la personalidad

Herencia. Lo que heredamos de los padres, abuelos y otros ancestros, nos da los ingredientes básicos de nuestra personalidad. La combinación de los cromosomas y sus genes en el momento de la concepción juega un papel importante en nuestras características físicas, en nuestro temperamento, y hasta en algunas enfermedades que tenemos y con las que moriremos.[1] Algunos investigadores científicos en el campo de la biología pronostican que en el futuro vamos a saber mucho más de los misterios de la molécula de ácido deoxigenobonucleico (DNA) que pueden resultar en modos de tratar enfermedades hereditarias, lo cual será provechoso para la humanidad. La verdad es que heredamos mucho de padres y parientes, y tenemos que trabajar con esta herencia.

Este "paquete químico" determina nuestra composición física, el color de nuestros ojos, ciertas características y tendencias del cerebro, del corazón, y de otros órganos del cuerpo; si seremos calvos o no, y muchos otros aspectos de nuestro cuerpo y temperamento. El zigote fertilizado une los cromosomas en cuarenta y seis pares, y cada uno de los cromosomas determina factores distintos como el sexo y las características físicas. Se ha descubierto que anomalías en los cromosomas son las causas de algunos problemas como el síndrome de Down, la hemofilia, la fibrosis cística, una clase de cáncer en el colon, la enfermedad Alzheimer, y otra enfermedad fatal llamada enfermedad de Huntington.[2]

Hay infinitas posibilidades de combinaciones de los genes, y esa es la razón de las diferentes características en los miembros de una misma familia.

Las características del comportamiento se pueden heredar. Solemos escuchar declaraciones tales como: "Juan heredó el mal genio de su papá", o "ella tiene la disposición tan bondadosa de su mamá". Sabemos que por medio de inseminación selectiva se pueden producir toros más feroces y gallos más peleadores. El estudio de gemelos idénticos humanos indica que hay muchas similitudes entre ellos además de su apariencia física. Los estudios indican que existe la posibilidad que puedan heredar las mismas debilidades y enfermedades físicas y la misma tendencia hacia la enfermedad mental.[3]

El Ambiente. El ambiente consiste en nuestros alrededores, que abarca los aspectos personales e impersonales. Los padres, hermanos, tíos, abuelos, vecinos y amigos, aportan influencias sobre nosotros desde la niñez. Las cosas impersonales abarcan el lugar geográfico donde nos criamos, ya fuera el campo o un centro urbano, ya fuera en un ambiente de agricultores, artesanos, mineros, o intelectuales con revistas y libros. La condición económica y social en que nos criamos ayuda a formar nuestros prejuicios y la identificación religiosa y política. Si las influencias primordiales fueron negativas, las experiencias en los años formativos dejan huellas muy profundas, y pueden producir temores, tristezas, ansiedades y hostilidades. Un ambiente positivo produce una actitud de confianza, de alegría y colaboración. Ninguna persona ha tenido influencias totalmente negativas o positivas, más bien cada uno habrá experimentado una mezcla de experiencias positivas y negativas.

Por ejemplo, personas que se han criado en circunstancias de pobreza extrema nunca se escapan de los temores y siempre manifiestan ansiedad por sus circunstancias económicas. Siempre quieren que la nevera y la alacena estén llenas de comestibles. Muchas personas en los Estados Unidos que vivieron en la crisis económica de 1928-1930 han pasado su vida tomando decisiones orientadas a estar preparadas en caso de que la gran crisis se repita. Algunos nunca han comprado a plazos porque sus padres perdieron su finca o sus bienes por no poder pagar las cuotas en aquella época. Decidieron evitar las experiencias tristes de la niñez, que recuerdan como si fueron ayer.

Otra ilustración del efecto del ambiente tiene que ver con las diferencias entre los hijos únicos y los que tienen varios hermanos mayores y/o menores. El hijo único tiende a tener más dificultad en compartir con otros cosas materiales y puestos de honor. Puesto que recibía todos los regalos y los honores en la niñez, tiende a pensar que todo debe ser para él durante el resto de la vida. En contraste, la persona que se crió entre varios hermanos aprende a compartir las cosas, a ganar y a perder, y a distinguir entre las veces en que hay que ceder y las que hay que pelear. Perder batallas con hermanos les produce odio por el momento, pero después les pasa el enojo y se reconcilian y unen en contra de otro enemigo común. Estas son lecciones que se aprenden en la vida temprana, pero forman los patrones con los cuales jugamos y trabajamos durante toda la vida.

Las relaciones con los padres tienen un impacto de suma importancia en la formación de la personalidad de uno. Si los padres no son compatibles y pelean mucho cuando los niños son pequeños, estas circunstancias producen ansiedades, inseguridades, y preocupaciones en los hijos, que se manifiestan en formas más serias en los años futuros. Los hijos desarrollan una relación, una actitud y una emoción predominante como consecuencia de los años de contacto con el padre y la madre. El consejero puede pasar horas escuchando los relatos de felicidad, armonía y amor, y también escuchando mucho de las tristezas, las crueldades y los resultados del abandono físico o emocional del padre o la madre. La tarea del consejero, entonces, es la de interpretar para los aconsejados lo que significa su pasado y cómo ese pasado les afecta en forma positiva y/o negativa en el presente.

Las necesidades emocionales básicas

C. W. Brister enumera las contribuciones de la sicología del ego para la comprensión más adecuada del desarrollo humano en el siguiente sumario:[4]

1. Las personas tienden a revivir las experiencias tempranas de la niñez con su familia, en todas las demás relaciones del resto de la vida. Esto hace que las personas se relacionen con su pastor y con otros de acuerdo con conflictos no resueltos en la niñez.

2. Todo comportamiento tiene significado y propósito en su dimensión inconsciente. El cuidado pastoral tiene que ser sintonizado con estas dimensiones interiores de las personas.

3. Los ministros deben relacionarse con las personas según el grado de profundidad de la relación y no con respuestas prefabricadas o con técnicas estériles. Una persona posiblemente no podrá comprender las razones de su ambición insaciable que lo obliga a hacer ciertas cosas en forma compulsiva, o de su necesidad constante de elogios y expresiones de aprobación, o de su aislamiento de todos, o de su rechazamiento por otros, o de su inseguridad con otros en muchas circunstancias. Este comportamiento es la expresión exterior de sus sentimientos interiores.

A continuación mencionaremos algunas de las necesidades básicas de la personalidad que son el fruto de estos principios sicológicos. El consejero tiene la tarea de hacer comprensible todo lo que es la materia prima, los ingredientes que nos han hecho la persona maravillosa y complicada que somos.

Amor y afecto emocional. Los sicólogos y especialistas en la crianza de niños reconocen que la necesidad más fundamental del niño es el amor. Cuando el niño es amado desde el tiempo en que nace, desarrolla un sentido de seguridad y pertenencia. Es importante la expresión de afecto acariciando al bebé con frecuencia, especialmente cuando lo están alimentando, porque esto suple necesidades fundamentales emocionales.

Si el niño es rechazado o abandonado durante su niñez, en el futuro probablemente manifestará las cicatrices de estos rechazos. El puede ser alguien que constantemente busca la atención de los demás para reponer o reemplazar el amor que no tuvo cuando era niño, o puede ser una persona apartada o separada de los demás y tener dificultades para relacionarse con otras personas.

La persona que nunca recibió amor cuando era niña tiene dificultades para expresar el amor cuando es adulta. Estas deficiencias pueden traer mucho trabajo para el pastor y la iglesia. La iglesia debe contar con gente para ayudar a las personas que lo necesitan en esta área. Algunas veces los consejos prematrimoniales pueden ser de gran ayuda para la joven pareja, porque en el proceso de recibir consejo ellos pueden adquirir una gran comprensión de la dinámica de su relación. Los conflictos en los matrimonios recién formados surgen a veces, y su origen puede estar en que los cónyuges no entienden las consecuencias de la insatisfacción de necesidades emocionales básicas cuando eran niños. El pastor alerta verá esto y buscará ayudar a la gente a vencer las dificultades que son resultado de la esterilidad emocional durante los primeros años.

Hugh Missildine, en su libro *Your Inner Conflicts and How to Solve*

Them (Sus Conflictos Internos y Cómo Solucionarlos), habla de los efectos de la mofa, la presión, la indulgencia, el castigo severo, el abandono y el rechazo en la niñez y los vestigios que estos traumas dejan en el adulto. La iglesia puede hacer mucho por las parejas jóvenes que tienen niños, al enseñarles a que expresen el amor a sus hijos en formas directas y claras. El pastor y otros líderes en la iglesia ayudarán a los padres con ideas específicas de cómo mostrar el amor. Si el pastor percibe que la pareja tiene dificultades en esta área, tratará de involucrar a los padres en conferencias y actividades de los grupos con otros padres con el propósito de ayudar a la gente a manifestar estas emociones en forma más espontánea.

Seguridad Emocional. Otra necesidad básica es la seguridad biológica recalcada en la satisfacción de las necesidades físicas y el buscar evitar el dolor. La seguridad emocional envuelve la seguridad biológica, pero también incluye la provisión de un ambiente o medio de aprecio y confianza, en el cual se recibe y aprende a dar el calor emocional en las relaciones humanas.

La seguridad emocional envuelve el descubrimiento de un sentido de pertenencia y valor, los cuales ayudan a la persona a sentir amor y paz en su medio. La seguridad económica promueve seguridad emocional, pero no son sinónimos. Las comodidades materiales no garantizan la seguridad emocional. Muchas familias con pocas comodidades económicas crían niños que son felices y bien equilibrados emocionalmente. La compatibilidad matrimonial entre padres contribuye mucho a la seguridad emocional. La incompatibilidad entre cónyuges casi siempre produce inseguridad y miedo en el niño.

Muchos adultos sufren de los efectos de la inseguridad emocional, la que los incapacita para funcionar en puestos de trabajo tanto como en sus hogares. Las manifestaciones más agudas de esta inseguridad pueden producir una actitud de sospecha que llega a ser paranoica en muchos. Una vez yo visité a un señor en un hospital de enfermos mentales que había sido un hombre de negocios con éxito, pero que ahora estaba por perder su puesto porque desarrolló una sospecha irracional de que otros en la oficina querían desplazarlo y tomar su puesto. Si veía a dos personas en conversación, sospechaba que estaban maquinando en contra de él.

El cuidado pastoral buscará afirmar el valor de cada persona en la comunidad cristiana. Buscará evitar circunstancias en que el rechazo puede acontecer. El cuidado pastoral sano debe promover actividades en las cuales el sentimiento de pertenencia es realzado. Buscará descubrir los caminos en los cuales la gente que está sufriendo puede recibir el apoyo del grupo entero.

Reconocimiento del valor personal. Cada persona necesita sentir que es de valor y que lo que hace es apreciado por los demás. El necesita sentir que tiene un lugar y que su contribución a la institución es importante. Pablo Tournier afirmó esta verdad en su libro *A Place for You* (Un Lugar para Usted) en el cual enfatizó que cada persona debe sentir que su existencia ha hecho una diferencia en la vida de otros.

Muchas veces la esposa se siente resentida cuando el esposo y sus hijos no le expresan agradecimiento por las horas que ha invertido en preparar buenas comidas, mantener la casa en orden y la ropa limpia, para cada miembro de la familia. Ella necesita oír de vez en cuando que sus talentos son de valor y que contribuyen grandemente a la vida familiar. Puede ser que el esposo sienta que solamente es de valor porque trae el dinero a la casa y que sus niños y su esposa no expresan su gratitud por las horas duras que trabaja para proveer todo lo que necesitan. Los líderes administrativos de una iglesia o institución pueden llegar a pensar que los miembros no aprecian su aporte en forma adecuada. La persona que dedica su vida a ser maestra puede llegar a sentir que sus estudiantes no aprecian el tiempo que ella invierte en preparar la clase y el tiempo que dedica a los estudiantes.

La persona madura desarrolla un sentido de valor propio y la habilidad de continuar funcionando aun cuando no recibe el elogio de los demás. El verdadero sentimiento maduro se manifiesta cuando la persona puede hacer contribuciones positivas en su trabajo, hogar e iglesia, aun cuando la apreciación no es expresada en forma abierta por los demás. El niño necesita que se le diga que tiene un gran valor porque es una persona, y no solamente porque hace su tarea, saca buenas calificaciones, o ayuda a papá y mamá.

El sentimiento de que la vida tiene significado. Si la persona siente que su vida no tiene significado, no puede encararse con muchas dificultades en la vida. Víctor Frankl, después de estar varios años en un campo de concentración, descubrió su concepto de logoterapia, en el cual él insiste en que si la persona tiene un "por qué" vivir, puede aguantar cualquier "cómo", incluyendo los sufrimientos más agudos. Esto quiere decir que la vida debe tener significado. El lugar que uno ocupa en su mundo en medio de su familia, los amigos, la iglesia y el trabajo, ayuda para dar este significado. Si la persona se da cuenta de que está haciendo algunas cosas significantes para la vida de otros, puede gozar y participar en actividades, aunque le toque sufrir penalidades. Así era Pablo en su servicio para el Señor.

El sentido de valor puede ser instrumental en mantener activa a la gente en los programas de la iglesia, porque ellos sienten que esa contribución ayuda a la vida de otros.

Este sentido de valor ha ayudado a muchas personas en momentos de desánimo y frustración. Cuando la gente siente que está aportando algo de valor, tiene un sentido de bienestar personal que le trae un sentido interno de satisfacción. Jesús dijo: "Más bien, buscad primeramente el reino de Dios y su justicia, y todas estas cosas os serán añadidas" (Mt. 6:33). Cuando una persona hace esto, las otras cosas toman su lugar debido. Esto también da un sentido de afirmación divina para la persona en el trabajo que hace. Uno siente que está colaborando con Dios en su plan para la humanidad, y por eso siente la aprobación divina.

La Fundación Menninger, en Topeka, Kansas, ha dado un buen sumario del significado de la seguridad emocional en la siguiente declaración: (1) La capacidad de encararse con la realidad, (2) la capacidad de adaptarse al cambio, (3) la carencia relativa de síntomas que resultan de las tensiones y la ansiedad, (4) el lograr encontrar más satisfacción en dar que recibir, (5) la capacidad de relacionarse con otras personas en una manera constante que da satisfacción mutua y que trae beneficios mutuos, (6) la capacidad de sublimar las energías de hostilidad y frustración en actividades creativas que aportan en forma positiva para el mundo, y (7) la capacidad de amar.[5]

Se dice que el comportamiento humano es un reflejo de la manera en que estas necesidades se suplen. Comprendemos que el comportamiento humano es complejo, y que es difícil explicar la conducta en una ecuación de causa y efecto. A veces uno se da cuenta de la razón de sus acciones, pero en otras ocasiones su manera de reaccionar a un estímulo es un misterio para uno mismo. Nuestras emociones, necesidades básicas, deseos, esperanzas, temores y ansiedades, contribuyen al misterio de nuestro comportamiento. Es positivo si uno puede llegar al nivel de autocomprensión que hará posible que reconozca su motivación en sus acciones. Esto lo puede libertar para actuar con responsabilidad.

Además de las fuerzas internas que están trabajando constantemente para afectar nuestro comportamiento, también hay muchas fuerzas externas. Las influencias del medio, de nuestros amigos, y de las condiciones físicas en que trabajamos, también juegan una parte importante y nos afectan. Factores como el tiempo, el clima, el ambiente en la oficina, el aula, o el lugar de trabajo, las presiones sociales, y las influencias culturales, todos forman un conjunto de fuerzas que influye en nuestro comportamiento. La mente es un banco de memoria como computadora, y las acciones son reacciones que son respuestas de las memorias que tenemos de los éxitos o los fracasos del pasado. Según Mahoney, la persona madura es la que tiene la capacidad de experimentar en forma plena, sin censura de afuera, sus pensamientos y sentimientos, y actuar de acuerdo con lo más apropiado con relación al tiempo, el lugar y las circunstancias.[6]

Los Mecanismos de Defensa

Definición de términos

En el funcionamiento diario de nuestras personalidades utilizamos constantemente los mecanismos de defensa como medios para encararnos con las circunstancias internas y externas con las que mantenemos un equilibrio para funcionar normalmente. Cuando está en peligro nuestra seguridad física, reaccionamos con agresión para pelear o huir. Cuando está amenazada nuestra seguridad emocional, utilizamos una variedad de maneras para protegernos y para preservar nuestro bienestar emocional. Algunos mecanismos nos dan el resultado que buscamos, pero otros no. Algunos mecanismos no tienen efecto negativo, pero otros pueden darnos un sentido irrealista de nosotros y nuestras capacidades y/o debilidades, y otros ayudarnos a desarrollar creencias no sanas en nuestras actitudes hacia la vida.

La discusión que sigue ayudará al pastor a reconocer los varios mecanismos de defensa y a medir sus efectos sobre las personas que intenta ayudar por medio de su ministerio.

Los varios mecanismos

Represión. La represión es el mecanismo más dañino, porque es inconsciente.[7] Es la *negación* de la existencia de una amenaza. La persona que usa la represión no es consciente de que tiene una necesidad que no se está supliendo. Por ejemplo, todos tenemos la necesidad de amar y ser amados, pero uno puede negar que tiene la necesidad, especialmente si durante la niñez no experimentó el amor. La persona reprime estos sentimientos, pero esta represión no hace desaparecer la necesidad. Antes, la necesidad puede expresarse en una actitud de autosacrificio en trabajo o en servicio hacia los demás. O puede expresarse en una actitud negativa, hasta de hostilidad hacia otros. Uno puede ser muy compulsivo en su trabajo y esta compulsividad produce muchos problemas en las relaciones interpersonales. La persona puede ser muy rígida en su modo de relacionarse con otros, en su conducta, y en otras áreas de la vida. Hay personas que han vivido tantos años sin dar y recibir el amor que ya no son capaces de aceptarlo o de expresarlo. Se amargan en la vida, y hasta piden inconscientemente que otros los rechacen.

Las necesidades reprimidas se expresan en formas secundarias cuando el canal de la expresión directa está obstruido. Esto explica la gran cantidad de ansiedades, fobias, compulsiones y síntomas sicosomáticos. A veces se ven los casos más serios en los hospitales para enfermos mentales.

La solución al problema de la represión está en ayudar a la persona a reconocer que tiene estas necesidades o que está negando una realidad que existe. A veces se necesitan meses para lograr este primer paso. Generalmente, la persona niega en un principio que tiene estas necesidades, pero con el tiempo y con la ayuda de la comunidad cristiana la persona puede admitir en su conciencia que estas necesidades existen. Poco a poco, puede experimentar el gozo de sentir el amor agape hacia otros y permitirá que otros le expresen este agape. El pastor y la comunidad cristiana son fuentes naturales para darles la ayuda que estas personas necesitan.

Racionalización. Uno de los modos más comunes para encararnos con nuestros conflictos externos e internos es por medio de la racionalización. Cuando no rendimos bien en un examen o en una actividad deportiva, razonamos diciendo que no nos sentimos bien físicamente, o que el niño lloró mucho anoche y nos desveló, u otra excusa. O podemos echar la culpa al clima o el tiempo. Siempre hay manera de justificar nuestras faltas con explicaciones racionales. Pensamos que podríamos haber hecho mejor la tarea si las condiciones hubiesen sido diferentes. Esto nos da internamente la apreciación de que somos capaces, pero que por factores especiales no pudimos funcionar en forma máxima en esta circunstancia.

La racionalización es nuestra manera de excusarnos, defendernos, o justificarnos en nuestro comportamiento. Nos ayuda para tolerar nuestras faltas o debilidades y así estar más tranquilos. También, nos ayuda para darnos las explicaciones aceptables para nosotros y que otros aceptarán sin mucha dificultad. El doctor Wayne Oates describe la racionalización "como proceso por medio del cual el yo acepta los aspectos de una situación específica que lo apoyan a uno mismo y pasa por alto los aspectos que no le apoyan".[8]

Es beneficioso que la persona se dé cuenta de que está racionalizando cuando lo hace. Por ejemplo, una de las racionalizaciones más frecuentes que utilizamos para explicar nuestras fallas es la falta de tiempo por otros compromisos, pero sería mejor admitir para nosotros mismos, y para los demás, que otras cosas nos ocuparon demasiado.

El paso hacia la madurez sería el poder aceptar nuestra falta, admitir la razón verdadera, y seguir adelante para funcionar mejor en el futuro.

Proyección. La proyección es el acto mental de atribuir a otros las debilidades que tenemos o la causa de la amenaza que sentimos. Si tenemos impulsos y pensamientos inaceptables para nosotros mismos, tendemos a condenar mucho estas características en otros. A veces la persona acusa a otros de tener actitudes negativas hacia nosotros, cuando la verdad es que nosotros somos los autores de tales actitudes. "Proyectamos sobre otros que están presentes y tendemos a distorsionar, desconfiar e interpretar en forma equivocada sus motivos y su comportamiento."[9]

A veces personas atacan a otras por sus actitudes y sentimientos, cuando en realidad son ellas mismas las que tienen estas actitudes hacia los demás. Por ejemplo, uno con muchos prejuicios constantemente está condenando las manifestaciones de prejuicios en los demás. Los predicadores que tienen dificultades para controlar sus impulsos sexuales tienden a condenar fuertemente a otros en su predicación y en sus actitudes por sus actos inmorales en la esfera del sexo. Por medio de su condenación de otros el predicador está diciéndose a sí mismo que debiera controlar sus impulsos sexuales. Mucho de lo que algunos llaman la predicación profética puede también llamarse proyección. Muchos de los reformadores en la sociedad hoy en día son personas que están participando de la proyección, y esperan lograr mejores condiciones para ellos mismos por medio de su apelación por la justicia para otros.

Al consejero le conviene estar muy alerta cuando escucha a la gente hablar de sus campañas en contra de otros. Una pregunta apropiada para hacer es la siguiente: "¿Qué problema está tratando de controlar esta persona con su fervor?"

El consejero tiene que reconocer también que él mismo, por su puesto de líder espiritual, es blanco especial de la proyección de otros. A veces descubre que la gente está proyectando hacia él las ideas, los sentimientos y las acciones que piensan que debieran ser los ideales para la comunidad. Consideran que el pastor es la encarnación de todo lo bueno, y el representante visible de Dios, y por eso tienen que actuar en forma "santurrona" cuando están en la presencia del pastor. Cuando no está presente el pastor, esas personas actúan en forma diferente. Sería maravilloso si las personas pudiesen llegar a actuar en forma sincera con ellas mismas y con las demás, sin importar si el pastor está presente o ausente. También, que llegaran a entender que el pastor también es humano, y no le proyecten el ideal de la perfección moral, la consagración espiritual y la conciencia de la comunidad.

Compensación. Por medio de la compensación tendemos a llenar los vacíos con relación a nuestro lado flaco o nuestras debilidades. Este mecanismo se aprende muy temprano en la niñez. El niño que tiene una debilidad o enfermedad física desarrolla una capacidad especial en el campo intelectual o artístico y se destaca en algo que no requiere tanta fuerza física. A veces el estudiante que no tiene voluntad para dedicar el tiempo suficiente para aprender cabalmente la materia busca desarrollar una amistad especial con el profesor o le lleva regalos especiales para ganar su favor y, espera la calificación por la cual no ha trabajado. Las personas que tienen cierta característica física que consideran negativa tratan de cubrir y compensar por esta debilidad con su modo de caminar, vestir, o arreglar el cabello. Hay personas que se ganan la vida ofreciendo programas para adelgazar, para utilizar el maquillaje, para vestir y para hacer otras cosas para compensar por alguna característica que consideran negativa.

Muchos sufren porque se consideran inadecuados, feos, estúpidos, o inferiores a los demás. La mayoría de las personas probablemente los ven como personas más bien normales y bien adaptados. Los sicólogos dicen que tendemos a despreciarnos mucho más de lo que debiéramos, y que casi siempre otros nos aprecian más que nosotros mismos. Por esta razón es importante recibir la retroalimentación de otros de vez en cuando con relación a la manera en que ellos nos perciben. Así nos daremos cuenta de que otros tienen un concepto mucho más favorable de nosotros que lo que pensábamos. Esta retroalimentación puede tener un efecto revolucionario sobre uno mismo. Puede llenarnos de gozo y confianza cuando nos damos cuenta de que otros nos ven como más capaces, más atractivos, y más efectivos de lo que habíamos pensado.

La compensación puede servir en forma constructiva. Por ejemplo, la persona que no tiene hijos puede invertir sus talentos y dedicarse al ministerio con los niños en tal manera que recibe compensación emocional por carecer de familia y satisfacción al saber que ha ayudado a otros niños. Puede tener influencias muy positivas sobre la vida de otros. Debemos decir que las personas no deben explotar a otros para lograr satisfacción personal por alguna necesidad especial que ellas tienen.[10] Cada persona tiene que reconocer y mantener bajo control sus propias necesidades, mientras responde a los jóvenes de acuerdo con sus necesidades también. En la obra del Señor hay mucha oportunidad de compensación en forma positiva. Uno puede estar ubicado en un lugar donde está aislado de otros. Esto puede ser un problema para algunos, que entonces tienen que buscar maneras de compensar por esa soledad con actividades y proyectos que les mantienen ocupados constructivamente.

Muchas cosas positivas se logran en el mundo como resultado de las actividades que resultan de la compensación. Debemos poder recibir los beneficios de la compensación sin juzgar en forma negativa la fuente de tal beneficio o el motivo negativo de la persona que obraba. Por ejemplo, un asesino arrepentido puede pasar años en la cárcel escribiendo libros o haciendo artículos de valor para la humanidad como expresión de su forma de expiar la culpa y así compensar el mal que hizo. Podemos recibir los beneficios de sus horas de trabajo y no rechazarlos por las razones que tiene para hacerlo.

Es cierto que algunas personas pueden perjudicarse con una actividad exagerada que les representa la compensación. En tales casos nuestra responsabilidad es ayudarles a entender lo que hacen y de dónde viene la compulsión, con el fin de ayudarles a relajarse un poco, aceptar la gracia de Dios y vivir bajo esa gracia. El pastor necesita ayudarles a comprender si su forma de compensación llega a ser dañina para ellos mismos o para los demás.

Reacción de conversión. Otra manera que tenemos para evitar las cosas que nos son desagradables es la reacción de conversión. Esto incluye el desarrollo de síntomas que imposibilitan para hacer lo que no queremos hacer. Por ejemplo, el niño que no quiere ir a la escuela se queja de un dolor de cabeza o de estómago, hasta que los padres deciden que puede quedarse en casa ese día. Tan pronto se toma esta decisión, se le va el dolor que tenía, pero si los padres le dicen que, de quedarse en casa tendrá que pasar el día en cama, el niño decide pronto que prefiere ir al colegio.

Hay casos clínicos de soldados que desarrollan parálisis de las piernas o del brazo, o alguna incapacidad, en vísperas de una batalla en la que tienen que pelear. Después del peligro, desaparecen los síntomas. Las emociones muy fuertes de temor o de enojo pueden contribuir al desarrollo de tales condiciones.

Posiblemente el consejero no verá ejemplos tan dramáticos de este mecanismo, pero probablemente tendrá ocasión de escuchar a las personas mientras relatan su manera de evitar las experiencias desagradables. Si afecta las relaciones con los demás o la efectividad de la persona en su trabajo, necesita buscar otra manera más aceptable para encararse con las experiencias desagradables. Si podemos ayudar a las personas a encararse honestamente con sus emociones de temor, enojo y frustración, y sus experiencias desagradables en la vida, esto les ayudará a funcionar sin tener que acudir a este escape.

El buscar un "chivo expiatorio". Otro mecanismo que las personas a veces utilizan para evitar algo desagradable para ellos mismos es el buscar un "chivo expiatorio". El término viene de la práctica, en tiempos del Antiguo Testamento, de sacrificar un animal para expiar los pecados del pueblo. El animal era un cabro o un cordero, y lo presentaban al sacerdote las personas que buscaban la expiación de sus pecados. El sacerdote examinaba al animal para constatar que no tenía defectos. Entonces el sacerdote confesaba los pecados de las personas que traían el sacrificio, con su mano en la cabeza del animal. Después de esta ceremonia alguien llevaba el animal al desierto, donde se perdía. Esto simbolizaba el hecho de que los pecados de las personas habían sido llevados lejos de la persona, y la persona ya no tenía que sentirse culpable. Dios ya no recordaba el pecado del pueblo.

Algunas personas utilizan este mecanismo cuando quieren echar la culpa por alguna falla, problema, o debilidad, sobre una persona o institución. Muchos echan la culpa al gobierno, o a los ricos, por todos los problemas económicos que tienen, cuando en verdad ellos mismos tienen algo de responsabilidad por su pobreza. Otros echan la culpa a la juventud, a las drogas, o a la corrupción moral de la sociedad cuando sus jóvenes escogen el camino malo. A veces culpan al pastor o al consejero de los jóvenes en la iglesia si los jóvenes se alejan de la iglesia. Un cónyuge echa la culpa a los suegros por las características negativas que percibe en el otro.

La práctica de echar la culpa a otros por los males puede ser dañino para uno, por no ayudar a encararse con sus problemas y asumir alguna responsabilidad por ellos. Siempre se tiende a explicar que otras personas, instituciones, o hasta Dios, tienen la culpa por sus defectos, reveses u otras dificultades. Uno necesita aprender a asumir la responsabilidad personal por muchas de las cosas que pasan, las decisiones que toma y que salen mal, y por sus actos.

El Potencial para el Cambio

Midiendo el potencial

A medida que el consejero escucha el relato del problema del aconsejado, descubre que casi siempre sus dificultades tienen relación con otras personas, sea en el hogar, el lugar de trabajo, el colegio, u otro lugar donde la persona pasa su tiempo. El consejero tendrá que juzgar, según su opinión, hasta qué punto el aconsejado está consciente de los factores dinámicos que se relacionan con el problema, tales como su origen, el grado de seriedad, y hasta qué punto afectan su funcionamiento normal. También tendrá que decidir hasta qué punto el aconsejado puede aprovechar el proceso de participar en terapia, y hasta qué punto está dispuesto a dedicar tiempo y energías a ese proceso. El consejero decidirá el grado de éxito que siente que puede lograr y si siente que tiene capacidad para ayudar a la persona. Puede que decida ayudar a la persona para superar la crisis actual que impide su funcionamiento, sin tratar de iniciar un tratamiento largo que requiera meses. O puede decidir que el aconsejado en verdad podría aprovechar el proceso más largo de terapia y que las perspectivas para ayudarle son óptimas. En tales circunstancias el consejero explicará lo que está involucrado en tal proceso, para conseguir que el aconsejado se comprometa a tal proceso. No es bueno ofrecer una "cura rápida y milagrosa" cuando no hay bases realistas para tal cura. Si la persona se compromete a esta terapia, entonces los dos explorarán en forma más detenida las maneras en que la persona se ha relacionado en el pasado para establecer programas para el futuro que puedan alterar los efectos negativos de tales actitudes.

El grado de potencial para el cambio en la persona determinará el método de aconsejar que ha de utilizarse. Algunos tendrán muchas represiones y compulsiones, y tendrán dificultades para experimentar el cambio. Para otros, el cambio vendrá más rápidamente y con menos sufrimiento, porque sus modos de reaccionar no están tan concretizados, porque han sufrido más y tienen más motivación para cambiar, o porque son personas más flexibles y admiten el cambio fácilmente. Algunos estarán más conscientes de los efectos de sus actos en las relaciones interpersonales y estarán motivados para el cambio máximo, mientras otros pueden funcionar bien sin mucho contacto con el mundo externo. Algunos serán muy sensibles a los sentimientos de sus compañeros, mientras otros serán estoicos en su modo de relacionarse con otros.

El pastor considerará todos estos factores al tomar la decisión de cuánto tiempo dará al aconsejado, el método que utilizará, y las metas que tendrá al ayudar. El doctor Carroll Wise da los siguientes criterios que nos ayudan para determinar hasta dónde iremos para ayudar: (1) El nivel al que la persona ha desarrollado la capacidad para encararse con la dificultad y luchar para superarla; (2) el grado en que la persona puede soportar el dolor y la tensión; y (3) el grado en que la persona desea una solución definitiva.[11]

El plan de un programa

El pastor que decide participar en aconsejar a otros tendrá que planear un programa de ayuda con el aconsejado. Debe explicar, a grandes rasgos, lo que intenta hacer para lograr el compromiso del aconsejado en este peregrinaje. Una vez aceptado este "contrato", el aconsejado no se resistirá tanto en el futuro. Esto ayuda al consejero a planear su programa de ayuda para que progrese en forma constante y para que el aconsejado no pierda la esperanza cuando siente que no está progresando.

El pastor tiene que recordar constantemente que es líder espiritual, y que trabaja dentro del contexto de la fe cristiana. Sus convicciones teológicas formarán las bases para establecer el plan de ayuda para los aconsejados. Sabe que el relacionarles correctamente con Dios será la mejor terapia para encaminarles a buenas relaciones humanas. Su convicción en cuanto al nuevo nacimiento o la experiencia religiosa y su valor para todos influirá en su programa de ayuda. Si él piensa que todo sufrimiento es consecuencia del pecado, esto afectará su modo de ayudar.

El punto de vista del pastor con relación al papel y el valor de las ciencias sociales como suplementos al uso de la Biblia y la terapia espiritual determinará hasta qué punto utiliza estas ciencias. Por ejemplo, puede rechazar mucho de lo que enseñan la Psicología y la

Psiquiatría y determinar seguir un método exclusivamente bíblico y religioso, llevando a cada persona a reconocer que sus problemas se deben al pecado. Jay Adams es ejemplo de uno que ha decidido utilizar este método.[12] Si el pastor cree que los conocimientos de la sicología y la siquiatría pueden beneficiar a los aconsejados, entonces tiene que decidir cuáles de las escuelas va a utilizar. Hay mucha variedad en este campo, variando del método sicoanalítico al gestaltiano y al conductismo. Probablemente el pastor no va a seguir en forma exclusiva ninguno de estos métodos; más bien utilizará lo que es más útil para el aconsejado, siempre reconociendo que los conocimientos de las ciencias sociales sirven para suplementar un método bíblico orientado a la búsqueda del sentido de las Sagradas Escrituras para los contemporáneos y que saca los principios que son útiles para nosotros hoy en día.

Mi peregrinaje personal a través de los años me ha traído actualmente a una síntesis. Principié a aconsejar como pastor joven, utilizando en forma exclusiva el método bíblico y conservador, con la convicción de que la mayoría de los problemas se podrían solucionar por medio de la aplicación de las enseñanzas bíblicas, la confesión de los pecados a Dios, y la oración intercesora para ayudar a las personas a vencer sus dificultades. Poco a poco comencé a leer la literatura en el campo de la Psicología y la Psiquiatría, y sentí que muchas de las ideas podrían ayudarle al pastor en su ministerio. Por medio de oportunidades de participar en entrenamiento clínico en hospitales generales en varias ocasiones, he llegado a experimentar qué conocimientos sicológicos pueden suplementar la Biblia y los demás recursos espirituales que el pastor tiene disponibles. El ministerio del pastor puede enriquecerse por medio de estos conocimientos. El pastor debe evitar el peligro de confiar en forma exclusiva en los conocimientos de la Psicología y la Psiquiatría, y substituir éstos por los recursos espirituales que son fundamentales en su ministerio. Hay poder en el evangelio, y el Espíritu Santo puede hacer más para transformar una vida que todos los conocimientos sicológicos. No debiéramos intentar pelear las batallas espirituales con el escudo de Saúl, porque estas armas son mucho más poderosas que las que el hombre puede fabricar.

Mi propio testimonio personal puede ayudar a los pastores jóvenes a buscar su propio método de aconsejar y desarrollar su base filosófica para su obra como pastor. Probablemente necesita experimentar por un tiempo con los varios métodos y teorías, para llegar a desarrollar su propio estilo, basado en lo que siente que es más útil para él. Debe mantener en lugar primordial la meta de ministrar en nombre de Jesús. Si puede ayudar a las personas a vivir con un sentido de propósito y satisfacción más grande, entonces su vida habrá servido de mucho beneficio. Las herramientas que utiliza serán de importancia para él, pero no necesariamente las va a mostrar a toda persona que pasa por su oficina. Ellos quedarán agradecidos por la ayuda que habrán recibido del pastor, pero no recordarán la metodología.

La Importancia de la Relación

La mayoría de los terapeutas que se dedican a ayudar a las personas con dificultades están de acuerdo en que la relación es primordial en el proceso de la sanidad. Esto quiere decir que la dinámica que resulta entre el consejero y el aconsejado es el factor más importante. No es la técnica más recientemente descubierta la que implementa el terapeuta en forma excelente para traer cambios; es la relación que se desarrolla porque el terapeuta está dispuesto a estar al lado del que está sufriendo. Howard Clinebell dice del consejero: "Su eficacia depende de si se da cuenta de que la sanidad y el crecimiento resultan de la relación con él y no como consecuencia de su destreza en utilizar técnicas."[13] Puesto que el pastor es el ministro de reconciliación entre el hombre y Dios, es el instrumento para la mediación de la gracia divina que trae reconciliación para la persona alejada de Dios, y aislada de su familia y de sí misma. El pastor es el instrumento para que pueda entrar de nuevo en la relación y sentirse aceptado.

Si la relación positiva entre consejero y aconsejado se establece con éxito, resultará la catarsis, que es la ventilación de las emociones que han estado reprimidas por mucho tiempo, y que han impedido el funcionamiento normal. Muchas veces el aconsejado llegará con cargas pesadas, y dirá que no ha podido hablar con nadie acerca de sus problemas. Puede que viva en medio de multitudes de personas, pero se siente muy solo y aislado. La relación entre el pastor y el aconsejado hará posible la liberación de las emociones de enojo, frustración, culpa y ansiedad. Casi siempre este desahogo estará acompañado de muchas lágrimas y sollozos. El pastor tiene que aprender a estar cómodo con las lágrimas y las expresiones de enojo mientras el aconsejado ventila las emociones que han sido reprimidas durante mucho tiempo. No debe tratar de frenar las lágrimas ni de consolar diciendo que la situación no es tan desesperada. Más bien, esperará con paciencia y comprensión, y ofrecerá un pañuelo desechable al aconsejado para secar las lágrimas después de un rato de llorar. Dejará que la persona verbalice hasta el grado que quiera el sentido de las lágrimas. Esta catarsis de las emociones ayudará a la persona a relajarse, considerar su situación desde una perspectiva más racional, y establecer metas más realistas para el futuro.

Después de esta catarsis, el aconsejado va a querer hablar acerca del futuro, y los pasos que puede dar para cambiar su ambiente. Es imperativo que el consejero escuche con toda atención a lo que dice, captando la información cognoscitiva tanto como la emoción que se le comunica. Esta actividad puede ser muy terapéutica para el aconsejado, porque puede expresar sus opiniones y sentimientos en un medio donde no es condenado y donde es aceptado completamente. El consejero tiene que escuchar en forma activa, comunicar que está siguiendo el hilo de la conversación, y responder con un interés personal. El aconsejado se desanima si nota que el consejero se distrae durante su relato de algo que es de mucho significado para él. El consejero debe corresponder a lo que escucha con expresiones de sorpresa, de comprensión, o de duda si no entiende lo que escucha.

Si el feligrés está relatando un problema en la iglesia que involucra el papel del pastor, seguramente el pastor tendrá más dificultad en escuchar con simpatía sin involucrarse emocionalmente. Tendrá la tendencia de responder emotivamente desde su propio marco de referencia o porque piensa que el bienestar de la iglesia está en juego. Por ejemplo, si el feligrés está relatando el dolor que siente porque le han quitado de su responsabilidad de maestro de una clase en la iglesia, y si el pastor consintió en tal cambio, creyendo que era lo mejor para los alumnos en la clase, entonces el pastor puede sentir que su responsabilidad es defender la decisión hecha y no ministrar a la persona que está sufriendo. Es mejor si el pastor puede responder a lo que siente el miembro, sin criticarlo, ni tratar de justificar la decisión. Responderá a lo que el cambio significa para la persona, y buscará manera de hacerle ver que todavía tiene mucho que ofrecer en servicio en la iglesia. Si el pastor se siente tan involucrado en una circunstancia que pierde su objetividad, entonces no debe aconsejar a personas que quieren conversar sobre este caso específico. Es mejor sugerir que la persona vaya a otro que no esté involucrado en la situación, para que exprese sus emociones y busque la manera de resolver la dificultad. El consejero debe evitar una circunstancia en la cual se siente obligado a defenderse de las acusaciones del aconsejado en contra de su persona o de una decisión tomada. Esto causará que la situación degenere y que él pierda su papel de consejero.

Puesto que la relación es de significado primordial en el proceso de sanar, hemos hecho hincapié en que nada debiera de entorpecer esta relación. Hemos dicho que el pastor, por su papel como tal, ya tiene muchas ventajas que ayudarán a abrir la puerta a una relación de confidencia. Pero si el pastor se involucra en un asunto de negocios con un feligrés o aconsejado, esto automáticamente pone en juego otras dinámicas que afectarán la relación de consejero y aconsejado. Si la hija del pastor tiene una relación de noviazgo con un joven que usa drogas, esta dinámica va a afectar su relación en el proceso de intentar ayudar al joven a abandonar las drogas. Nuestra propia personalidad, junto con nuestros negocios, relaciones sociales y nuestras propias emociones, pueden llegar a ser estorbos en nuestro intento de ayudar a otros.

Por esta razón es mejor si el consejero puede tener un papel básicamente espiritual y profesional con las personas que intenta ayudar. Esto le dará la objetividad para funcionar con máxima salud emocional y espiritual.

Notas

[1] "The Gene Hunt", *Time*, 20 de marzo de 1989.

[2] *Ibid.*

[3] B. Von Haller Gilmer, *Psychology* (New York: Harper & Row, 1970), p. 45.

[4] C. W. Brister, *El Cuidado Pastoral en la Iglesia*, (El Paso: Casa Bautista de Publicaciones, 1974).

[5] Margaret Raymond, Andrés Slaby & Julian Lieb, *The Healing Alliance* (New York: W. W. Norton & Co., 1975), p. 26.

[6] Stanley Mahoney, *The Art of Helping People Effectively* (New York: The Association Press, 1967), p. 36.

[7] Raymond, *op. cit.*, p. 92.

[8] Wayne Oates, *Religious Dimensions of Personality* (New York: The Association Press, 1957), p. 240.

[9] Mahoney, *op. cit.*, p. 55.

[10] *Ibid.*, p. 57.

[11] Carroll Wise, *Pastoral Counseling: Its Theory and Practice* (New York: Harper & Bros, 1951), p. 28.

[12] Jay Adams, *Competent to Counsel* (Grand Rapids: Baker Book House, 1970).

[13] Howard J. Clinebell, Jr., *Basic Types of Pastoral Counseling* (Nashville, Abingdon Press, 1966), p. 48.

PARTE II
PRINCIPIOS PARA AYUDAR

CAPITULO 5
SUGERENCIAS PARA EL CONSEJO EFECTIVO

CAPITULO 6
METAS AL ACONSEJAR

CAPITULO 7
EL PROCESO DE DAR AYUDA

5

SUGERENCIAS PARA EL CONSEJO EFECTIVO

Introducción

El pastor que quiere ser buen consejero recordará que su papel de pastor es su mayor ventaja. Tiene a todos los de su congregación y sus familias y amigos como personas a quienes puede ministrar. Ya hemos dicho que la relación es el elemento fundamental que trae sanidad a las personas que sufren. Si el pastor cultiva relaciones afectuosas con sus feligreses, y muestra interés genuino en ellos, habrá echado las bases para un ministerio eficaz. Sin embargo, es importante seguir algunos principios básicos con relación a la técnica de aconsejar. Por eso, el presente capítulo es dedicado a unas sugerencias sobre cómo iniciar una relación de consejero a aconsejado, y cómo hacer progresar esta relación hasta su conclusión exitosa.

El pastor tiene muchas responsabilidades en el proceso de servir al Señor y ministrar a los que están en la comunidad. Muchos de los que necesitan un apoyo espiritual por un tiempo son miembros de su propia congregación, pero también habrá muchas oportunidades para ministrar a personas que no asisten a ninguna iglesia en la comunidad.

Esté Alerta a las Oportunidades

El ministro debe estar alerta a las señales que la gente le da en sus contactos ordinarios en la comunidad. Muchas veces, mientras el ministro está haciendo compras en un almacén, las personas se le acercan con preguntas vagas que en esencia representan un deseo de buscar ayuda. A veces ellos llegarán a la iglesia, a la oficina, para preguntar algo de menor importancia al pastor, con la esperanza de que el pastor les dé la oportunidad de hablar sobre otras dificultades que son de mayor importancia. Durante un paseo para los miembros de la iglesia el pastor puede hacer mucho del cuidado pastoral al visitar entre las personas y las familias de la iglesia y averiguar sobre los asuntos relacionados con el caso específico de cada persona o familia.

El pastor que anuncia en el boletín semanal o desde el púlpito, los domingos, que está listo para aconsejar a las personas en su oficina durante ciertas horas de la semana, no es la persona más buscada para dar tal consejo. Más bién, por medio de las visitas pastorales en el curso de la semana el pastor participa en la actividad de aconsejar y experimenta la satisfacción de un ministerio preventivo. Cuando reconoce los síntomas de problemas serios, toma la iniciativa para ofrecerse en una manera suave para ayudar en tales casos. Este ministerio se lleva a cabo en una manera indirecta y no amenazante. Muchos pastores se equivocan al pensar que ellos tienen que tener un entrenamiento especializado, un certificado que afirma su capacidad, y una situación estructurada en la cual la gente llega en una manera formal a su oficina o despacho para sentarse y desahogarse de sus preocupaciones. El consejo efectivo se hace en una situación estructurada, pero también se puede hacer en las circunstancias más informales. Se puede lograr a través de unas sugerencias bien escogidas mientras se está tomando un café con un miembro de la congregación que está encarándose con el cambio de empleo o la necesidad de mudarse de una ciudad a otra. Es posible que la persuasión suave que el pastor da a una pareja que está considerando el divorcio mientras los visita el sábado en la tarde para invitarles al culto del domingo puede salvar su matrimonio. O puede consistir en unos momentos de conversación íntima que el pastor tiene con un miembro que está enfrentándose con la cirugía en el hospital y cuyo futuro es incierto.

Muchas veces el contacto inicial se hará en una manera casual o accidental, y después el ministro puede estructurar reuniones más formales en las que puede ofrecer una ayuda más amplia. Afortunado es el pastor cuyos miembros constantemente le informan de las actividades y problemas especiales de los miembros de la iglesia y de los familiares. El ministro debe aceptar información de esta naturaleza como una expresión del deseo de los miembros de ayudar a las personas que se hallan en dificultades.

Diagnostique con Cuidado

Distinga entre las enfermedades orgánicas y las funcionales

Las enfermedades se clasifican como orgánicas o funcionales. Si el médico descubre que el problema que uno tiene se basa en el mal funcionamiento de algún órgano en el cuerpo, entonces decimos que esta es una enfermedad orgánica. El tratamiento consiste en recetarle medicinas, o la cirugía para extirparle el órgano malo, o alguna otra clase de terapia por medio de la cual el órgano retornará a su funcionamiento normal. El ministerio del pastor en estos casos es darle apoyo emocional y espiritual al paciente y animarle para seguir las instrucciones del médico hasta que se logre la recuperación completa. El ministerio del pastor es significativo durante estas épocas porque complementa el ministerio del médico. Por medio de sus visitas y la oración intercesora trae paz espiritual al paciente.

Cuando el médico no descubre ninguna base orgánica para una enfermedad o el mal funcionamiento de un órgano, los médicos concluyen que el problema es funcional; es decir, que el problema no es un órgano que no funciona bien; más bien es la actitud emotiva u otra dificultad que trae dolor al paciente. Esto no quiere decir que al paciente le duele menos o que su problema es de menos peso; simplemente quiere decir que no pueden establecer la base del problema en alguna dificultad orgánica.

Las enfermedades sicosomáticas son las que tienen sus bases en las dificultades que vienen por causa de conflictos emotivos, la tensión y/o la ansiedad. Por ejemplo, algunas clases de úlceras, algunos casos de asma, y a veces ataques cardíacos, el resfrío crónico, y muchas otras enfermedades, se ocasionan o son intensificadas por algún conflicto emocional que tiene el paciente.[1] Frecuentemente se visita a personas en los hogares o en hospitales que han desarrollado úlceras, hipertensión o problemas cardíacos como resultado del enojo reprimido por la presión tan intensa que sienten en su trabajo. El ayudar a las personas a ver la relación de las dificultades de salud y la presión bajo la cual están, y el ayudarles a aprender a vivir sin tanta presión, es tarea del ministro. Su recurso espiritual de la fe en el Dios Soberano será la mejor medicina para estas personas.

Hace unos meses una estudiante me dijo, a mí como su profesor, que había un hombre, donde ella trabaja, que tartamudeaba mucho. Ella le había hablado en varias ocasiones y él había expresado el deseo de recibir ayuda. Ella quería saber si yo tenía tiempo para hablar con él. Yo le dije que sí y arreglamos una cita.

El joven llegó a mi oficina y estaba bastante nervioso al comenzar la conversación. Su impedimento en el habla era bastante marcado e impedía la comunicación. Después de unos momentos de intercambio yo lo animé para relajarse más y traté de hacerle sentir más tranquilo. Conforme pasaba el tiempo yo noté que él hablaba con mayor facilidad que anteriormente. Le pregunté que si había ido donde un especialista para determinar si había base orgánica para su impedimento. El dijo que había ido donde varios médicos a través de los años y que los médicos le habían tratado de varias maneras en el esfuerzo por ayudarle, pero todo había sido inútil. El había iniciado la terapia física en varias ocasiones en busca de la manera de vencer su dificultad.

También había intentado someterse a la sicoterapia por un tiempo breve, pero no había continuado por dificultades económicas. Yo quedé con la duda de si se había establecido con claridad si su problema era orgánico o funcional.

El tartamudear trae sentimientos de inferioridad. El joven es bastante capaz, pero ha pasado tantos años de sufrimiento frente a la humillación de sus compañeros, que ahora él prefiere la seguridad del aislamiento al riesgo de un intercambio que le traería las posibles consecuencias de más sufrimiento. El se considera con menos capacidades que otros. Es intensamente infeliz y quisiera que las cosas fueran distintas; ve su empleo actual como algo con limitaciones para su ascenso futuro y él quisiera estar involucrado en otra clase de trabajo que le dé más oportunidades de progresar profesionalmente y de tener satisfacción personal. Pero esto también requeriría el estar en capacidad de comunicarse más efectivamente con las personas. El alivio de los síntomas llegará después de mucho tiempo y con un esfuerzo bastante intenso de parte de él, lo cual requiere esfuerzo y paciencia.

El pastor no es experto en diagnosticar si las enfermedades son orgánicas o funcionales. Tiene que depender de la opinión erudita de los profesionales en la medicina y proceder a base de las recomendaciones que ellos hacen para sus pacientes. Si el problema es orgánico, entonces el consejero debe ser realista en cuanto a las limitaciones del aconsejado y debe establecer las metas de acuerdo con esta situación. Si el problema es funcional, el consejero debe buscar la manera de ayudar en las varias esferas de adaptación en vez de tratar de enfocarse en algo que está directamente relacionado con los síntomas que la persona presenta.

El pastor tampoco puede prometer hacer milagros en un tiempo corto. Muchas personas han desarrollado sus problemas como resultado de años de lucha y no se solucionan estos problemas con tres o cuatro consultas con el pastor. El pastor debe ser realista al comprender lo que consejos personales pueden hacer y al reconocer sus propias limitaciones con relación al tiempo y a su capacidad.

Concéntrese sobre lo teológico y lo psicológico

Hay muchos aspectos para hacer un diagnóstico correcto que el pastor debe recordar. Pruyser, en su libro *The Minister as Diagnostician* (El Ministro Como Diagnosticador), nos da ayuda. El sugiere que el ministro "debe querer saber algo de la situación espiritual de la persona, su condición en relación con la gracia, su desesperación, su lealtad profunda o dudosa, sus creencias o sus incredulidades, sus bases para la esperanza, si las hay, y su rebelión o su tendencia a negar cualquier responsabilidad por sí mismo".[2] Pruyser, que es un siquiatra, acusa a los ministros de tener la tendencia de diagnosticar y hablar en terminología sicológica en vez de usar la terminología propia de su vocación como ministros.

En su capítulo sobre las normas para el diagnóstico pastoral, Pruyser menciona siete factores que afectan a la persona:

1. Su percepción en relación con lo sagrado. Esto envuelve lo que la persona respeta como sagrado y cómo él ve a su humanidad frente al Dios Santo.

2. El concepto que uno tiene de la Providencia, especialmente con lo que se relaciona con el porqué uno está atormentado en la condición específica en que se vive. Esto también hace resaltar la capacidad de uno para confiar en Dios y el prójimo.

3. ¿Qué es la fe para la persona? ¿Es una cobija de seguridad? ¿Es un código de leyes, es un ancla o es un escudo protector?

4. ¿Cuál es el significado de la gracia? ¿Puede uno aceptar una dádiva gratis? Puede uno aceptar el perdón?

5. ¿Cuál es el significado del arrepentimiento? ¿Puede uno asumir responsabilidad por lo que ha hecho? ¿Hasta qué punto es uno capaz del remordimiento, del arrepentimiento y de la pena?

6. ¿Qué entiende la persona por la palabra "comunión"? ¿Puede la persona sentirse asimilada o aislada en un grupo? ¿Puede la persona sentirse como libre o como esclava en el mundo? ¿Puede uno estar en contacto o aislado de los demás, unidos o separados?

7. ¿Cuál es el sentido de vocación? Esto envuelve la voluntad de la persona para ser de uno, un participante gozoso en el plan de la creación y la providencia, de tal manera que el sentido de su propósito se adhiere a sus acciones, lo cual valida su existencia bajo el Creador. Puede uno dedicarse a su trabajo con vigor, con celo, con entusiasmo y dedicación.[3]

Pruyser también anima al pastor para dejar que el aconsejado coopere con él en el diagnóstico. El rechaza la tendencia del pastor o del siquiatra para "encajar" al paciente en una categoría de problema religioso o emocional, y no ver a la persona como individuo especial. El siente que en la medida que nosotros permitimos a las personas progresar en su propio diagnóstico del problema, ellas también lucharán con mayor intensidad para buscar una solución positiva a su dificultad.

Cuando consideramos el tema del diagnóstico, es bueno prestar atención a las palabras de precaución del doctor Carroll Wise:

> El explicarles a las personas sus problemas en términos sicológicos no es buen consejo. En esto el teólogo y el sicólogo frecuentemente se han equivocado en la misma manera; asumen que al explicarles a las personas sus problemas con una terminología teológica o sicológica, les habrán ayudado. Pero no es cierto.[4]

Es bueno saber algo de la psicología y la psiquiatría, pero el pastor necesita darse cuenta de que hay una dimensión teológica y espiritual en las personas que pide a gritos su expresión. El ministrar en estas dimensiones es ser útil a las personas en los aspectos donde ellas en verdad están sufriendo y donde nosotros tenemos la mayor capacidad profesional.

Concéntrese en las Emociones y No en los Hechos

Una filosofía de ayuda insiste en que el consejo más eficaz es el que da al aconsejado la oportunidad de ventilar las emociones o desahogarse. Muchas veces el pastor tendrá la tentación de tratar con problemas teológicos o morales en una manera autoritaria o con juicios morales que comunican al aconsejado el mensaje de rechazo, o la idea de que su comportamiento no está de acuerdo con el ideal que se espera de él. Especialmente cuando estamos tratando temas teológicos y morales en una situación, necesitamos comunicar que está bien el desahogarse de las emociones que uno tiene reprimidas.

Responda para despertar emociones

¿Cómo se puede hacer? Hay muchas declaraciones que el pastor puede utilizar que ayudarán a la persona a expresar las emociones. Tal vez, unas pocas ilustraciones ayudarán al lector en este aspecto. Por ejemplo, la pregunta: "¿Cómo se siente en cuanto a esto?", es tal vez la pregunta más frecuente que el consejero hace cuando quiere que el aconsejado esté consciente de la emoción. Frecuentemente es difícil para la persona contestar esta pregunta. Puede entrar en una larga explicación para evitar contestar la pregunta. El consejero puede repetir la pregunta en una forma suave: "Pero, ¿cómo se siente en cuanto a esto?" Después de dos o tres evasivas, el aconsejado puede decir: "Estoy tan enojado que podría morder una puntilla" o: "Estaba tan enojado que tuve que morderme la lengua para no decir algo que posteriormente fuera a lamentar."

Utilice palabras cargadas de emoción

El consejero puede usar palabras cargadas de emoción al responder al aconsejado. En esta manera él está interpretando la emoción que reconoce. Por ejemplo, un estudiante joven habla de sus conflictos constantes con su papá por las calificaciones bajas que recibe en el colegio. El consejero puede decir: "Puedo ver que tiene mucho enojo hacia su papá." Esto puede sorprender al joven al principio, porque las enseñanzas bíblicas dicen que debemos amar a los padres y él no puede admitir que siente enojo. Pero poco a poco él llega a ser honesto consigo mismo, y tiene que admitir la emoción de enojo, y reconocer que es normal para los cristianos. Si el consejero ha creado una atmósfera en que está permitido ser abierto y honesto, entonces el joven llegará a admitir su enojo hacia su papá. Al ventilar sus emociones verdaderas, el joven estará en mejores condiciones para considerar las perspectivas en cuanto a sus estudios, y admitirá que no está rindiendo como debe. Puede entender el porqué de la actitud de su padre. Esto hace posible que el joven pida el perdón de Dios por su actitud y después pueda acercarse a su papá y pedirle perdón. Esto puede ser el principio de una relación distinta entre el joven y su papá.

Las emociones de enojo, resentimiento, celo, amargura y odio necesitan ser reconocidas. La labor del consejero es ayudar a las personas a reconocer estas emociones y trabajar con ellas.

Utilice al grupo cuando sea posible

En las experiencias de grupo, las personas que durante años han guardado hostilidad y rencor hacia otros, pueden descubrir tales emociones y ventilarlas por medio del desahogo. En una reunión de grupo estas personas son animadas para experimentar esta catarsis. A veces esta catarsis viene cuando la persona habla a una silla vacía, suponiendo que la persona ausente está sentada en esa silla. En otras ocasiones pueden participar en simulaciones en las cuales alguna persona neutral en el grupo juega el papel de otra persona de significado.

A veces, el dolor latente sale a la superficie en estas reuniones de grupo. En una ocasión un capellán describía sus emociones en la experiencia de la muerte temprana de su padre, al que no podía recordar, cuando repentinamente un interno comenzó a llorar copiosamente. Al ser cuestionado en cuanto a su reacción, éste relató que no había tenido la libertad para expresar su dolor cuando había muerto su mamá hacía dos años. La experiencia de su colega le dio la libertad para llorar profusamente y después experimentar una paz que no había tenido desde la muerte de su madre.

El pastor puede sugerir en una forma suave que el aconsejado imagine que su papá, su mamá u otra persona de significado para él está presente para decirle a esta persona las cosas que siempre quiso decir, pero que no tenía la libertad o el permiso para decirlo cuando estaba presente. Esta es una manera de permitir que las emociones salgan a la superficie. En una ocasión, cuando trabajaba como capellán en un hospital, el autor fue citado para estar con los familiares de una señora que había muerto de cáncer. Cuando su hijo, ya adulto, llegó al cuarto donde estaba el cadáver, comenzó a llorar. Tocando la cara de su mamá, comenzó a hablar con ella como si estuviera viva todavía, y le dijo muchas de las emociones que sentía en cuanto a las relaciones y los problemas del pasado. Pidió su perdón por el sufrimiento que él le había ocasionado y por su negligencia en los últimos días de su vida; después de esto tomó un pañuelo, se secó las lágrimas y dio un paso hacia atrás para permitir que otros miembros de la familia hicieran lo que ellos necesitaban hacer en el proceso de despedirse de la mamá. Lo que hizo el hijo fue una experiencia terapéutica para él.

Asigne sentido a las lágrimas

Algunas personas lloran con facilidad cuando hay una provocación muy leve, mientras que otras tienen dificultad para llorar. Cuando las personas están llorando, es importante asignar sentido a las lágrimas. Muchas veces la pregunta: "¿Qué significan sus lágrimas?", evocará expresiones de franqueza en un nivel más profundo de lo que se ha alcanzado anteriormente. El pastor con percepción reconocerá estas lágrimas como expresiones de remordimiento por heridas emocionales del pasado, de enojo, de dolor, de amor o de alegría. De vez en cuando pueden ser lágrimas para manipular al consejero, y él debe estar capacitado para discernir esto. El pastor debe tener mucho cuidado para no expresar simpatía tocando a las personas en el hombro o expresando su empatía en maneras que podrían alimentar una fantasía neurótica en el aconsejado. El pastor debe buscar la manera de ministrar a la persona de acuerdo con la necesidad y el significado de las lágrimas que se están derramando.

El pastor que está entrenado para aconsejar responderá a las emociones y no al contenido intelectual de lo que se está relatando. El evitará las preguntas que tienen que ver con el contenido cognoscitivo, excepto cuando estas preguntas son esenciales para comprender plenamente lo que se está relatando. Aun después de escuchar las explicaciones en que predomina un contenido de información y hechos, él buscará responder con una respuesta orientada a las emociones. Por ejemplo, después de escuchar una explicación larga de todos los conflictos que existen entre el aconsejado y su cónyuge, el consejero puede enfocar la base emocional y decir: "Le escucho decir que la situación desde su perspectiva ya es insoportable." Esta palabra "insoportable" es una declaración bastante fuerte, y la persona aceptará o corregirá la apreciación del pastor diciendo: "Bueno, es cierto que las circunstancias son bastante difíciles, pero no quiero decir que ya es imposible."

Cuando las emociones no se expresan en forma abierta, el pastor puede evocarlas frecuentemente con una declaración como: "Yo escucho muchos detalles en cuanto al problema, pero no puedo captar la emoción. ¿Cómo se siente en cuanto a esto?" O el pastor puede decir: "Me pregunto: ¿dónde está el dolor en una situación de esta índole?" O puede responder a las expresiones de la cara, a los gestos o al lenguaje del cuerpo que se está expresando, y en esta forma su observación le capta una comunicación más profunda. El pastor debe evitar el dar interpretaciones intelectuales, porque casi siempre bloquean la expresión de la emoción.[5]

Estamos trabajando bajo la presuposición que la expresión de las emociones ayuda a la persona a ser más sana emocionalmente. El que puede "vibrar" emocionalmente de acuerdo con las circunstancias que encara, es alguien que está despierto a la realidad. Cuando las relaciones entran en dificultades, muchas veces se complican por la represión o supresión de emociones. También, muchas de las heridas que experimentamos en la vida están en la esfera de las emociones. El estar capacitado para expresar nuestras emociones nos ayuda a buscar solucionar dificultades en otras esferas.

Sea Específico al Ofrecer Sugestiones

Sea realista acerca de las necesidades de las personas

Otro principio básico que es importante al aconsejar es dar a las personas un procedimiento definido o específico para lograr la solución a su problema. Muchos de los aconsejados tienen recursos muy limitados. No están en posibilidad de satisfacer todas sus necesidades materiales y además estar buscando el significado en una sociedad que es pudiente. No pueden darse el lujo de pasar el tiempo en reflexiones acerca de su propia realización y de otras metas que están en los niveles más elevados de la jerarquía de necesidades establecida por Abram Maslow.[6]

La mayoría de estas personas lucha con las necesidades de supervivencia de cada día. Se preocupa por encontrar un trabajo con el fin de ganar suficiente dinero para conseguir algo de comer para su familia de cinco u ocho personas. Muchos manifiestan una gran ansiedad económica a causa de sus lamentables circunstancias. El pastor no será pertinente si habla con ellos en términos de su búsqueda de significado en la vida. Más bien, él debe estar preparado para ofrecerles una ayuda concreta, sugiriendo personas o compañías que quizá estén en la capacidad de emplearlos o darles una recomendación para un lugar específico en el cual quizá podrán ofrecerles empleo.

Aprenda a estar cómodo con la ambivalencia

Muchas personas en estas circunstancias de necesidad se encuentran involucradas en relaciones que son difíciles de mantener, pero de las que les es más difícil salir. Un caso, en este momento, al pie de la letra, es uno que trajo uno de los estudiantes recientemente, en el que él había ministrado a una mujer que estaba asistiendo a su iglesia. Ella había estado casada y había tenido un niño, pero su esposo la había abandonado. Para sobrevivir, puesto que ella no tenía educación y muy pocas esperanzas de un empleo respetable, había llegado a ser una camarera en una cantina. Esto incluía estar dispuesta a dormir con cualquiera que le ofreciera unos pocos pesos por una noche de placer. Finalmente, un hombre que venía frecuentemente a la cantina le propuso que se convirtiera en su "mujer". Ella aceptó porque él parecía ser más estable que la mayoría de los hombres que conocía. El alquiló un apartamento para ella y su niño y les satisfacía otras necesidades materiales. Casi un año más tarde él le confesó que era casado y que tenía una familia, pero que él no tenía relaciones conyugales con su esposa. El ofreció comprar una casa y una máquina de coser para la "mujer" si ella tenía un hijo con él. Esta mujer tiene un trasfondo evangélico y estaba sintiéndose culpable por su relación con el hombre, y estaba turbada acerca de si aceptar o no la propuesta de él. Terminar con este hombre quizá le resulte a ella en tener que regresar a su previa manera de vida y volver a ser prostituta para su mantenimiento. ¿Deberá ella continuar con él, o separarse? Este caso fue discutido en la clase entre otros estudiantes, y casi todos estuvieron de acuerdo en que ella debería continuar con la relación que tiene ahora, porque este es el menor de los males. Claro, en la relación de consejero, el pastor no debe decirle a una persona lo que debe hacer; tiene que ayudarle a ver las alternativas y sus consecuencias y que ella tome la decisión.

Este caso señala la realidad de que la mayoría de las veces el consejero no puede ofrecer dos decisiones alternativas, las cuales representan la solución correcta y la errada. Su tarea no es tan fácil a causa de la complejidad de la vida. El debe ayudar a las personas a reflexionar sobre su situación y escoger el camino que parezca más sabio y menos cargado de problemas que a lo mejor serán más complicados y degradantes.

Ayude a planear sabiamente para el futuro

El consejero, al hablar con un joven que está considerando dejar sus estudios, puede gentilmente preguntarle acerca de sus opciones al dejar la escuela. A medida que ayuda al jovencito a considerar las consecuencias de cada decisión, el jovencito puede llegar a ver que dejar la escuela no es la mejor decisión en este tiempo. En esta forma el consejero puede ser más específico ayudando a la persona a tomar la decisión más sabia. En el proceso de aconsejar, el consejero debe de ayudar a las personas a concentrarse en una perspectiva de largo alcance, y a no tomar decisiones precipitadas ocasionadas por una crisis temporal.

Acentúe Lo Positivo

Mahoney, en su libro *The Art of Helping People Effectively* (El Arte de Ayudar a las Personas Eficazmente) insiste en la necesidad de acentuar lo positivo en el proceso de intentar ayudar a otros. Sus recomendaciones son:

(1) Deseos de ayudar.
(2) Fe en la gente.
(3) Capacidad para pensar honestamente.
(4) Valor para confiar.
(5) Sensibilidad.
(6) Disposición para aprender.
(7) Sentido del humor.
(8) Flexibilidad.
(9) Tolerancia para resistir la frustración.
(10) Aceptación de las limitaciones personales.[7]

Aunque estas recomendaciones se concentran principalmente en la actitud del que ayuda, tienen además una influencia sobre las actitudes del ayudado, que hará que funcionen más efectivamente. El deseo de estar involucrado en la ayuda a otros para vivir una vida más efectiva y pacífica mejorará la salud emocional. La fe en la gente ayudará a mantenernos avanzando, a pesar de los desengaños personales y las desilusiones con personas específicas a causa de sus acciones.

Nosotros motivamos a nuestra gente para que sea capaz de pensar honestamente y discierna entre lo que son sus propios prejuicios y lo que son razonamientos. Esto les ayuda a funcionar en forma más objetiva acerca de ellos mismos y de otros. Nosotros ayudamos a la gente a desarrollar la confianza, manifestándoles confianza. Si nosotros comunicamos que no confiamos en ellos, entonces ellos no tienden a desarrollarse tanto como cuando sienten nuestra confianza. Cuando nosotros expresamos nuestras dudas acerca de sus logros, esta duda despierta en ellos una duda también, que puede llevarlos al fracaso.

La sensibilidad en una persona es la combinación armoniosa de lo intelectual y lo emocional, que nos ayuda a ser más empáticos hacia los otros en sus circunstancias. Nosotros debemos animar a las personas a extender sus manos a otros para ayudar en sus relaciones y buscar aprender de otros. Podemos aprender algo de cada persona con la cual nos relacionamos. Nosotros aprendemos de los estímulos del mundo exterior.

Tener sentido de humor es tener la base para absorber los golpes duros y superar las dificultades en la vida. El humor es el "jugo" que lubrica los lugares que ocasionan tensión en nuestras relaciones. La flexibilidad nos ayudará a ceder y a no destruirnos cuando llegan condiciones de "tensión". Debemos animar a las personas a estar abiertas a nuevos caminos y a no tener todo rígido como si estuviera fundido en concreto. Uno debe ser capaz de entrar en nuevos papeles y alterar su papel de acuerdo con las circunstancias. Uno puede ser un padre en la casa, un entrenador en la cancha y un maestro en la clase de la escuela dominical.

En la vida normal uno tiene que enfrentarse con cierta cantidad de frustración. Para algunas personas su mundo se desintegra cuando sus esperanzas de menor grado no se realizan. Otros son capaces de ajustarse a tragedias y continuar funcionando a pesar de severas frustraciones. Nosotros animamos a las personas a desarrollar la capacidad de superar las frustraciones y a continuar su funcionamiento a pesar de la adversidad. Si nosotros podemos ser realistas acerca de nuestras limitaciones, podremos entonces aceptar nuestra situación en la vida con más calma. También nosotros podemos llegar a estar contentos con nuestras habilidades y no perder tiempo deseando que fuéramos otra persona con otros intereses y talentos.

Anime a Considerar Todas las Opciones

Muchas personas piensan que aconsejar significa escuchar a una persona hablar acerca de sus problemas por un tiempo y entonces decirle lo que debe hacer; y luego reforzar el consejo con dos o tres versículos de las Sagradas Escrituras y una oración para que Dios ayude a la persona a seguir su consejo. El consejo verdadero significa explorar con la persona su mundo, su problema, y cómo se relacionan otros factores con el problema inmediato que tiene. Uno puede sentir la necesidad de ahondar más dentro de la causa del problema y en los efectos que han venido de éste en el pasado. De esta manera, la persona puede experimentar la catarsis y conseguir una perspectiva más equilibrada de las posibles alternativas en el futuro.

Los consejeros profesionales han encontrado que las personas se resienten cuando se les dice en forma directa qué hacer con respecto a un problema. Si ellas siguen el consejo de uno y las cosas no salen como ellos esperaban, tienen a alguien a quien culpar. Aunque la gente viene y pregunta qué deben hacer, es mejor no darles una respuesta directa. Más bien, el pastor sabio ofrece tiempo para explorar con el aconsejado sus alternativas y luego ofrece apoyo mientras él decide por sí solo acerca de los procedimientos que ha de seguir. Cuando alguien sigue el consejo de otro, tiende a resentir el tener que depender de alguien más para tomar sus decisiones. El consejero puede dar apoyo a la persona mientras está luchando con sus alternativas. Puede levantar interrogantes cuando siente que el aconsejado se está moviendo en una dirección que no sería sabia. Al levantar estos interrogantes el aconsejado es ayudado a ver el peligro de su decisión. Cuando la persona se entusiasma con la decisión que parece ser la mejor, el consejero debe animarlo a seguir este camino.

El pastor capacitado anima a sus aconsejados cuando ellos están moviéndose en la dirección correcta con respecto a una decisión sabia, y busca modos de desanimarlos cuando están a punto de tomar una decisión que podría traerles serias consecuencias negativas. Por ejemplo, el pastor puede decir: "Vamos a suponer que usted decidiera de esta manera; ¿Cuáles serían las consecuencias para usted? ¿Y para sus negocios? ¿Y para su familia? ¿Y para su servicio cristiano en la iglesia?" Al mirar todas estas implicaciones en su decisión, la persona será animada a continuar su plan o a buscar otras opciones.

Maneje la Transferencia

Tarde o temprano el pastor se verá cara a cara con el fenómeno que los profesionales llaman transferencia. El pastor tal vez no sea capaz de reconocerla, y quizá no sabría qué hacer si la reconociera, pero esta será una experiencia desafiante para él. Pruyser explica la transferencia en las siguientes palabras.

> La relación de la persona con su fe, su tradición, o su iglesia local, puede ser tentativa en alguna forma, dando a su petición de ayuda un tono argumentativo, agresivo o condescendiente. La actitud de la persona puede ser demasiado dependiente, competitiva, explotadora, demasiado piadosa o hasta santurrona. Todos estos son lo que los sicoterapeutas llaman modelos de transferencia, que consisten, en términos generales, en transferir los modelos viejos de relación con los padres, adquiridos en la niñez, a la nueva relación con el pastor, quien ahora es percibido equivocadamente como una figura paternal. La transferencia proyecta a la relación con el pastor esperanzas inapropiadas o falsas, sin importar si éstas son agradables o desagradables. Estas esperanzas probablemente lleguen a ser trampas en el proceso de ayuda si no son reconocidas por lo que son y si no se entiende su origen.[8]

Las personas que cuentan sus sentimientos interiores a un pastor, consejero, o siquiatra, durante un tiempo, empiezan a desarrollar sentimientos hacia su terapeuta, los que tienen sus raíces en las relaciones de la niñez con personas de significado. Este es un proceso inconsciente de parte del aconsejado. Algunos terapeutas creen que el manejo de estos sentimientos de transferencia en una forma correcta resultará en el mejoramiento del aconsejado.

Los sentimientos de transferencia usualmente toman un curso de desarrollo positivo o negativo.[9] Si uno tiene principalmente sentimientos de enojo hacia el padre, y si el terapeuta dice y actúa en forma tal que nos recuerda al padre, entonces el aconsejado puede empezar a mostrar señas de enojo hacia el consejero. Si los sentimienton fueran básicamente positivos, amor, cariño, benevolencia, hacia el padre, podría el aconsejado empezar a sentirse en una manera muy positiva hacia el consejero. Una siquiatra explica que una joven dama fue a ella por terapia. Después de unas pocas sesiones, la paciente empezó a expresar evidencia de vinculación emocional hacia la siquiatra como si ella fuera su madre. Un día le dijo que le gustaría sentarse en sus piernas y ser acariciada con ternura. La siquiatra le explicó a la paciente que ella no era la madre y que no era realista el pensar que la paciente, ya una mujer joven, pudiera regresar a la infancia y experimentar el calor emocional de las relaciones entre hija y madre que normalmente existen durante la infancia y la niñez. Lentamente la paciente empezó a ser más realista al aceptar el hecho de que estas memorias son parte del pasado, y que ella no podía reproducirlas en el presente.

Cuando la transferencia toma el curso de sentimientos negativos, haciendo más difícil que el pastor pueda enfrentarlos, éste debe recordar que él no es el blanco primordial del sentimiento que está siendo expresado. Si el pastor está seguro de su propia persona, identidad y lugar de servicio, puede permitirle a la persona ventilar su ira hacia él durante un tiempo y de esta manera ayudar a la persona a llegar a la comprensión de que él está realmente tomando venganza de la madre o del padre, o de alguna otra persona de significado en su pasado. La persona se recuperará de sus sentimientos negativos hacia el pastor después de un tiempo. Las dificultades surgirán cuando el pastor interprete los sentimientos negativos como dirigidos personalmente para él y, por lo tanto, reaccione en una forma defensiva.

Es muy importante que el pastor esté seguro de sus propios sentimientos acerca de él mismo y de sus motivaciones al buscar ayudar a otros. El necesita sentirse seguro en su posición en la iglesia. Clinebell escribe que si la persona a quien él está aconsejando es persona poderosa en la estructura eclesiástica de la iglesia, y si la transferencia toma un curso negativo, entonces la seguridad del pastor puede ser amenazada si el aconsejado habla negativamente de él fuera de la oficina de consulta.[10] Algunos pastores no aconsejan a sus miembros por esta razón; más bien, remiten a las personas a un centro de consejería personal, centro de salud en la comunidad, o a un siquiatra. Esto evita que el pastor se vea involucrado en complicaciones para él y para sus feligreses.

Algunos parecen dudar de que el pastor se involucre en el fenómeno de la transferencia en el consejo. De esto Pruyser declara: "Los pastores son figuras de transferencia por excelencia, no necesariamente por lo que ellos son como personas, sino más bien por las proyecciones de los que buscan su consejo."[11]

Controle la Contratransferencia

Hemos dado un vistazo a la transferencia, y vemos que ésta es una identificación inconsciente del consejero con alguien de significado en el pasado del aconsejado. La contratransferencia es el mismo fenómeno de parte del consejero en relación con el aconsejado. El consejero hará bien invirtiendo tiempo para reflexionar sobre sus propios sentimientos hacia sus aconsejados. El, quizá, identifica inconscientemente a los miembros más antiguos de su congregación con sus propios padres, y se relaciona con ellos sobre esa base. El puede relacionarse con los jóvenes de la manera en que se relacionaba con sus propios hijos cuando estaban creciendo. El puede desarrollar alguna relación emotiva hacia algunas mujeres en la iglesia, la que involucra sentimientos eróticos. El puede sentir hostilidad hacia algunos miembros sin darse cuenta que sus actos, o algo que ellos dijeron, evocó un recuerdo desagradable de la niñez, que había sido enterrado en la inconsciencia.

Estos fenómenos son llamados contratransferencia. El pastor puede dejar que sus propios sentimientos inconscientes entorpezcan su trabajo como pastor. El puede rechazar a algunas personas e involucrarse emocionalmente con otras en una manera no muy sana. Todas estas actitudes están basadas en sus propias experiencias de la infancia.

El entrenamiento clínico y la sicoterapia personal son muy importantes y significativas para el pastor que participa en consejos personales extensos. Estas experiencias le ayudan a conocerse a sí mismo, a sus impulsos interiores y a su inconsciente. Hacen posible que él ayude a otros sin involucrarse emocionalmente y sin dejar que su propia experiencia emocional se confunda con la de sus aconsejados.

Hemos dado una introducción de algunas ideas importantes en la teoría que abarca el dar y recibir ayuda. El consejero descubrirá, a través de la experiencia, las ideas que son más provechosas para él cuando busca dar consejo. El descubrirá por sí mismo el significado de estas ideas en su ministerio, y cuáles son de más valor.

Notas

[1] T. Roberts, *Manual de Enfermería Psiquiátrica* (Buenos Aires: Inter-Médica Editorial, 1973), pp. 45-47.

[2] Paul W. Pruyser, *The Minister as Diagnostician* (Philadelphia: Westminster Press, 1976), p. 39.

[3] *Ibid*, pp. 61-79.

[4] Carroll Wise, *Pastoral Counseling: Its Theory and Practice* (New York: Harper & Bros., 1951), p. 18.

[5] Howard Clinebell, Jr., *Basic Types of Pastoral Counseling* (Nashville: Abingdon Press, 1966), p. 70.

[6] Abraham Maslow, *El Hombre Autorrealizado* (Barcelona: Editorial Kairos, 1968).

[7] Stanley C. Mahoney, *The Art of Helping People Effectively* (New York: Association Press, 1967), pp. 86-89.

[8] Pruyser, *op. cit.*, p. 86.

[9] A. H. Chapman, *A Textbook of Clinical Psychiatry* (Philadelphia: J. B. Lippincott Co., 1967), p. 54.

[10] Clinebell, *op. cit.*, p. 54.

[11] Pruyser, *op. cit.*, p. 50.

6

METAS AL ACONSEJAR

Introducción

Cuando hablamos de metas en consejería, reconocemos que los terapeutas tienen metas diferentes, de acuerdo con su filosofía básica con relación a la clase de ayuda que el aconsejado necesita, con las teorías distintas con relación al proceso, y con los métodos distintos que se utilizan en terapia. También reconocemos que algunos terapeutas insisten en que uno no debiera imponer sus valores sobre el aconsejado, pero nosotros, como pastores y líderes religiosos, tenemos metas para ayudar a las personas, y no debemos pedir disculpas por ofrecer los recursos espirituales de la fe cristiana como orientación para ayudar a las personas a vivir felices.

Esto no quiere decir que vamos a imponer nuestras convicciones y valores sobre toda persona que llega para pedir ayuda. Tenemos que respetar el libre albedrío de cada persona y su libertad de conciencia para creer y actuar de acuerdo con estas creencias. Sin embargo, podemos presentarles el mensaje de la Biblia, que Dios ama a todo ser humano, y que quiere que cada persona tenga la vida abundante. Este mensaje concuerda con las metas de lograr la máxima salud posible en las esferas espirituales, físicas y emocionales.

La Integración de la Vida por Medio de la Fe Cristiana

Cuando hablamos de la vida integrada nos referimos a los varios elementos que contribuyen a nuestro sentido de paz interna y a la armonía en relación con otros. Esto significa que nuestros impulsos están bajo control y que nuestras energías están siendo invertidas en las actividades productivas que enriquecen nuestras vidas. Significa que nosotros podemos sentirnos satisfechos con nosotros mismos y con el punto en que nos encontramos en el proceso de la vida. Significa también que gozamos de las relaciones sanas y positivas con otras personas.

¿Cómo se logra todo esto? ¿Cómo se puede alcanzar? Queremos demostrar en las páginas siguientes que la fe cristiana da la base de esta integración. El pastor consejero está involucrado en el proceso de ayudar a las personas a ganar la integración por medio de la aplicación de las enseñanzas de la Biblia y de los ideales de la fe cristiana en la vida diaria.

La búsqueda del reino de Dios

Una de las metas fundamentales que tenemos en la consejería es ayudar a las personas a alcanzar una integración de la personalidad a través de la fe cristiana. Jesús dijo: "Buscad primeramente el reino de Dios y su justicia,y todas estas cosas os serán añadidas" (Mt. 6:33). En esta declaración tenemos un objetivo para la vida que representa un desafío constante y que siempre es pertinente para nosotros. Esto quiere decir que una relación personal con Cristo nos da la clave para alcanzar una paz interna y relaciones armoniosas con nuestro prójimo. El concepto del reino de Dios como el valor supremo en nuestras vidas abarca toda faceta de la vida. Representa un ideal que desemboca en algo fuera de nosotros mismos y nos desafía para dar de nosotros mismos a otros primeramente.

Este versículo de Mateo 6:33 nos ayuda para establecer nuestras prioridades. Dice que debemos buscar "primeramente el reino de Dios". Otras cosas, como las comodidades económicas y el logro de nuestras metas personales, son importantes, pero no deben tomar el lugar primordial como objeto de nuestra búsqueda y la concentración de nuestras energías para lograrlos.

Este versículo también nos da una base moral y espiritual para nuestras vidas. La rectitud del reino de Dios resalta los ideales espirituales como la base de nuestras normas morales. Lo que Dios prohíbe es, en análisis final, para nuestro bien personal. Las metas morales que Cristo demanda de nosotros enriquecen nuestras vidas. Las cosas que están prohibidas son dañinas para nuestra salud, la sociedad, la familia y nuestros seres queridos.

Este concepto de la búsqueda del reino de Dios puede ser la base para vivir con paz y felicidad. A medida que ayudamos a las personas a entrar en el reino, lograrán una naturaleza y una percepción espiritual que les facilitará encararse con la vida con metas y valores que son distintos de los del hombre natural. Por eso, cuando las personas entran en el reino de Dios nos evitan la necesidad de invertir muchas horas en ayudarles en sus luchas con sus problemas personales, porque les da una base espiritual para la vida y evita la ocurrencia de muchos problemas.

El amor a Dios y al prójimo

Otro versículo que nos inspira a procurar ayudar a otros a lograr la integración de su vida es este: "Amarás al Señor tu Dios con todo tu corazón y con toda tu alma y con toda tu mente. Este es el grande y el primer mandamiento. Y el segundo es semejante a él: Amarás a tu prójimo como a ti mismo" (Mt. 22:37-39).

Este mandamiento nos enseña a poner a Dios en primer lugar. Muchas personas cuyas vidas están llenas de conflictos y problemas se dan cuenta de que sus dificultades son el resultado de no haber puesto a Dios en primer lugar en todo lo que ellas han hecho. El amor por Dios afectará nuestras actitudes hacia las cosas materiales, porque no seremos idólatras en la búsqueda de la ganancia material. El amor a Dios nos guardará del egoísmo, porque no tendremos al yo como el enfoque primordial de nuestra vida. El amor a Dios pondrá en la perspectiva correcta las otras metas de la vida.

El pastor puede citar este versículo con frecuencia en su trabajo como pastor y en su programa como consejero. Será necesario recordar a los aconsejados este versículo para que den a Dios el lugar que merece. Ellos se darán cuenta rápidamente de que están sufriendo de muchos problemas que son resultado de haber violado las leyes básicas de Dios. Si ellos pueden llegar a renovar sus votos con Dios y establecer de nuevo su relación con él, ellos descubrirán la base para la solución de sus problemas.

La segunda dimensión de amor que se nos manda en este versículo es el amor por el prójimo. Esto quiere decir que uno debe ser sensible al prójimo, a sus necesidades, a sus sufrimientos y a las maneras en que podemos ayudarles. El amor por el prójimo significa que tomaremos interés en su bienestar y buscaremos maneras de hacerle bien. Esto nos ofrece muchas oportunidades para servir a Dios a través del servicio para el prójimo.

Uno también debe de amarse a uno mismo. Cuando Jesús dijo: "Amarás a tu prójimo como a ti mismo", estaba dando su bendición a la idea de la validez de amarse a uno mismo. Calvino y otros han enseñado que uno debe odiarse o rechazarse a uno mismo, pero no hay nada de esto en las enseñanzas de Jesús. Es cierto que Jesús dijo que debemos negarnos a nosotros mismos y dejar al padre y a la madre, hermanos e hijos, para ser sus discípulos; esto está dentro de la dimensión de lo que se requiere para seguir a Jesús. Jesús mostró en su actitud hacia sí mismo una autoestima que es sana. La capacidad de uno de aceptarse a uno mismo, de bendecir sus dones y de sentirse bien en relación con uno mismo es la base para un servicio eficaz y feliz en el reino de Dios.

El evangelio tiene el efecto de mejorar nuestro concepto de nosotros mismos. Cuando nos damos cuenta de que somos de valor suficiente desde el punto de vista de Dios y que él dio a su Hijo unigénito para redimirnos, hace que nos sintamos muy bien. A medida que el pastor y el consejero comunican esta verdad a la gente, ella se impresiona con el poder del Espíritu Santo y se siente con humildad por el sentido de valor que adquiere por su relación con Dios. Esto también hace que la gente sea menos egoísta en su modo de vivir y la hace más comprometida para dedicarse de nuevo a Dios y a su servicio.

Así nosotros vemos que hay mucha similitud en los ideales de la fe cristiana y los de la sicología cuando ellos hablan de la integración de la personalidad. La personalidad de uno es más integrada cuando tiene una experiencia religiosa sana y una fe que le ayuda a vivir diariamente de acuerdo con las enseñanzas de la Palabra de Dios.

El nuevo nacimiento

Jesús dijo: "Porque de tal manera amó Dios al mundo que ha dado a su Hijo unigénito, para que todo aquel que en él cree, no se pierda, mas tenga vida eterna" (Jn. 3:16). Este versículo nos ayuda para formar la base de la integración de la vida cuando la persona se compromete por medio de la fe en Jesucristo como su Salvador personal. Nosotros en la tradición evangélica creemos que el nuevo nacimiento es una experiencia transformadora que cambia la perspectiva que uno tiene en su vida. Da a la persona una nueva relación con Dios y un nuevo poder para controlar los mismos impulsos.

El sentido fundamental de la vida se descubre por medio de establecer una relación correcta con Dios por medio de la fe personal. Muchas personas que no tienen esta fe experimentan un vacío en la vida, y por medio del contacto con el pastor ellas descubren el sentido que anteriormente no habían encontrado. El ministro debe estar capacitado para utilizar la Biblia para ayudar a descubrir este sentido. El debe estar capacidado para escuchar a las personas un tiempo y descubrir los problemas básicos que tienen, y después relacionarlos con la fe cristiana de tal manera que tenga un significado especial para ellas.

Hay ilustraciones de la Biblia que nos pueden ayudar mucho en este paso. Dependiendo de las circunstancias de la persona que está buscando ayuda, el ministro puede referirse a personajes bíblicos que tuvieron necesidades parecidas y que descubrieron la ayuda en un compromiso personal con Dios. Por ejemplo, el joven rico vino buscando la manera de descubrir la vida eterna. Es obvio, de la explicación que le dio Jesús, que el joven rico había experimentado muchas cosas para lograr un significado en la vida, pero estas cosas no habían logrado darle lo que buscaba. Así pues, Jesús quiso ayudarle a reorganizar sus prioridades con una perspectiva diferente, y organizarlas de tal manera que él pudiera descubrir la clave para vivir con éxito. Sin embargo, el joven rico no estaba dispuesto a aceptar estas condiciones, y las Escrituras dicen que se fue triste porque tenía muchas posesiones.

Nicodemo es otro caso de un hombre que vino sinceramente buscando el sentido de la vida. Jesús habló con él del nuevo nacimiento, que involucraba un cambio radical en su modo de vivir. La tradición nos dice que Nicodemo sí hizo la decisión, y más tarde estuvo dispuesto a ofrecer su propio sepulcro para recibir el cuerpo de Jesús después de su crucifixión.

Las parábolas contienen muchas verdades relacionadas con esta experiencia. Jesús habló del hombre que encontró la perla de gran precio y fue y vendió todo lo que tenía para poder poseer esta perla. (Mt. 13:45, 46) También habló del hombre que encontró un gran tesoro cuando estaba arando en un campo. El fue y vendió todo lo que tenía para tener dinero suficiente para comprar ese campo (Mt. 13:44). Estas parábolas ilustran que el reino de Dios es de valor infinito, y vale la pena invertir todo lo que uno tiene para poder poseer ese reino. Cuando el hombre descubre el reino tiene la base para una existencia con sentido.

El hombre que tiene fe en Cristo tendrá la mejor base para una vida verdaderamente integrada. Jesús llega a ser el modelo para el individuo, y el individuo después determina seguir las pisadas de nuestro Señor Jesucristo.

Hay muchas otras enseñanzas en los Evangelios y en las epístolas del Nuevo Testamento que nos dan la base para saber vivir felices y satisfechos. La persona que lee la Biblia diariamente con la meta de poner en práctica las enseñanzas que relacionan al individuo con su prójimo, recibirá la ayuda para organizar su vida y mantenerla con una orientación espiritual precisa. Cuando nosotros nos alejamos de las enseñanzas de la Biblia, descubrimos que estamos involucrados en muchos problemas.

Otro recurso que tenemos para mantener nuestras vidas integradas es el de la oración. Por medio de la oración mantenemos una comunión con Dios. Esto nos da una base espiritual que nos ayudará para salir victoriosos en nuestro vivir.

Descubrir el Sentido Como Meta en el Consejo

El significado del sentido

Se puede decir como principio general que lo que busca el hombre en la vida es descubrir algún sentido a través de las experiencias en el vivir. Víctor Frankl afirma esta verdad a través de su propia experiencia y sus escritos. El fue encarcelado por los alemanes en la Segunda Guerra Mundial. En los campos de concentración observaba que las primeras personas que morían eran las que no tenían voluntad para vivir, porque la vida no tenía sentido para ellas. El dice que solía sentarse y mirar en derredor y señalar mentalmente a las personas que pensaba serían las próximas en morir como consecuencia de los sufrimientos de la vida en prisión. La sobrevivencia no se determinaba por las condiciones externas, sino por la actitud que cada persona tenía hacia sus circunstancias. Esta experiencia le ayudó a completar las ideas básicas de su sicoterapia, llamada Logoterapia, en la que señala que la motivación básica en la vida es el buscar el sentido.[1]

El ayudar a las personas a descubrir el sentido a través de las experiencias de la vida es una parte significativa del ministerio pastoral. Una vez yo ministré a una familia que había esperado muchos años durante su matrimonio para la llegada de su único hijo. Su nacimiento era un testimonio de las maravillas de la ciencia moderna de la medicina. Lo habían inundado con el afecto físico y todos los bienes materiales que el joven podría desear. Le iba muy bien en el colegio. Estaba haciendo grandes planes para una carrera brillante. En ese momento el mundo de los padres se derrumbó cuando recibieron una llamada telefónica diciendo que debían llegar a la sala de urgencias en el hospital por una emergencia con su hijo. Durante las horas siguientes yo estuve al lado de estas personas mientras caminaban por el valle de sombra de muerte. La pregunta más persistente durante este proceso fue: "¿Qué significa esta experiencia para nosotros?"

Cómo encontrar sentido a la vida

Al pastor le pedirán ayuda repetidas veces para encontrar el sentido en la vida. El matrimonio joven que está esperando con ansiedad la llegada del primer hijo y recibe la noticia de que esta criatura está deforme, buscará al pastor y preguntará cuál es la razón para esta experiencia. Los padres que han hecho lo mejor posible para criar a sus hijos y reciben la llamada para ir a la estación de policía porque su hijo o hija ha sido descubierto con la posesión y el uso de drogas, preguntarán: "¿Por qué nos toca esta experiencia?" La esposa que ha hecho todo lo posible por su esposo y los hijos, y cuando los hijos salen del hogar el esposo llega para anunciar que está abandonando el hogar, que quiere el divorcio o una separación y se va a vivir con su secretaria, pregunta al pastor: "¿Por qué pasan estas cosas en mi vida?" Muchas personas que están involucradas en un trabajo monótono y que pasan las horas en la soledad también preguntan: "¿Cuál es el sentido de esto para mí?" Otros piensan en el suicidio, y si buscan al pastor por ayuda, la razón más frecuente es que para ellos la vida no tiene sentido.

Cada hombre tiene que descubrir la relación con Dios y las actividades que le darán el propósito de la vida que puede motivarles a continuar adelante para lograr las metas que, aunque tienen contenido material, realmente tienen una naturaleza espiritual. El ministro no debe imponer estos valores y metas sobre el aconsejado, pero tampoco debe vacilar en animar a las personas a considerarlos y recomendárselos como medios por los cuales ellos pueden encontrar la paz interna y la felicidad. Esta búsqueda dará motivación a muchas personas.

Estudios devocionales diarios. El leer la Biblia diariamente es una fuente de fuerza espiritual para las personas que están buscando el sentido más profundo de la vida. El pastor y el consejero deben animar a los aconsejados a tener un plan sistemático y diario de la lectura y el estudio de la Biblia para la alimentación espiritual. Ellos pueden escoger un libro de la Biblia, como los Salmos, y meditar sobre las enseñanzas capítulo por capítulo. Pueden descubrir inspiración por medio de la lectura de las narraciones de los caracteres bíblicos en el libro de Génesis y descubrir el desafío y la inspiración en los Evangelios y las epístolas del Nuevo Testamento. La variedad es útil, especialmente para la persona que apenas está comenzando su peregrinaje en la vida cristiana. Al familiarizarse más y más con la Biblia y sus distintas clases de la literatura, con las circunstancias históricas diferentes en cada libro, la Biblia tendrá más sentido y el lector estará más capacitado para aplicar las enseñanzas de ella de acuerdo con el intento de los escritores originales. El mensaje devocional de cualquier pasaje puede ser de ayuda para la persona que sinceramente busca la Palabra de Dios para que le hable en sus circunstancias. Muchas personas que han experimentado la desesperación en alguna circunstancia de la vida han descubierto que unos pocos momentos en el estudio de la Palabra de Dios les ha dado una esperanza nueva y una motivación para seguir luchando y no desesperarse de las circunstancias. El pastor que constantemente anima a sus feligreses a utilizar la Biblia para orientarlos en el vivir diario está utilizando uno de los recursos más poderosos a su disposición. Por eso, podemos afirmar que la Biblia es de mucha utilidad para las personas.

El servicio cristiano. El servicio en el reino de Dios puede ayudar a las personas a encontrar sentido en la vida. Jesús habló del demonio que tenía posesión de un hombre. Al ser expulsado fuera de la persona, el demonio caminaba o vagaba. Al no encontrar donde morar, decidió volver a la persona de la cual había sido expulsado. Al descubrir que la casa estaba vacía, barrida y arreglada, el demonio volvió con otros siete espíritus que tomaron posesión de la casa o de la vida de la persona. Jesús comentó que el estado final de la casa fue peor que el primer estado (Mt. 12:43-45). Este relato nos ayuda a animar a las personas a mantener sus vidas llenas de actividades positivas para poder evitar el vacío y la corrupción que pueden ocurrir cuando la casa está desocupada.

Muchas personas se frustran porque no tienen nada que hacer en la vida. Esto especialmente es cierto con algunas damas que siempre han estado dedicadas exclusivamente al hogar y al cuidado de sus hijos. Cuando sus hijos crecen y salen del hogar, ellas descubren que tienen mucho tiempo libre que anteriormente no tenían. Ellas llegan a la oficina del pastor y hablan del vacío que sienten en sus vidas. El pastor debe estar en condiciones de mostrarles las oportunidades de servicio en la comunidad y por medio de la iglesia, el cual llenará su tiempo y a la vez les ayudará para dedicar su atención y sus energías sirviendo a las personas que tienen necesidades.

Este es el caso de muchas personas. El consejero sabio debe tener una serie de actividades que puede sugerir a los miembros de la iglesia y a otros que están buscando ayuda. El puede recomendar estas actividades a las personas cuyos problemas parecen ser la falta de involucración y la necesidad de mirar más allá de ellos mismos. Los hospitales locales generales pueden utilizar a personas que prestan sus servicios como voluntarios para ayudar a las personas que tienen necesidades.

Otra posibilidad es animar a las personas a involucrarse en las muchas organizaciones de la iglesia. Casi toda iglesia tiene un gran número de puestos de liderazgo vacantes que pueden ser llenados por estos miembros que necesitan el desafío de una oportunidad de servir. Dependiendo de las capacidades de las personas, el pastor puede animar a algunos a hacer los trabajos de mantenimiento de equipos en la iglesia, y a otros a involucrarse en ministerios con personas. Cuando uno hace una inversión personal de tiempo y energía en alguna faceta del programa de la iglesia, se interesa más en la iglesia y se compromete con ella. Esto da satisfacción personal y sirve como canal para utilizar los talentos en el servicio para el Señor, lo cual debe considerarse como servicio positivo en el reino de Dios. No debe de mirarse como meramente un medio terapéutico porque alguien necesita ayuda o porque alguien necesita ocuparse en algo para combatir la soledad. El servicio debe ser fruto del amor *agape* y en esa forma no será rendido con egoísmo.

El involucramiento con familias. Muchas personas descubren que la vida se enriquece mucho por medio de las relaciones familiares. El tener hijos y verlos crecer hasta llegar a ser adultos normales que pueden hacer contribuciones positivas por medio de su trabajo, de su participación en las actividades de la iglesia, y de la crianza de sus propios hijos, siempre trae satisfacción para la mayoría de las personas.

Hay mucha frustración en los casos en que hay conflictos en los matrimonios. Por esta razón, es necesario que el pastor reconozca que la unidad familiar es la fuente principal de sentido en la vida para muchas personas. También él debe notar que la falta de felicidad de las personas casi siempre brota de las dificultades en los hogares.

Mucho del tiempo del pastor debe invertirse en ayudar a las personas a encontrar sentido en su vida por medio de la participación en las relaciones familiares y en promover las actividades con la familia que enriquecen la vida.

Otro capítulo de esta obra se dedicará a las fases distintas de consejos familiares, pero hay que mencionar aquí que las relaciones familiares son un recurso que el pastor puede tener en su ayuda a las personas para encontrar significado en su vida. La mayoría de las personas que experimentan la felicidad en el matrimonio y en las relaciones familiares tienen salud emocional y la capacidad de funcionar en forma normal y productiva en los otros aspectos de su vida. El pastor sabio debe incluir en el programa de su iglesia una abundancia de actividades que involucren a toda la familia de vez en cuando. Esto puede ser medicina preventiva para las familias de la congregación. Desde las etapas de los consejos prematrimoniales para una pareja, pasando por las etapas distintas por las cuales pasan las personas en el desarrollo normal, y hasta los años más maduros de la vida, la gente necesita la iglesia y lo que la fe cristiana puede ofrecer en actividades sanas para enriquecer la familia y las relaciones familiares. Muchas personas pueden ser atraídas a la iglesia por medio de estas actividades familiares sanas.

Al mismo tiempo, el pastor sabio debe estar constantemente en contacto con los jóvenes adultos que están estableciéndose en sus trabajos y profesiones o que están avanzando en sus estudios. Hay muchas metas que la pareja joven tiene durante este tiempo, y el pastor debe estar a la disposición de estas personas para animarles a ser fieles en el programa de la iglesia y también para ayudarles a lograr sus metas. A veces el pastor tendrá contactos con gente de importancia que pueden ayudar a otros a desarrollarse, o a progresar en sus puestos de trabajo. El no debe de vacilar en ayudar a las personas a llegar a puestos de influencia en las compañías y en las instituciones, porque esto resultará en oportunidades más grandes para servir al Señor por medio de su vocación.

A veces el pastor es invitado para aconsejar a personas que obviamente están mal adaptadas en el trabajo que están haciendo. En ocasiones, el ayudar a alguien a salirse de una carrera o puesto donde no está feliz y ubicarse en otra profesión o trabajo, trae una nueva dirección a la familia. Esto puede significar dar el "salto de fe" que abrirá las puertas para otras oportunidades nuevas en el futuro.

La Introspección Como Meta al Aconsejar

Definición de la introspección

La introspección se puede definir como la experiencia cargada de emoción de descubrir que los aspectos diversos de nuestro comportamiento, que anteriormente no tenían relación y que eran confusos desde nuestra perspectiva, se vuelven comprensibles dentro de la estructura de la totalidad de la persona y sus actividades. El pastor debe invertir sabiamente mucho de su tiempo en ayudar a las personas a lograr esta comprensión de la manera en que ellas funcionan y los factores que están debajo de la superficie pero que afectan nuestra circunstancia. Es un gozo ver "cómo se hace la luz" en una persona cuando de repente descubre cosas de sí misma que anteriormente no había entendido. Los hechos han estado allí presentes durante todo el tiempo, pero repentinamente el descubrimiento de la nueva relación de uno a otro, de un síntoma a otro, abre un panorama nuevo para la persona. La persona desarrolla una perspectiva distinta que le ayuda a vivir con mayor efectividad.

Carroll Wise describe el proceso de ganar esta introspección al aconsejar como la creación de una relación emocional y proceso con otra persona que permite la comunicación de la experiencia de la vida, la liberación de sentimientos negativos y el crecimiento de sentimientos positivos.[2]

La importancia de las relaciones

Es significativo que la relación se menciona como algo fundamental para lograr la introspección. Esto significa que otras personas nos ayudan a vernos a nosotros mismos en una dimensión que no habíamos comprendido antes. Esto viene por medio del contacto con personas ante las cuales podemos quitarnos las máscaras y revelarnos a ellas tales como somos. La mayoría de las personas mantienen sus defensas muy altas y sus máscaras puestas en todas las relaciones; es solamente con pocas personas significativas con quienes son capaces de descubrirse y ser quienes realmente son. Pero la introspección viene solamente a medida que somos capaces de conocer y ser conocidos por otras personas en estas relaciones significativas.

La descarga de las emociones negativas es importante como una faceta de la introspección. Los sentimientos negativos tienden a obstruir las relaciones y el flujo de los sentimientos que permiten la comunicación con otros en un nivel significativo y de importancia. Es como la basura que se acumula en el río e impide que fluya la corriente de agua. Solamente cuando logramos la manera de quitar esa basura el agua puede fluir libremente. Esta, en un sentido, es la misma situación en las relaciones interpersonales. Cuando nosotros podemos quitar todas las dudas, los conflictos, los enojos, los resentimientos, la ansiedad, los temores y otros elementos que ponen barreras emocionales, entonces somos capaces de movernos hacia adelante en relaciones que son más libres y de mayor significado.

En la medida en que los sentimientos negativos son expulsados de nuestros patrones de pensamiento, tendremos campo para que los sentimientos positivos puedan crecer y tener sus influencias positivas en nuestras vidas. El papel del pastor y el consejero en este proceso es crear un clima en el cual el aconsejado puede sentirse libre para decir la verdad. Esto puede requerir una serie de conferencias durante varias semanas, porque la asimilación es un proceso paulatino. Puede ser el resultado de una serie de reuniones que tendrá el pastor con el miembro o los miembros de la iglesia durante varios años. El pastor constantemente está estableciendo relaciones con sus miembros de manera que cuando surge una crisis ellos no vacilan en buscar ayuda de él.

La introspección no es algo que el consejero da al aconsejado; se descubre por medio de la dirección hábil del consejero. El consejero guía a la persona al umbral de una introspección nueva y después retrocede para que el aconsejado descubra la verdad por sí mismo. El aconsejado puede descubrir la verdad, gritar "¡eureka!" y experimentar éxtasis como consecuencia de esta nueva comprensión que ha descubierto.

Muchos pastores piensan equivocadamente que si ellos pueden dar una interpretación intelectual clara a lo que está pasando en la vida del aconsejado, entonces ésta traerá la introspección. Pero esto no es el caso. Muchas veces las personas resistirán las interpretaciones intelectuales o reaccionarán con una actitud de indiferencia frente a tal interpretación. Por otra parte, cuando se crea un clima en que la persona puede avanzar en comprensión cognoscitiva y emocional en una manera positiva, sin sentirse presionada o amenazada, estará en libertad de dejar que la verdad invada su ser y se regocije por la nueva verdad que ha descubierto de sí misma.

El significado de la introspección

A través de la introspección la persona tendrá la capacidad para ver la relación entre causa y efecto de una manera que no había podido comprender previamente. Por ejemplo, una mujer estaba luchando con su impaciencia con las personas que siempre solían llegar tarde para las reuniones y actividades. Esta mujer tenía una compulsion interna para llegar temprano, comenzar a tiempo y terminar rápidamente las actividades en que estaba involucrada. A través de una serie de ejercicios llegó a ver que esta compulsión era el resultado del entrenamiento desde la niñez: sus padres le habían programado para llegar temprano a las reuniones. Esto era de importancia primordial para su madre. Después de darse cuenta de este factor, ella estuvo en condiciones para relajarse, ser menos cumpulsiva, y dejar que otras personas llegasen tarde sin sentir resentimiento hacia ellas. Ella descubrió que en realidad a ella no le gustaba el tener que llenar todas las esperanzas de los demás, y llegó al punto de no sentirse culpable si llegaba un poco retrasada.

Un hombre descubrió la causa de la culpabilidad que siempre sentía cuando tenía tiempo libre para jugar. Aunque era tiempo libre de su trabajo, él no se sentía bien al emplear su tiempo en cosas de juego, porque sentía que debería estar haciendo algo más productivo. El descubrió, a través de la reflexión, que la pobreza extrema en la que fue criado le dejó una ansiedad por la seguridad que solamente el trabajo constante podía lograr calmar. Pero descubrió también que la necesidad de trabajar no era tan apremiante y que podía pasar un tiempo en una forma relajada durante las vacaciones sin tener la obsesión de trabajar constantemente. La impresión de esos primeros años había dejado sus huellas sobre el horario interno de la persona, de modo que se sentía inquieto cuando no estaba trabajando en alguna actividad productiva.

Aclaración de los valores

Los que trabajan en el campo de las ciencias del comportamiento nos han dado una comprensión nueva del significado del sentido de valores que cada persona desarrolla, y cómo estos valores afectan las decisiones que las personas hacen en los otros aspectos de la vida. Nuestro sentido de valores es el resultado de los mensajes que recibimos de otros, desde el momento del nacimiento. Se nos enseña que ciertas actividades son muy importantes, y el cumplimiento de estas actividades es casi un rito. Cuando se nos pregunta por qué las hacemos, no podemos explicar la razón en una forma adecuada y lógica. Simplemente lo hacemos porque nos enseñaron desde niños que esto era importante. Estos valores forman la base para nuestra persona, y nos afectan en las relaciones con otros durante la vida. Nuestro sentido interno de deber con relación a la oración y al culto los domingos, nuestras normas morales en el campo del sexo, y la manera en que gastamos nuestro dinero, son ilustraciones de la manera que nuestro sentido de valores nos controla.

Estos valores contribuyen a las metas que tenemos en la vida. Nuestros impulsos y las energías internos son controlados por ellos. Afectan las maneras en que nos relacionamos con otras personas y lo que buscamos lograr. A veces nos descubrimos involucrados en conflictos internos que pueden afectar nuestra relación con otros. En el proceso de buscar ayuda podemos descubrir que las fuerzas previamente no reconocidas estaban trabajando en una forma activa en nuestra vida. Estamos capacitados para aclarar nuestros valores y sincronizar nuestras acciones con ellos o alterar nuestro sentido de valores hacia una meta más realista y un nivel más normal de exigencias de nosotros y de los demás.

Todos estos valores contribuyen al desarrollo de las emociones que enriquecen nuestra vida o que impiden las relaciones positivas interpersonales. Algunas personas se relacionan con otras con confianza, amor e interés mutuos. Otras se relacionan con sospecha, resentimiento y celos. ¿Por qué esta diferencia? El lograr la introspección en este campo puede ayudar a disolver las barreras que han impedido las relaciones interpersonales positivas con otros durante los años. Como consecuencia de consejos personales una persona puede descubrir muy de repente las causas de su actitud, y entender el significado de lo que le ha pasado en los años anteriores. El consejero debe servir como caja de resonancia para recibir y transmitir lo que escucha del aconsejado. De esta manera, el aconsejado trabaja para entender su propia situación y determina los cambios que a su parecer son necesarios para poder funcionar con mayor eficacia y para vivir con paz interna y en buena relación con otros.

Niveles de introspección

El doctor Carroll Wise menciona cuatro niveles de introspección:[3]

1. La conciencia de que algo anda mal, que hay un problema y que uno necesita ayuda.

2. El reconocimiento de que las estruturas de la vida de uno han contribuido a los asuntos que están involucrados en el problema.

3. El logro de una comprensión de los sentimientos y las motivaciones de uno, y sus consecuencias en su vida, y cómo los cambios que él puede hacer afectan sus circunstancias en una forma positiva.

4. La solución de los problemas.

Vamos a mirar más detenidamente estos cuatro niveles.

Muchas personas son infelices con sus circunstancias en la vida, pero la mayoría de la gente no es suficientemente miserable para hacer algo y cambiar su circunstancia. Las personas tienen la motivación para buscar ayuda solamente cuando el sufrimiento llega a ser intenso o cuando ocurre una crisis que amenaza su bienestar. En esta crisis, la persona decide buscar otras alternativas. A veces el problema es evidente a otros, pero la persona misma no se da cuenta. En otras ocasiones, el problema es obvio para la persona misma, pero otros no se dan cuenta. El pastor puede tomar la iniciativa para hacerse disponible a las personas que tienen dificultades. A veces él puede predicar sermones que despiertan deseo en la gente de buscar ayuda. En otras ocasiones su disposición positiva durante una visita pastoral abre las puertas para ayudar. El pastor debe ser lo suficientemente agresivo para tomar riesgos de vez en cuando, pero a la vez debe ser suficientemente sensible para no forzar las puertas que no están listas para ser abiertas. El puede ofrecer ayuda en una forma suave que será aceptada en un futuro cuando la persona esté lista para hablar de sus problemas.

El pastor puede ser invitado para ayudar a solucionar problemas superficiales, pero muchas veces la persona necesita ayuda en aspectos que son más serios y más profundamente arraigados. Aunque el pastor y las personas están conscientes de esta necesidad, no es aconsejable que el pastor sea demasiado agresivo en una forma directa para tratar estos problemas. El médico puede ver que un paciente necesita cirugía, pero hasta no dar el paciente su permiso para ésta, el médico hará todo lo posible para aliviar los síntomas en otras maneras. El pastor sabio debe estar alerta para reconocer las señales que los aconsejados le dan que indican su necesidad de ayuda. Muchas veces su visita hace que las necesidades salgan a la superficie, y él debe poder ayudar en forma momentánea. Debe estar listo para ir hasta donde pueda en cada una de estas circunstancias, pero no intentará reformar radicalmente el mundo y la personalidad de cada persona con la que se encuentra. El doctor Wise recalca que no podemos forzar a las personas a reconocer sus necesidades. "La gente llegará a entender sus necesidades según su propia fuerza, y también de acuerdo con la comprensión y la aceptación que se les muestra en las relaciones con otras personas."[4]

El segundo nivel de la introspección entra en el área de la estructura interna de la vida de otros para poder comprender los asuntos involucrados en su problema. Esto enfoca las relaciones con otros en el mundo del aconsejado. La proyección es una ocurrencia común en este nivel. La mayoría de las personas tienden a sentir que sus problemas son causados por otras personas. Tienden a echarle la culpa a su patrón, a su cónyuge, a sus hijos o a otra persona, de cada uno de sus problemas. El pastor sabio preguntará cómo puede el aconsejado haber contribuido al problema si, al escuchar durante varios minutos, no hay ninguna referencia a su propia responsabilidad en la dificultad. Esto ayudará a la persona para reconocer que hay responsabilidad personal en cada uno de los problemas que uno tiene.

El tercer nivel de la introspección llega cuando la persona mejora al punto de poder reconocer que ella misma ha contribuido grandemente a su propia dificultad. Puede reconocer sus propias emociones y motivaciones en su comportamiento, y puede comenzar a tomar las decisiones que cambiarán su manera de relacionarse con otros para cambiar su mundo. La persona llega al punto de poder admitir sus propias emociones y tomar la responsabilidad de ellas. Reconoce la manera en que le afectan a él y a otros. Descubre que sus propias acciones crean resultados que se pueden anticipar y que en esta manera puede controlar sus acciones para adquirir los resultados más deseados.

La comprensión de la motivación en el comportamiento es el primer paso para alterarlo. "La introspección envuelve las necesidades, los esfuerzos internos, las ansiedades y los sentimientos de odio y culpa, y las varias defensas que se levantan con relación a estas emociones."[5]

El cuarto nivel de la introspección envuelve la solución al problema. Aquí la persona debe tener libertad para tomar su propia decisión. El imponer nuestra solución o el procedimiento que nosotros seguiríamos para solucionar los problemas, resultaría en frustración y fracaso. Tenemos que afirmar al aconsejado en su capacidad para decidir por sí mismo el curso de acción que ha de seguir para poder lograr la solución de su problema. A veces las personas escogerán trabajar por un cambio radical de su personalidad. En otras ocasiones la persona desarrollará nuevas amistades y otras relaciones personales, o buscará cambiar su empleo o su lugar de residencia para poder vivir con un mayor sentido de felicidad y realización.

El pastor debe evitar el ser paternalista al ayudar a las personas a lograr la introspección, porque esta actitud siempre trae resentimiento de parte del que recibe ayuda. El paternalismo fomenta la dependencia y el pastor sabio debe evitar que las personas desarrollen una dependencia excesiva de él. Debe dar a las personas libertad para tomar decisiones que les ayuden a moverse hacia la mejor solución a sus dificultades. El proceso de aconsejar no es uno en que la persona busca consejo específico del pastor; más bien, recibe ayuda para explorar recursos dentro de sí misma y para considerar factores que pueden haber sido pasados por alto. Algunas veces los conflictos internos paralizan al individuo, y mediante el consejo, él es capaz de funcionar de nuevo.

Notas

[1] Victor Frankl, *El Hombre en Busca de Sentido* (Barcelona: Editorial Herder, 1985).

[2] J. Carroll Wise, *Pastoral Counseling: Its Theory and Practice* (New York: Harper & Bros., 1951), p. 116.

[3] *Ibid.*, pp. 125-130.

[4] *Ibid.*, p. 123.

[5] *Ibid.*, p. 127.

7

EL PROCESO DE DAR AYUDA

Introducción

El capítulo actual intentará dar un resumen del proceso de dar y recibir ayuda por medio de consejos personales. Este proceso involucra la participación del aconsejado tanto como del consejero. Un factor que determina lo que pasa en el proceso es la calidad de la relación entre los dos. Por esta razón, en la primera parte del capítulo presentamos los niveles del cuidado pastoral, para ayudar al pastor a identificar el nivel de ministerio en que está involucrado.

Es imposible determinar al principio cuántas sesiones se necesitan para dar y recibir ayuda. El proceso de aconsejar pasa por una serie de etapas que están bosquejadas en este capítulo. Uno puede invertir varias sesiones de cincuenta minutos en la primera o en la segunda o en cualquiera otra etapa del proceso de consejo. La meta final es ayudar al aconsejado a ser capaz de encararse con su situación de una manera aceptable.

El establecimiento de una relación

El doctor Wayne Oates nos ha dado mucha ayuda al presentar los varios niveles del cuidado pastoral.[1] Estos niveles son: (1) amistad, (2) consuelo, (3) confesión, (4) enseñanza, y (5) consejos y sicoterapia. Similar a estos niveles de cuidado pastoral está la naturaleza de la relación que el consejero tiene con los que ministra.

El pastor, como consejero, será buscado por las personas debido a la dimensión espiritual de su ministerio. Los estudios muestran que una mayoría de las personas que deciden buscar ayuda primeramente acude al pastor. Esto quiere decir que el pastor tiene muchas oportunidades para aconsejar a las personas por causa del papel que desempeña como líder espiritual en la comunidad. Oates dice en su obra que el pastor es apreciado por muchos como el agente de Dios, de

Jesucristo y del Espíritu Santo.[2] Por esta razón, cuando la gente tiene problemas de índole espiritual, busca al pastor para recibir ayuda.

Amigo

El pastor puede participar en muchas reuniones en la comunidad que le dan oportunidad para conocer a la gente. En estas ocasiones muestra su amistad, y cuando las personas tienen necesidades, se inclinan a buscarlo. Muchos que no son miembros de la iglesia piensan en él como una fuente de ayuda cuando llega el momento en que necesitan al pastor. Al mismo tiempo, las personas que son miembros de su iglesia necesitan saber que el pastor es su amigo, y que es una persona en quien pueden confiar.

Como resultado de esta amistad, la gente puede detener al pastor en un almacén, mientras están haciendo compras, y hablar de los asuntos que tienen importancia para ellos. Cuando esto acontece, es importante que el pastor discierna lo que la gente espera de él.[3] Debe ser sensible a las personas y a sus maneras de comunicar las necesidades para poder responder a ellas.

Consolador

Toda persona tiene épocas en su vida cuando necesita consuelo. Cuando muere un ser querido, cuando vienen los reveses económicos, cuando las enfermedades que incapacitan nos agobian, y cuando nos sentimos desilusionados con los hijos, son épocas cuando los feligreses necesitan consuelo. El pastor es solicitado para caminar con las personas a través del valle de la muerte (Sal. 23). El pastor que ha estado con su gente durante un período de crisis estará en condiciones de captar lo que las personas necesitan de él durante este tiempo de crisis. Su presencia será muy importante para ellos, aunque él posiblemente no hará ninguna explicación teológica de lo que le pasa a las personas (2 Co. 2:14, 16; Sal. 19:3 y Job 13:4, 5). El puede participar en la oración en silencio por las personas en sus luchas, y esto será un ministerio de mucho significado para ellos.

Frecuentemente la gente está cargada de tristeza y duelo, pero sus emociones son reprimidas. Cuando el pastor habla con voz benigna con ellos con relación a su pérdida, las personas descubren más fácil expresar sus emociones. Al conversar con el pastor experimentan el relajamiento. A medida que las personas descargan los problemas que han estado llevando durante mucho tiempo hasta ese momento, sentirán el alivio.

Escucha

El pastor invierte mucho de su tiempo escuchando las confesiones de los otros. Como resultado de la doctrina del sacramento de la Confesión en la Iglesia Católica Romana, muchos pastores protestantes ponen un énfasis exagerado en la necesidad de confesar solamente a Dios sin hablar al hombre. Aunque esto es la verdad en el sentido teológico, hay que reconocer que la Biblia también habla de la necesidad de confesar el uno al otro (Stg. 5:16). El pastor necesita acostumbrarse a escuchar las confesiones. A veces esto acontece en la soledad de su oficina donde recibe a las personas. En otras ocasiones es en la privacidad de un cuarto en el hospital donde el feligrés es paciente. O posiblemente es en la sala de espera del hospital siquiátrico. En cualquier lugar donde acontezca, el pastor debe comunicar su comprensión y el perdón de Dios a medida que las personas exteriorizan sus cargas por causa de los pecados del pasado.

Maestro

A menudo el ministro es invitado a enseñar en una relación de consejero a aconsejado. A veces la persona necesita información en forma cognoscitiva y esta es la mejor forma de ayuda que el pastor puede dar. El debe saber bien las enseñanzas de la Biblia en todos los temas que tienen que ver con la relación del hombre con Dios y con su prójimo. El sabrá el punto de vista oficial de su iglesia, si la hay, en relación con problemas morales. El estará capacitado para comunicar la información a las personas con un espíritu no condenatorio ni de juicio. Las personas frecuentemente desearán saber lo que enseña la Biblia en cuanto al divorcio, el aborto, la guerra, el pecado imperdonable, toda variedad de prácticas sexuales y muchos otros asuntos. Estos temas presentarán oportunidades para que el ministro ayude a las personas que se encaran con estas dificultades.

El ministerio de la enseñanza desde el púlpito es importante porque el pastor proclama los ideales de Dios para la humanidad. Frecuentemente este ministerio de predicación abre puertas para que el ministro ayude a los individuos que escuchan el mensaje y deciden que necesitan hablar personalmente con su pastor.

Consejero

Hay algunas personas que necesitan la terapia mediante consejo extenso. Tienen luchas por los muchos conflictos que sienten con sus impulsos, con su ambivalencia con relación a las metas diferentes que tienen en la vida, y con su dificultad en tomar decisiones básicas que pueden llevarles a una existencia pacífica y armoniosa. Otros luchan para hacer lo mejor posible con sus decisiones anteriores que les han traído sufrimiento. Hay muchos que tienen neurosis. Aunque están capacitados para funcionar con un mínimo de efectividad, ellos podrían ser ayudados para vivir una vida más tranquila si pudieran tener la oportunidad de hablar con alguien entrenado para escucharles con sabiduría.

Muchos ministros no tienen la preparación adecuada para aconsejar en asuntos complejos. Otros están tan ocupados con las otras responsabilitades del pastorado que no tienen tiempo para dedicarse a esta faceta del ministerio. Por esta razón, el ministro necesita llegar a conocer las agencias y personas en la comunidad que sirven de recurso para ayudar a personas cuando hay necesidades. También necesita conocer a los profesionales de su iglesia o de la comunidad para poder remitirles a las personas cuando surge la necesidad.

La iglesia tiene muchos miembros que tienen necesidades espirituales y emocionales profundas. Su participación en actividades de la iglesia es un medio de intentar encararse con estas dificultades. Es imperativo que el ministro sea capaz de distinguir entre la dedicación espiritual genuina y los síntomas patológicos que se expresan en forma de dedicación religiosa. El doctor Wise dice: "El ministro preparado aprenderá a distinguir entre la persona cuyas actividades son el resultado de conflicto y la persona cuyas actividades son el resultado de funcionamiento sano, creciente e íntegro.[4] A veces las personas son animadas a continuar prácticas que pueden intensificar sus tendencias neuróticas en vez de ayudarles para vivir en forma más exitosa.

Etapas al Aconsejar

Ya hemos hecho hincapié en la importancia de la relación como la base principal para dar ayuda. En la relación dinámica entre el consejero y el aconsejado los problemas se exploran y se consideran soluciones diferentes. Como resultado de este proceso se desarrolla una relación de confianza y de franqueza en la cual el aconsejado repentinamente descubre que ha llegado a entender mejor su situación y desarrolla una perspectiva distinta para el trabajo que está haciendo y para encararse con problemas para los que anteriormente no percibía solución. Los dos se dan cuenta de que hay una comunicación verbal, pero que también hay comunicación no verbal, y muchas veces la comunicación no verbal tiene mayor significado que la de palabras. El doctor Ed Thorton afirma esta verdad en la declaración: "Las personas en el peregrinaje en sicoterapia encuentran sus respuestas no en el consejo del terapeuta, más bien en la calidad de la relación que se desenvuelve entre ellos mismos y el terapeuta."

Etapa primera: Se inicia el proceso de consejo

Ayude al aconsejado a relajarse. La mayoría de las personas que llegan a buscar ayuda tienen dificultades para comenzar a relatar su problema. Es mejor si el pastor llega directamente al tema después del saludo. Si el pastor no logra esto, pueden perderse varios minutos por el silencio o aumentar la frustración que siente el aconsejado. Muchas veces el consejero se pone incómodo también. El pastor puede explicar en palabras claras que él entiende que la persona ha venido para explicar algo de sus dificultades y para buscar ayuda. Simplemente puede decir: "Yo entiendo que usted ha llamado por la siguiente razón" o, "Entiendo que me ha buscado para que le ayude a solucionar un problema." Cuando el aconsejado tiene dificultad en principiar, el pastor puede decir que es mejor explicar sus dificultades desde su punto de vista en el momento. Una pregunta que siempre cabe es: "¿Qué está pasando en su vida en este momento?" Esta pregunta casi siempre abre las puertas para una conversación más extensa.

La mayoría de los aconsejados pasan mucho tiempo anticipando la oportunidad de compartir con un consejero y tratando de organizar lo que van a decir. Dependiendo de la intensidad de las defensas de la persona, de la clase de relación que tiene con el pastor y de la complejidad del problema, ella puede pasar mucho tiempo justificando lo que han dicho o lo que ha pasado. El primer paso para el consejero es buscar ayudar al aconsejado a relajarse. Por esta razón, es mejor no sentarse detrás de un escritorio que separa al consejero del aconsejado. El escritorio llega a ser una barrera a la comunicación. Libros, papeles y otros materiales en el escritorio del pastor pueden llegar a ser fuentes de distracción para el aconsejado. Pensará que el pastor está muy ocupado y no tiene tiempo para hablar. El pastor debe sentarse donde pueda mirar en forma directa a la persona con quien está conversando. Su serenidad será contagiosa, y el aconsejado comenzará a sentirse más tranquilo y listo para relatar el problema.

Escuche la narración del problema. En las primeras etapas del proceso de aconsejar debe dar la oportunidad para que el aconsejado relate su experiencia, ventile sus emociones y experimente los primeros pasos de alivio. Por regla general el pastor no necesita hacer muchas preguntas. El simplemente puede responder en una forma empática según lo que escucha. Ocasionalmente él necesitará aclarar un punto de lo que se está escuchando. Puede mostrar que está involucrado y que está escuchando en forma activa, pero no debe manifestar una curiosidad excesiva ni la idea de que está aceptando totalmente el punto de vista del aconsejado. El no debe comunicar la idea de que está tomando el lado de cualquier persona. Si hace esto, su efectividad como consejero se debilita. El aconsejado puede salir con el pensamiento de que tiene a otro aliado que comparte su mismo punto de vista, pero esto al fin y al cabo no resultará beneficioso para nadie. El consejero debe mostrar que está involucrado, pero sin parcialidad.

Evite hacer preguntas. Mientras el pastor está escuchando el comienzo del relato, tiene muchas preguntas en su mente. El no debe hacer esas preguntas en forma agresiva; más bien debe esperar y escuchar con paciencia, reconociendo que muchas de las preguntas serán contestadas en el proceso de la narración del problema. El no necesita conseguir un relato completo del problema y su historia durante la primera sesión. Debe hacer notas mentales de preguntas que tiene, y registrar en su mente las observaciones que le ayudan a hacer un diagnóstico más completo posteriormente. Por ejemplo, el pastor puede estar captando el grado de emoción que expresa el aconsejado al relatar el problema. Esto casi siempre sirve como indicio de la clase de persona que está compartiendo con él, el grado de confianza que tiene con sus emociones, y los mecanismos con los cuales se encara con sus problemas. Esto abarca mucho. El grado de franqueza y el nivel de honestidad que la persona manifiesta es un indicio del tipo de persona con que se está hablando. Y también indica si este problema es síntoma de varios otros. También ayuda a predecir cuánto tiempo puede demorar el proceso de dar y recibir ayuda. Algunas personas son muy rígidas y sus vidas han sido vividas en un mundo organizado y cerrado. Otros llevan cargas de culpabilidad y constantemente tienden a castigarse severamente por sus pecados en el pasado. Ellos asumen la culpabilidad en forma completa o pueden indicar a quién colocarla. Estas personas tienden a ser sacudidas cuando algo pasa que no esperan. Cuando una faceta de su mundo se desintegra estas personas están completamente desmoralizadas. Otras personas funcionan con mayor flexibilidad en su modo de encararse con la vida y por eso no responden en una forma extrema frente a un evento extraordinario.

Es mejor limitar el tiempo que se invierte con el aconsejado a un total de cincuenta minutos por sesión. Excepciones a esta norma pueden ser cuando no habrá más oportunidad para ver a esta persona por circunstancias de residencia u otros factores. El doctor Wayne Oates dice: "Cuando el pastor pasa tres o cuatro horas de una vez con una persona raramente está logrando algo constructivo que no se logró durante la primera hora. Cuando el pastor organiza la entrevista en dos o tres conferencias, cada sesión adquiere un valor triplicado o cuadruplicado en comparación con la ayuda que resultaría de una sola sesión. El dar tiempo a la persona entre las sesiones, para meditación y reflexión, enriquece su comprensión de sí misma. Con frecuencia llegará a las mismas conclusiones por su propia cuenta. Esto es mucho mejor que si el pastor hubiera dicho qué hacer en la primera entrevista.

Identifique los mecanismos de defensa. Los mecanismos de defensa que la persona tiene varían. Ya hemos tocado estos mecanismos en forma más extensa en otras partes de esta obra, pero queremos repasar algunas ideas, para ilustrar lo que el pastor puede escuchar mientras aconseja. (1) Algunas personas tienden a encararse con las experiencias de la vida con una actitud de negación. Cierran los ojos para no ver los problemas serios con la esperanza de que se desvanezcan. (2) Otras personas proyectan, buscando chivos expiatorios. Nunca están en condiciones para tratar directamente con el problema porque quieren echar la culpa de lo que les ha pasado a otras personas. Cuando una enfermedad es diagnosticada, la primera pregunta para el médico es: "¿cuál fue la causa de esta enfermedad?" Ellos son como el hombre, que al ver al paralítico, le preguntó a Jesús: "¿Quién pecó, éste o sus padres?" (Jn. 9:2) Muchas personas sentirán menos culpabilidad y tendrán más capacidad para encararse con su problema si pueden librarse de la culpa temprano en el proceso de consejo. Por ejemplo, un paciente dijo que podía vivir con el cáncer de los pulmones si el médico le aseguraba que la causa de su problema no había sido el uso del tabaco. O, si a una señora se le dice que tiene cáncer en el útero, ella inmediatamente echa la culpa a las pastillas anticonceptivas o al artefacto intrauterino o a alguna otra causa. (3) Otra manera muy frecuente de encararse con las dificultades, es la tendencia masoquista de aceptar toda la culpa. Aceptan la culpa por todo lo malo que viene. Algunas personas necesitan sufrir mucho por los fracasos del pasado y por eso amontonan sobre sí mismas la culpa de todo lo que anda mal en sus vidas. Algunos inmediatamente aceptan la suposición de que Dios les está castigando, mandándoles la enfermedad o el problema que ellos tienen. Otros tienden a mostrar sus sentimientos de inferioridad por medio de aceptar la culpa de todo lo que no se ha hecho en una forma correcta.

Brinde aceptación incondicional. Es importante en la etapa inicial que el pastor no manifieste temor, el estar escandalizado, desagrado, o ninguna otra emoción negativa al aconsejado mientras comparte su problema. Cualquiera de estas emociones puede resultar en el aborto del proceso de aconsejar. Si demuestra temor, el aconsejado puede decidir que no tiene experiencia para tratar con el problema. Si el consejero demuestra que está escandalizado, entonces el aconsejado sentirá juicio y condenación. Si comunica desagrado, el aconsejado sentirá que el consejero es demasiado "santurrón" y no se atreve a tratar con estos problemas. Por consiguiente, debe comunicar calor emocional, interés activo, y una competencia reservada para poder ayudar a la persona que está delante de él.

Resuma el resultado de la sesión. Al final de la primera consulta el consejero debe hacer un sumario de todo lo que ha escuchado, sintetizando el problema en breves palabras. Por regla general, el aconsejado se sorprenderá al escuchar este sumario y saldrá con la esperanza de que el pastor realmente tiene bases para ayudar en la solución de su problema.

El pastor también debe comunicar el hecho de que está listo para acompañar al aconsejado durante estas dificultades. Puede guiarle con sus sugerencias cuando es lo indicado y puede estar a su lado hasta ver un panorama más brillante en el futuro. El comunicar esperanza al aconsejado en la primera entrevista es muy importante. Si éste capta que el pastor no ve ninguna esperanza para solucionar su problema entonces saldrá descorazonado. Aun en medio de una situación en la que el pastor no ve claramente una solución, puede comunicar su disposición para acompañar a las personas en las horas de su tempestad. Esto especialmente es pertinente cuando las personas están luchando con una enfermedad que no tiene cura. La sanidad y la restauración de la salud tal vez no son una posibilidad, pero él sí puede asegurarles que va a estar acompañándoles como su pastor en los meses venideros.

Haga planes para las sesiones futuras. Al fin de la primera entrevista el pastor habrá desarrollado en su propia mente un diagnóstico del problema básico, de las necesidades de las personas que están involucradas, y del procedimiento que ha de seguir para buscar soluciones. Si otras personas han de estar involucradas en el proceso de consejo, él debe indicarles este hecho. El pastor debe decidir si él tiene tiempo suficiente para invertirlo con estas personas que necesitan ayuda. Ciertamente, puede cambiar el curso de su vida. Es un ministerio legítimo que vale la pena. Aunque esto posiblemente no sea el factor determinante, su ayuda puede ser el medio por el cual se logra un involucramiento mayor en la iglesia de parte de la familia. El pastor tiene que considerar toda la situación y decidir si está en capacidad para ayudar.

Decida si es necesario referir el aconsejado a otra persona. En algunas situaciones es necesario recomendar que las personas vayan a un especialista. Si tal es el caso, el pastor debe decidir a quién remitir al aconsejado. También, si él siente que no tiene tiempo suficiente para aconsejar en forma adecuada, o si él siente que el problema está más allá de sus capacidades, o si él tiene sentimientos negativos hacia estas personas, entonces debe recomendarles que busquen ayuda de otra fuente en la comunidad. Sin embargo, la mayoría de los pastores verán el ministerio a las familias en sus problemas como una oportunidad, y aceptarán este desafío.[5]

Etapa segunda: Un resumen de los factores que contribuyen a los problemas

Cómo se desarrollan y se vuelven habituales los patrones de relaciones con otros. Los patrones que desarrollamos en el proceso de relacionarnos con otros se forman desde muy temprano en nuestras experiencias interpersonales. Pueden determinar la manera en que nos relacionamos con otros el resto de la vida. La manera en que uno se relaciona con los de su propio sexo y con los del sexo opuesto se desarrolla paulatinamente durante la niñez. Estos patrones, tanto como los valores que una persona se forma con relación al interés o desinterés en otros, se establecen y nos acompañan durante el resto de la vida. Los temores que uno tiene son el resultado de experiencias traumáticas durante la niñez. Los niños maltratados tienen dificultades para establecer relaciones positivas con otros. De la misma manera uno puede desarrollar un sentido de confianza en otros como consecuencia de una serie de experiencias en las cuales esta confianza se estimula y se nutre.

Uno de los casos más frecuentes es el modo en que los recién casados tienden a desarrollar una actitud de indiferencia el uno en relación con el otro, o dejando a un lado los actos que comunican amor e interés especiales que seguían durante el tiempo de su romance y cortejo. De pronto descubren que las emociones que sentían y que se expresaban durante su noviazgo y durante la época del compromiso se han desvanecido. Una vez que estos patrones de relacionarse se han desarrollado, son muy difíciles de alterar. Ocasionalmente un matrimonio puede descubrir que su matrimonio se ha desintegrado en una serie de conflictos constantes. Por medio de los consejos ellos descubren que las raíces de las dificultades aparecieron cuando comenzaron a visitar frecuentemente a una pareja que estaba teniendo conflictos, y cayeron en el patrón de repetir lo que escuchaban de sus amigos.

Cómo las experiencias de la niñez temprana influyen en la actualidad. Al escuchar el relato de un aconsejado; el pastor puede estar asignando sentido a lo que se le comunica. Puede formar teorías del origen del problema y cómo se desarrolló en la vida de la persona. Poco a poco, adquiere un cuadro más claro de cada miembro de la familia y cómo los patrones de relaciones han afectado a cada uno de ellos. Puede ver cómo las experiencias de los primeros años de la vida han dejado sus efectos sobre el aconsejado. A medida que él escucha los temores y las frustraciones que las personas tienen en el presente, él estará en condiciones para discernir las causas del origen del trauma durante la niñez. Cuando él habla con las personas que están bien adaptadas, descubrirá casi siempre que su niñez también fue una época de experiencias de felicidad y seguridad. El pastor trabajará desde el presente, retrocediendo hacia el pasado, para poder ayudar a las personas a ganar la comprensión que ellas necesitan de la manera en que sus experiencias han contribuido a hacerles las personas que son hoy. Aunque algunos tienen dudas del valor de un examen de estas experiencias negativas en la niñez, otros han descubierto allí las claves para una comprensión más adecuada de ellos mismos en este proceso. El consejero debe discernir si esto tendrá beneficio para el aconsejado y proceder de acuerdo con su apreciación de la situación específica.

Cómo las dificultades presentes reflejan la capacidad de encararse con la vida. Durante el proceso de escuchar el pastor estará formulándose los siguientes interrogantes, que deben servir para guiarle para planear su programa de ayuda en el futuro. ¿Cuánta emoción se expresa y cuánta está siendo reprimida? ¿Cuánto comprende el aconsejado de lo que le ha pasado y de la relación que todo esto tiene con el problema en la actualidad? ¿Cuánto puede ayudar a esta persona en esta circunstancia o debe él buscar involucrar a otros en el proceso de recibir ayuda? ¿Puede esta persona poner en práctica lo que comprende de los beneficios de estos consejos? ¿Qué clase de ayuda es la más indicada para esta persona en esta circunstancia? ¿Pueden otras personas ayudar en una forma más adecuada y/o es aconsejable involucrar a otras personas en este proceso de ayuda?

Las contestaciones a estas preguntas varían en cada caso, de modo que es difícil establecer normas exactas para el proceso de ayuda, pero el pastor hará bien si busca la contestación de estas preguntas para sí. A veces hará un pronóstico tentativo del grado en que el aconsejado puede recibir y apropiar la ayuda que se le ofrece. Esto le ayudará para formular su programa de ayuda.

Algunas clases de ayuda incluyen solamente aliviar los sintomas que tiene la persona en el presente, sin intentar una ayuda más profunda. Muchas personas buscan una ayuda superficial para hacer desaparecer los síntomas inmediatos, sin querer luchar por solucionar su problema en su base. Ellos no tienen la motivación para buscar una ayuda de largo alcance; más bien buscan la manera de poder vivir con mayor felicidad y menos tensión en la actualidad. El pastor sabio puede discernir hasta qué punto la persona busca ayuda y responde de acuerdo con su propia conciencia.

El pastor tendrá que contestar para sí algunas preguntas básicas antes de involucrarse en una serie de sesiones que van a requerir mucho tiempo y trabajo de parte de él. Entre estas preguntas están las siguientes: ¿Estoy yo en condiciones de ayudar a esta persona? ¿Me desafía la situación de esta persona para querer ayudarle? ¿Qué espera esta persona de mí, y tengo las capacidades de cumplir con sus expectativas? ¿Cuánto tiempo me va a costar y tengo yo este tiempo disponible? ¿Hay otras relaciones y otros compromisos más urgentes que impiden que acepte el compromiso de trabajar por épocas largas con esta persona? ¿Cuál es la relación de ésta con las personas en la estructura de poder en la consagración? ¿Cómo puede el proceso de dar ayuda afectarme a mí en esta estructura en la iglesia?

Etapa tercera: Lograr el cambio de comportamiento.

Vamos a suponer que el pastor ha considerado todos los aspectos que hemos mencionado hasta este punto y que está listo para continuar en la relación con el aconsejado con la esperanza de poder ayudarle. El ya habrá desarrollado un panorama general de la situación, y probablemente algunos de los síntomas ya han sido aliviados como consecuencia de haber escuchado en sesiones anteriores. Vamos a mirar algunos de los medios por los cuales él puede ayudar a personas a cambiar sus circunstancias en la vida.

Por medio de establecer metas apropiadas. La integración de la vida, la búsqueda del sentido, y el lograr una introspección de sí y de otros son metas que tendrán que establecerse en el proceso de aconsejar. El ministro debe buscar en las sesiones subsecuentes ocasiones para poder hacer preguntas que tendrán el fin de hacer que las personas reconozcan que su actitud y acciones en el pasado han contribuido a los problemas actuales. Tal vez es necesario pensar en cambiar algunos de los patrones básicos de comportamiento y establecer metas diferentes en el futuro.

Por medio del uso de métodos apropiados. Además de utilizar los recursos espirituales que están a la disposición del pastor, él puede animar el uso de algunos principios básicos que pueden ayudar a otros a vivir más pacíficamente consigo mismo y con los demás. El puede asignar tareas específicas a las personas para que las cumplan para poder anular ciertos patrones de comportamiento en el pasado. Por ejemplo, la persona que ha sido muy inclinada a abusar de su propio cuerpo con trabajo excesivo o con bebidas alcohólicas o con la nicotina, será invitada a pasar unos momentos en meditación cada día, para buscar la ayuda para resistir la tentación. El pastor puede recomendar algunos libros y procedimientos para que la persona aprenda a meditar. Estamos descubriendo que hay recursos internos no utilizados que están a la disposición de la persona que quiere invertir unos momentos cada día en el proceso de buscar la renovación interior por medio de la meditación. Otra tarea para el aconsejado que tiene dificultades con su hijo o con su hija sería la de asignar ciertos períodos cada día para pasarlos con el niño en algo que sea de interés para ese niño. Esto ayuda al padre a comunicarse con el niño y entender su mundo. También le ayuda a descubrir las cosas de importancia que este mundo tiene para el niño.

Por medio de consideración de cambio de empleo y de residencia. Otras personas que buscan consejo pueden necesitar considerar la posibilidad de un cambio de empleo. Por ejemplo, una persona que está trabajando en un empleo que demanda que suba las escaleras varias veces durante el día desarrolla una condición del corazón que el médico diagnostica como un factor peligroso para su salud y su vida. Esta persona puede tener que cambiar su clase de trabajo o cambiar de empresa donde está trabajando. Puede tener que buscar trabajo en otro lugar. Algunas familias hasta tendrán que cambiar de una ciudad a otra para evitar influencias que pueden estar afectando su felicidad. A veces enfermedades, tales como el asma, pueden dictar que la familia busque un clima más favorable para el enfermo en la familia.

Por medio de la corrección de su autoimagen. Durante las sesiones el pastor está ayudando a la persona a sentirse mejor en relación consigo misma, con sus circunstancias, y con la ayuda que está recibiendo. Por medio de la creación de una atmósfera de aceptación positiva incondicional, término popularizado por el doctor Carl Rogers, la persona sentirá mayor libertad para abrir su corazón y expresar sus sentimientos y las luchas internas que tiene.

Esta etapa del consejo puede continuar durante varias semanas. Conforme las sesiones progresan la persona siente que progresa a pasos agigantados. Por regla general llega a las sesiones con optimismo y hasta con entusiasmo porque ha descubierto un oído listo para escuchar. Ella está experimentando la catarsis. Tal vez está sintiendo el alivio del dolor que ha tenido encerrado durante años. Dependiendo de la intensidad de su sufrimiento cuando decidió buscar ayuda, probablemente ahora siente mucho alivio de su sufrimiento y es feliz por su progreso.

Etapa cuarta: El descubrimiento de factores contribuyentes al problema

El pastor y el aconsejado principian a explorar ahora con mayor profundidad los factores que han contribuido al problema. El proceso puede volverse un poco más doloroso para el aconsejado. El pastor debe tomar un papel más activo haciendo preguntas que penetran debajo de la superficie para discernir las raíces o las causas del problema. Debe buscar la aclaración de los asuntos que no entiende y cuando piense que el aconsejado podría beneficiarse al penetrar por debajo de la capa de los asuntos que tienen significado para ver las dimensiones de su comportamiento que previamente no ha podido entender o reconocer. Vamos a mirar algunos de los acontecimientos que por regla general toman lugar durante este proceso.

Resistencia inconsciente a la ayuda. El aconsejado puede desarrollar resistencia a la situación de consejo y al consejero. Puede interrumpir la terapia o comenzar a llegar tarde para las sesiones. Posiblemente vendrá con una agenda larga que es elaborada con el fin de evitar hablar de los temas que tienen importancia crítica en su vida. El pastor tendrá que ayudar al aconsejado a ver los beneficios que está recibiendo del proceso de consejo personal y que los beneficios son mayores que el dolor que siente. El pastor debe poder reconocer cuándo el aconsejado ha tocado un área de su vida que es demasiado dolorosa para discutir. El pastor debe cambiar el tema y conversar sobre otro asunto que no causa tanto dolor, hasta que en otra ocasión en el futuro él pueda tocar de nuevo este tema. Puede en esta manera observar el tiempo y las emociones de la persona para ver cuando está lista para tocar los temas difíciles en su vida.

La transferencia. Hemos hablado de la transferencia en el capítulo 5. Algunos terapeutas de la escuela sicoanalítica fomentan el desarrollo de la transferencia porque, según ellos, ayuda para entender las contribuciones de personas significativas en el pasado del paciente. A la vez, el terapeuta puede utilizar la transferencia en la etapa final de la terapia para ayudar al paciente a comprender sus actitudes hacia ciertas personas en el presente. Otros, como los conductistas, niegan el valor de la transferencia, porque quieren enfocar todo en el presente del paciente y en un nivel más racional que inconsciente.

El pastor que aconseja debe estar consciente de la dinámica entre él y el aconsejado. La mayoría de los pastores no tienen la preparación para utilizar la transferencia en forma terapéutica. Por eso, es aconsejable estar alerta a lo que está pasando, y mantener la relación entre aconsejado y consejero en un nivel racional, minimizando así el factor inconsciente en el proceso.

La contratransferencia. El pastor debe estar alerta a sus propios sentimientos que se desarrollan con relación al acosejado. Si descubre que está gastando una cantidad excesiva de tiempo pensando en el aconsejado entre las sesiones o si pasa mucho tiempo pensando en la cita, debe preguntarse: ¿Qué está pasando dentro de mí? ¿Que necesidades se están supliendo por medio de mi intento de ayudar? El pastor necesita buscar la objetividad en su relación y su programa de ayuda para no caer en situaciones que tendrá que lamentar posteriormente. En caso de no poder hacerlo, el pastor debe suspender su intento de ayudar, y remitir al aconsejado a otro profesional.

Etapa quinta: El desarrollo de planes futuros sin consejo

A medida que el aconsejado progresa en forma exitosa en la terapia, llega al punto donde uno puede sugerir que pronto será el momento cuando ya no será necesario reunirse semanalmente. El crecimiento experimentado ha equipado a la persona para progresar sin consejos personales. Tal vez es sabio hacer planes de reunirse cada semana por medio y en esta manera ayudar a la persona para independizarse paulatinamente. También, es posible llamar al aconsejado de vez en cuando para ver cómo está; así el pastor puede ver el progreso de la persona y las maneras en que está progresando en su vida. No será necesario pasar cincuenta minutos con la persona cada semana a menos que haya alguna experiencia crítica en una ocasión especial porque algo hubiera acontecido que merece una consulta más extensa. Cuando el pastor y el aconsejado deciden que todo está progresando en forma positiva, entonces estarán listos para acordar el fin de las sesiones formales de consejo.

A veces la persona retrocederá cuando se menciona la terminación. Esto indica que ha desarrollado demasiada dependencia del consejero, y necesita tomar pasos progresivos para independizarse de esta relación. Cuando llega el momento propicio, el pastor debe insistir en que la persona ya está capacitada para encararse con su situación y explicar que utilizará su tiempo para ayudar a otros. A la vez, queda a la orden para ayudar en el futuro, cuando sea necesario.

Etapa sexta: La terminación del consejo.

Cuando la persona ha progresado satisfactoriamente, entonces él o ella y el pastor acordarán que ya pueden terminar las sesiones. Esto debe acontecer cuando la persona siente la capacidad de seguir adelante y tomar decisiones en forma independiente o dentro de la estructura de su familia. En el caso que el pastor es el consejero, entonces él continuará viendo al miembro en las actividades semanales de la iglesia. De esta manera el pastor estará consciente del progreso continuo del individuo y también se dará cuenta de si surgen tensiones que amenazan la estabilidad de la persona a través de las experiencias diarias.

Ocasionalmente la terminación puede surgir porque el ministro siente que debe recomendar o remitir al aconsejado para buscar un especialista o alguien que pueda tener mayor objetividad en el proceso de ofrecerle ayuda. Cuando este es el caso, el pastor continuará viendo a la persona en los cultos de adoración y en las otras actividades y estará listo para animarle a proceder en la terapia con otro terapeuta. El pastor no debe continuar aconsejando si él recomienda que la persona busque a otro. Tampoco debe emitir juicios sobre si el consejero que ha recomendado es competente o no para aconsejar, una vez que haya entrado en contacto con el aconsejado. El se retirará de la escena y animará al aconsejado para que coopere en forma completa con el nuevo terapeuta. Ocasionalmente, si conoce al terapeuta, puede consultar con él para averiguar del progreso del miembro de su iglesia.

A veces el proceso de aconsejar puede malograrse porque el aconsejado decide suspender las sesiones unilateralmente. Esto puede acontecer porque el aconsejado descubre que el proceso de recibir terapia envuelve trabajo duro y a veces sufrimiento intenso. Puede ser porque el sistema de defensas es tan alto que la persona no puede soportar la amenza que resulta de una introspección leve en ella. Puede ser por factor de tiempo o el costo económico. Puede ser por la transferencia positiva o negativa, y la persona no entiende las emociones que se están despertando por el proceso de terapia. Cuando el miembro suspende las sesiones, crea una situación de tensión o pena entre el pastor y el feligrés. A veces deja de asistir a la iglesia. ¿Qué se debe hacer? Es mejor si el pastor puede hacer contacto con el aconsejado y conversar en forma honesta sobre el asunto, y explicar que está bien suspender las sesiones. Puede animar al feligrés para continuar en las actividades de la iglesia sin sentirse apenado. También el pastor debe continuar su ministerio con otros, sin sentirse culpable o ineficiente en su esfuerzo por dar ayuda.

Notas

[1] Wayne E. Oates, *The Christian Pastor* (Philadelphia: Westminster Press, 1951), pp. 77-139.
[2] *Ibid.*, p. 83.
[3] George Bennet, *When They Ask for Bread* (Atlanta: John Knox Press, 1978), pp. 14-18.
[4] Carroll A. Wise, *Pastoral Counseling: Its Theory and Practice* (New York: Harper & Bros., 1951), p. 36.
[5] Harry Stack Sullivan, *La Entrevista Psiquiátrica*. Trad. por Federico López Cruz (Buenos Aires: Editorial Psique, n.f.)

PARTE III
AREAS DE APLICACION

CAPITULO 8
ORIENTACION SOBRE EL MATRIMONIO Y LAS RELACIONES MATRIMONIALES

CAPITULO 9
ACONSEJANDO A LA JUVENTUD

CAPITULO 10
LA CONSEJERIA EN ASUNTOS ETICOS Y RELIGIOSOS

CAPITULO 11
EL MINISTERIO PARA LAS PERSONAS EN SITUACIONES DE CRISIS

CAPITULO 12
LA CONSEJERIA EN TEMAS RELACIONADOS CON LOS INTERESES FINALES

8

ORIENTACION SOBRE EL MATRIMONIO Y LAS RELACIONES MATRIMONIALES

Introducción

Una gran parte del tiempo del ministro se invierte en ayudar a las familias en sus diferentes pasos y ajustes en el matrimonio y en la vida familiar. Probablemente el ministro es solicitado para ayudar más frecuentemente en esta área que en cualquier otra. Las crisis constantes en los matrimonios y los hogares con niños ocasionan invitaciones para ayudar. Los patrones sociales en la cultura, la familia y las actitudes hacia el matrimonio y el hogar, requieren que el ministro vaya mejorando constantemente sus conocimientos y técnicas para ayudar en esta área del ministerio.

Las épocas del noviazgo y compromiso matrimonial entre jóvenes son tiempos para muchas oportunidades de aconsejar y ministrar. El pastor también tiene muchas oportunidades para ayudar a los matrimonios jóvenes en su acoplamiento matrimonial. El es invitado para ayudar a las familias en las cuales los jóvenes están causando dificultades por rebeldía. El presente capítulo ofrece sugerencias para ayudar en estas áreas.

Los Consejos Prematrimoniales

Estableciendo la escena para consejos prematrimoniales

Juan y María han crecido en la iglesia. Han sido novios por tres años y han estado comprometidos para casarse durante seis meses. Su día de matrimonio está fijado para dentro de tres meses. Ellos llaman al pastor para hacer una cita y conversar durante varias reuniones acerca de su matrimonio cercano. Llegan a la oficina del pastor para la primera sesión diez minutos antes de la cita. Se ven nerviosos, pero es obvio que se aman. Conversan con la secretaria mientras el pastor termina su reunión con otros aconsejados. Oportunamente ellos son invitados a entrar a la oficina del pastor. Se sientan en el sofá, y el pastor acerca su silla a la pareja para conversar con mayor confianza. Las cuatro o cinco sesiones que va a tener la pareja deben hacerse durante un período de cuatro a seis semanas. El propósito que el pastor tiene es ayudar a la joven pareja a empezar su vida matrimonial bajo las más favorables circunstancias posibles y con bases cristianas. El hecho de ser cristianos provee bases positivas para un matrimonio feliz. El doctor Guillermo Goff sugiere una serie de entrevistas y una metodología a seguir en su libro *El Matrimonio y la Familia en la Vida Cristiana.*[1]

Asuntos que deben discutirse en el consejo premarital

El ideal que Dios tiene para el matrimonio. Es recomendable leer los pasajes básicos de la Biblia que tienen que ver con la creación del hombre y la mujer y el hogar (Gn.1:26, 27; 2:4-6; Mt. 19:4-6). Durante este tiempo el pastor da explicaciones para ayudar a la pareja a entender mejor el significado del matrimonio. Deben dialogar sobre el sentido de los pasajes y el pastor ofrecerá respuestas a sus preguntas. El pastor les ayuda a entender que el matrimonio es de origen divino, y que Dios quiere bendecirles en su futuro como pareja.

El amor es elemento básico para un matrimonio feliz. Durante las sesiones, el pastor y la joven pareja expresarán las ideas diferentes que tienen acerca del amor en el matrimonio. El pastor puede suplementar las ideas presentadas con un concepto más maduro y cristiano del amor, si las ideas de la joven pareja están basadas más en conceptos seculares o humanistas. El pastor hace hincapié en que el amor es dar tanto como recibir, lo que envuelve el respeto y apreciación mutuos, y que el amor se expresa en forma física, emocional y sexual.

Dar y recibir en el matrimonio. Juan y María descubren que la felicidad en el matrimonio es el resultado de la voluntad para trabajar mutuamente y ganar a veces y perder a veces cuando hay opiniones diferentes. Debe haber una libertad en la relación en la cual se permite ser diferentes el uno del otro. Ellos deben hablar acerca de los diferentes métodos que utilizan para solucionar sus diferencias durante el noviazgo y el compromiso. Deben decidir si ha sido efectivo este método o si puede haber otro método que tendría más eficacia para ayudarles a mantener la armonía en su relación el uno con el otro.

El manejo de las finanzas en el matrimonio. El pastor debe ayudar a la pareja a planear junta sus asuntos económicos para el futuro. Ellos deben hacer planes para elaborar un presupuesto familiar basado en sus ingresos y las cosas que necesitan con mayor urgencia. ¿Qué piensan los dos acerca de que la esposa trabaje después del matrimonio? ¿Es recomendable que uno, o los dos, continúen su educación formal después de casados? ¿Cómo van a hacerlo? ¿Qué provisiones están haciendo para financiar esta educación? El pastor debe animarlos a comenzar un plan sistemático de ahorro desde el principio.

El aspecto sexual del matrimonio. ¿Cuál es la actitud básica de cada uno en cuanto al sexo? ¿Están ellos informados de los aspectos biológicos y las enseñanzas morales y religiosas concernientes a las relaciones sexuales matrimoniales? El pastor debe recomendarles tener un examen físico que incluya información y consejos acerca de las relaciones sexuales y los medios de evitar la concepción. El pastor debe explicar a la pareja que el impulso sexual viene de Dios, y que no hay nada sucio o vergonzoso en las relaciones sexuales entre casados. El puede discernir si hay algunos indicios de culpabilidad en cuanto al sexo o si el sexo no tiene importancia para cualquiera de los dos. Dependiendo de su nivel de educación previa el pastor tal vez necesita recomendarles un buen libro de fisiología y sexo. La joven pareja tiene que entender que dentro del matrimonio el sexo envuelve sentimientos sanos y bellos, y que estos sentimientos traen satisfacción al matrimonio.

Haciendo que el matrimonio sea cristiano. El pastor debe leer de Efesios 5 y Colosenses 3 y 1 Corintios 7 los pasajes que hablan de las obligaciones entre los cónyuges. El puede ayudarles a ver que si ellos incluyen a Dios en su matrimonio desde el principio, tendrán unas bases sanas para un hogar feliz. El debe animarles a ser fieles siempre en asistencia y participación en las actividades de la iglesia. El pastor les ofrecerá su disponibilidad de guiarles en el futuro cuando encaren cualquier dificultad.

La relación dinámica que se establece y se mantiene en estas sesiones de consejos prematrimoniales forma la base para guiar a la pareja en su matrimonio. Puede abrir canales de comunicación que traerán grandes bendiciones para la pareja en su matrimonio. Les dará la confianza para buscar al pastor en el futuro cuando surja una crisis.

Surgen los Primeros Conflictos

La desilusión como resultado de expectaciones equivocadas

Antes del matrimonio las parejas tienden a enfocar las cualidades que tienen en común. Después del matrimonio sus diferencias básicas comienzan a salir a la superficie. Descubren que tienen preferencias que son distintas, hábitos diferentes, gustos que varían mucho, que desean placeres diferentes y que sus opiniones varían también sobre cualquier asunto. Ellos descubren que hay características de la personalidad en uno mismo y en su cónyuge que no había notado antes en una forma tan marcada.

Antes del matrimonio cada uno sentía que tenía amor en abundancia que podría resolver cualquier conflicto, pero ahora que estas diferencias salen a flote ellos experimentan un desafío para dar y recibir el amor que anteriormente no sentían. La tensión viene en el matrimonio y las relaciones, de tal manera, que ponen a prueba la estabilidad de su relación. El resultado es una relación completamente empobrecida en el sentido emocional. La falta de autoestima en cada persona contribuye a la falta de confianza que tiene el uno por el otro. La capacidad de compartir es afectada o limitada. Algunos matrimonios deciden después de algunos meses que en verdad no estaban listos para acomodarse a la vida de casados.

Después del matrimonio uno puede descubrir que el cónyuge no es la persona fuerte, autosuficiente y capaz que había percibido antes del matrimonio. La frustración, la desilusión y el enojo vienen como resultado de este descubrimiento. La siquiatra Virginia Satir menciona esto cuando habla de los factores inconscientes que atraen una persona a la otra.[2] De modo que mientras cada persona piensa que la otra persona tiene una abundancia de lo que le falta a su vida, y piensa que podrá tomar de la otra persona de la abundancia de lo que le hace falta, descubre que la otra persona también está en bancarrota en las mismas áreas en que tiene grandes necesidades. Muchos conflictos resultan en esta clase de relación matrimonial porque cada persona tiene áreas de deficiencia que también descubre en su cónyuge. Una guerra subterránea resulta, en la que los asuntos no se miran ni se tratan con honestidad en una atmósfera de honestidad. Más bien, el matrimonio comienza a evitar mirar la verdad en la relación el uno con el otro.

Según Satir, cuando la persona sueña con su cónyuge futuro en el matrimonio, cada persona inconscientemente busca una extensión de sí mismo. Cada uno quiere un cónyuge que sea perfecto, y tiene dificultades para encarar las cualidades imperfectas que surgen en su cónyuge. Esta situación establece la escena para el conflicto continuo en su matrimonio.

El aprender a comunicarse en una forma abierta en los niveles más significativos, el poder admitir las debilidales que uno tiene, y la capacidad para hablar de las necesidades de uno en una manera sin sentirse amenazado pueden ayudar mucho y contribuir mucho a un matrimonio armonioso y feliz. Si una pareja, antes de su matrimonio, pudiera tener algunas reuniones en las cuales ellos hablan el uno al otro de sus debilidades personales y las debilidades que uno percibe en el otro, esto podría ayudarles para no sorprenderse al descubrir que existen estas debilidades después del matrimonio. A la vez les mostraría que su relación no es tan frágil, porque tiene la capacidad de resistir el conocimiento realista de que ninguna persona es perfecta. Esto abriría los canales de comunicación para una pareja, para los años que están en el porvenir.[3]

El pastor puede ayudar a las personas a descubrir las bases de sus dificultades a medida que escucha sus explicaciones durante una serie de conversaciones. El se reunirá con las dos personas conjuntamente al principio de la sesión. El puede sentir que es sabio reunirse con cada persona en forma separada una o dos veces durante la terapia. Si la falta de comunicación es el problema básico, entonces será sabio continuar reuniéndose con los dos simultáneamente para poder establecer las líneas de comunicación y facilitarla en sus primeras etapas. El puede descubrir que ninguno de los dos escucha al otro. El puede descubrir que uno domina al otro en toda la conversación. El puede hacer mucho para ayudar a la pareja a descubrir qué está pasando en su relación. Se espera que les ayudará a resolver sus dificultades en los primeros meses del matrimonio.

El descubrimiento de las imperfecciones en el cónyuge

Pocos días después de la luna de miel la pareja puede tener ocasión de descubrir algunas cosas de su cónyuge que no había reconocido previamente. El esposo tiene que levantarse temprano en la mañana y salir para el trabajo en forma apresurada. El puede dejar sus piyamas en la cama o en la silla, y su ropa del día anterior puede estar en el baño o en el piso de su alcoba. Su esposa tendrá la tentación de quedarse en cama y dejarle preparar su propio desayuno o de levantarse y prepararle su desayuno antes de vestirse para el día y antes de peinarse. El esposo la ve a ella antes del arreglo personal, y reconoce la diferencia marcada entre esta persona y la señorita bien vestida y arreglada que solía aparecer en la puerta de la casa cuando estaban saliendo en citas durante el noviazgo. La diferencia entre lo que experimentaba antes y lo que ve ahora puede crear una impresión desfavorable en el esposo.

El esposo descubre que el matrimonio involucra el pagar el arriendo o la cuota de la casa. También hay que pagar la cuota del automóvil y los muebles. Hay muchos otros gastos que no habían considerado previamente. La joven esposa se da cuenta de que anteriormente tenía el dinero de su empleo y podía gastar tanto como quería en ropa y otras cosas personales para ella. Si ella no está trabajando ahora, puede sentir vergüenza de solicitar dinero del esposo para los gastos personales. Si ella continúa en el trabajo, descubre que su sueldo ahora se aplica para cubrir los gastos que no se cubren con el sueldo del esposo. Todos estos factores pueden traer tensión en el matrimonio.

El descuido de detalles en el matrimonio

Una pareja joven puede descubrir que comienzan a surgir conflictos en su matrimonio después de pocas semanas. Ellos necesitan hacer planes juntos y participar en las actividades que promueven un matrimonio vivo y brillante. El recordar los días significativos en su matrimonio es una manera para mantener la relación en forma dinámica y para mantener vivo su matrimonio. El olvido de estos días de significado puede despertar en el cónyuge una tristeza y una desilusión. El no hacer las cosas pequeñas que significaban mucho para ambos puede quitar algo de la felicidad del matrimonio y apagar el brillo.

El pastor debe animar a la pareja joven a participar en las actividades para los recién casados de la iglesia, que les ayudarán a estar involucrados en otras actividades que enriquecerán su matrimonio. La iglesia y el pastor pueden tener un ministerio significativo al componer las influencias estabilizantes para las parejas. Ellos pueden planear fiestas especiales de vez en cuando para los jóvenes casados. Las parejas jóvenes pueden tomar excursiones o ir a lugares especiales para retiros por una o dos noches. Las conferencias, las charlas y las películas pueden ser utilizadas en una forma positiva para enriquecer sus matrimonios. En estas actividades se facilita la comunicación y los cónyuges se sienten en libertad para compartir el uno con el otro cosas que les ayudan a sentirse felices tanto como las cosas que les traen frustración en su matrimonio.

A veces se ve que un matrimonio comienza a distanciarse emocionalmente porque el negocio del esposo le lleva lejos de su hogar durante la semana o durante períodos largos. También puede producirse este distanciamiento cuando la esposa que trabaja está involucrada en las actividades sociales de la oficina y le queda poco tiempo para atender a su esposo en forma adecuada. La pareja joven debe buscar la manera de ajustar sus horarios de trabajo en tal manera que tengan tiempo para pasar juntos cada día y cada semana. Estas sugerencias ayudarán para que el matrimonio sea una experiencia gozosa.

Las dificultades en la esfera del sexo

Con frecuencia los matrimonios tienen conflictos relacionados con su adaptación física en el matrimonio. Dependiendo de la información y actitudes que uno ha recibido en cuanto al sexo desde la niñez, uno puede mirar al sexo como una expresión sana del amor que tiene la bendición de Dios para casados, o puede también sentir que el sexo es algo sucio y una expresión de la carnalidad. La esposa puede haber aprendido que se espera que se someta a las relaciones sexuales, pero que si es una mujer pudorosa no debe disfrutarlas. El esposo puede no entender mucho en cuanto a las necesidades de su esposa o el potencial que ella tiene de derivar satisfacción del acto sexual, por pensar que el sexo es un privilegio exclusivo de él. Como cristiano puede haber recibido la enseñanza equivocada que la espiritualidad o la consagración verdadera excluyen la necesidad del placer sexual. Todas estas actitudes pueden crear una tensión en el matrimonio y demostrar la necesidad de recibir consejos personales.

Los recién casados tienen la necesidad de leer algunos buenos libros que tienen que ver con el sexo. El señor Timoteo LaHaye ha escrito un libro cuyo título es *El Acto Matrimonial* o *La Intimidad Matrimonial.* Este libro es excelente. Da la información a la pareja y ayuda al desarrollo de actitudes sanas en cuanto al aspecto sexual del matrimonio. Hay otros libros que tienen información sencilla y que explican en forma sana los hechos del sexo que ayudan al matrimonio joven a lograr la satisfacción sexual máxima en el matrimonio.

Si una pareja joven menciona a su pastor que tiene dificultades en su adaptación sexual, él puede pedirles que expliquen un poco más detalladamente la naturaleza de su dificultad. Si su problema tiene que ver con la actitud hacia el sexo, o lo moral y lo inmoral de prácticas sexuales, o si tienen un sentido de culpabilidad, o dudas en cuanto al lugar del sexo en el matrimonio, entonces todas estas facetas están en la esfera de su capacidad para aconsejar. El puede explicarles la actitud cristiana adecuada en relación con el sexo. Si su problema tiene que ver con ignorancia o falta de información, puede recomendar algunos libros que tratan este tema. Si el problema es más serio, él posiblemente necesita remitirles a un ginecólogo o a algún especialista que está en capacidad de ayudarles en forma más adecuada. Los problemas que no se solucionan temprano en el matrimonio llegan a ser magnificados y forman la base para los conflictos más serios posteriormente.

Los Hijos Como Fuente de Conflictos

El uso de los hijos como una extensión de las esperanzas de los padres

Cuando hay problemas en el matrimonio, la situación se complica con la llegada de los hijos. Esto puede demostrarse en la manera en que ven al niño.[4] Pueden ver al hijo como un medio de alcanzar el reconocimiento que esperan en la comunidad. Ellos quieren que el niño les ame y por eso no se atreven a disciplinar al niño, por el temor a que reaccione con odio o resentimiento. Pueden hacer del niño una extensión de sí mismos. Pueden esperar que el niño logre las hazañas que ellos anhelaban, pero que no pudieron realizar. Los padres pueden gastar para comprar a sus hijos los juguetes que ellos esperaban pero no recibían de sus padres por carecer de medios económicos.

Los padres tienen el papel de ayudar al niño a identificarse con su sexo y acomodarse con los dos sexos en el mundo. El niño debe identificarse con su propio sexo y aprender a aceptar a las personas del sexo opuesto. El debe desarrollar un sentido de bienestar con relación a su propio sexo. El niño aprende de su propio sexo por medio del modelo de su papá y aprende del sexo femenino por medio del modelo de su mamá. La niña hace lo mismo en forma inversa.

El niño necesita los dos modelos de sexos en el hogar para poder tener un punto de vista equilibrado del mundo y los dos sexos. Si uno de los padres muere, o si uno de los dos abandona el hogar, entonces el niño necesita un sustituto para llenar ese vacío. Puede ser un tío, o un amigo íntimo de la mamá, pero debe haber una persona que le ayude a identificarse con el sexo masculino. A veces los maestros del colegio o los vecinos llenan este papel de padre sustituto. A veces el consejero de los Embajadores del Rey en la iglesia o el de los "Exploradores" cumple este fin.

Cuando hay conflicto entre los padres, el niño no desarrolla relaciones satisfactorias entre los hombres y las mujeres. Si su padre es tirano, tiende a pensar que esta actitud es la normal en todos los hombres. Cuando los consejeros descubren que hay conflictos en las parejas, ellos pueden esperar que los hijos tengan dificultades emocionales en su adaptación en el medio. Cuando los niños se sienten inseguros por las condiciones en el hogar, manifiestan su inseguridad en un comportamiento inaceptable en el colegio o en la iglesia y entre los otros niños del vecindario.

Los padres dan un sentido de valor a sus hijos al mostrarles que los consideran personas que se merecen respeto. Si los padres demuestran una relación hombre-mujer satisfactoria y funcional entonces el niño adquiere la autestima que necesita y que le permite ser más y más independiente de sus padres. Cuando el niño llega a ser adulto, puede escoger a su compañera de vida y tomar la decisión con madurez y no enfermizamente. Esto quiere decir que el hombre puede escoger a una mujer que es independiente y estable y que no necesita apoyarse en él ni en ninguna otra persona. El puede aceptar la individualidad de ella y no esperar que sea una extensión de él. El autoaprecio, la independencia y la individualidad son cualidades importantes que se desarrollan en forma simultánea.[5]

El uso de los niños como amortiguadores del conflicto

Los padres que están en conflictos utilizan a los niños para aliviar estos conflictos. Por ejemplo, los utilizan como mensajeros y voceros en vez de comunicarse directamente con el cónyuge. En esta manera los hijos llegan a ser amortiguadores para absorber los roces. Esto es dañino para el niño, porque él no debe tener la responsabilidad de tener que ser mediador entre sus padres. También el niño necesita paz y seguridad para poder desarrollar una autoimagen y una autoestima sanas.[6]

El niño tiene que aprender a respetar las reglas de la sociedad como una parte de su desarrollo. Los padres tienen la responsabilidad de principiar este proceso, pero si los padres manifiestan esta inmadurez en su relación entre sí, dejan al niño confundido. Los padres necesitan establecer límites y ayudar a sus hijos a saber cuáles son estos límites. Esto ayuda al niño a desarrollarse en un mundo lleno de expectativas y a saber cuáles son y cómo acomodarse a ellas en la sociedad. Los padres necesitan estar de acuerdo en promover el desarrollo de los valores positivos en el niño. Cuando hay desacuerdo entre los padres, esto crea confusión en el niño entorpeciendo el proceso de hacer planes para el futuro y desarrollar sus capacidades y sus dones.

El uso de los hijos como un paciente identificado

Los niños que se desenvuelven en medio de mucha tensión tienden a desarrollar síntomas de inseguridad. Estos síntomas pueden manifestarse en formas distintas y en maneras paulatinas. El niño llega a ser el paciente identificado cuando otros en el hogar han contribuido a su enfermedad. Cuando hay un niño con problemas en la casa, casi siempre todos los demás hermanos y hasta los padres comienzan a enfocar su frustración y su patología en ese niño. El niño llega a ser el "chivo expiatorio", y se echa sobre sus hombros la culpa de todos los problemas en la familia.

¿Cuáles son algunos de los factores que influyen para escoger a un niño como el paciente identificado? Si el niño o la niña tiene algún defecto físico o mental, esto aumenta la falta de autoestima de los padres. Si el niño es adoptado, esto puede hacer que sea más fácil desarrollar esta actitud negativa hacia el niño. Si el niño tiene cualidades físicas parecidas a un abuelo u otro pariente, y si esta persona es objeto de hostilidad, entonces los padres tienden a transferir a este hijo estas mismas emociones. Esto viene en forma inconsciente, pero es muy dañina para el hijo. Myron Madden se refiere a su propia experiencia como niño, cuando otros lo identificaron con un pariente que era objeto de resentimiento de parte de los demás. Los padres que tienen grandes expectativas de que sus hijos sean personas de prestigio en la comunidad o que se interesen en el negocio de la familia, pueden sentir desilusión al descubrir que el hijo rechaza esos ideales y metas. Esto trae sueños destruidos y también puede traer rechazo emocional de ese hijo. Si el hijo rehúsa cumplir con las esperanzas o las ambiciones de los padres, o si se rebela en contra de su esperanza, entonces esto trae frustración en el padre.[7]

Los hijos que han sentido presión de los padres en cualquier manera, pueden reaccionar con rebeldía, y esto trae mayor conflicto entre los padres.[8]

El uso de los hijos para manipular al cónyuge

Desafortunadamente el pastor descubrirá que en algunos matrimonios uno de los cónyuges utiliza al hijo como medio de manipulación. A veces una pareja decide permanecer junta hasta que los niños sean suficientemente grandes para salir de la casa y después separarse. Los matrimonios que permanecen juntos "por el bien de los niños" no necesariamente están ayudando a los hijos. Las parejas necesitan buscar solucionar sus dificultades sin involucrar a los hijos en ese conflicto.

Los pastores pueden ayudar a sus aconsejados a darse cuenta de que los matrimonios que utilizan a sus niños para aliarse a favor de o en contra de su cónyuge están contribuyendo a la ansiedad y la inestabilidad de sus hijos. Los niños captan las evidencias de conflicto entre los padres y esto contribuye a su inseguridad en muchas otras áreas.

Hace unos años un esposo y su esposa estaban en conflicto en su matrimonio. Al tener una discusión, el esposo solía salir de la casa, golpeando la puerta. A veces pasaba la noche con unos amigos como un medio de crear ansiedad en su esposa. Una noche, después de una discusión, se llevó a la hija que tenía dieciocho meses. La esposa se alarmó en forma extrema y al fin llamó a la policía. Los oficiales pasaron la noche buscando al señor con su hija. Finalmente, al día siguiente, aparecieron de nuevo y la hija estaba bien. El, en el proceso de tratar de solucionar sus dificultades, explicó que se había llevado a la niña como un medio de castigar a su esposa. El sabía que ella estaría mucho más preocupada en su ausencia porque él se había llevado su única hija con él. Esto demuestra los extremos a que la manipulación puede llegar.

Enfrentamiento del Enojo en las Relaciones Familiares

El reconocimiento del enojo

Probablemente uno de los impedimentos más grandes a la armonía en el matrimonio es el enojo no resuelto y no controlado. Algunos cristianos tienen más dificultades con su enojo que con cualquiera otra emoción. Los que han estado en la iglesia por años han aprendido que el enojarse es pecado y está lejos del ideal de Cristo. La

Biblia contiene muchas referencias al resultado destructivo del enojo. Caín se enojó y se levantó para matar a su hermano. El enojo trajo tristeza a la casa de Isaac y puso enemistad entre él y sus dos hijos Jacob y Esaú. Moisés tuvo que huir de Egipto porque en un momento de enojo mató al egipcio. El enojo prevaleció en la vida de Saúl cuando buscó oportunidad en varias ocasiones para matar a David. El enojo interrumpió la comunión entre los discípulos. El enojo puso una división entre Pablo y Bernabé. Pablo amonestó a los cristianos a hacer morir el enojo (Col. 3:8, Gá. 5:20).

Hay algunos pasajes en la Biblia que parecen animar al cristiano a enojarse por razones justas. Efesios 4:26 es ejemplo: "Enojaos, pero no pequéis; no se ponga el sol sobre vuestro enojo." Este versículo trae mucho consuelo a los cristianos y a veces se ha usado para justificar el enojo incontrolable. Proverbios 15:1a dice: "La suave respuesta quita la ira." La aplicación de este versículo ha salvado a muchos matrimonios que de otra manera se hubieran deshecho permanentemente. La Biblia nos llama a controlar nuestra ira.

Bennett divide el enojo en dos categorías: Primera, hay la ira que sale de lo que es obvio con causas directas. Cuando algo pasa que nos provoca, reaccionamos con ira si somos gente normal. Cuando las personas nos tratan en forma injusta, respondemos con ira. Si uno es provocado va a reaccionar con enojo. Cuando alguien es abusado en forma verbal, él responderá en un nivel emocional igual a su contrincante. La escuela de sicología que pone énfasis en la aserción como elemento sano, diría que uno debe poder reclamar sus derechos. Si no puede hacerlo, es débil en las relaciones interpersonales. En las relaciones internacionales mucho dinero y energía se gastan en responder a los actos de agresión para mostrar que no vamos a permitir que otras naciones y otras ideologías nos conquisten en el mundo contemporáneo. La expresión del enojo dentro de este contexto se mira como algo de fuerza.

La otra clase de ira que Bennett describe es la ira inconsciente: la ira que se manifiesta en una forma indirecta en la vida de la persona. Es mucho más difícil encararse con esta clase de ira porque su origen y sus causas son más oscuros. Se puede manifestar con actos de bondad tanto como con actos deliberados negativos. Por ejemplo, un empleado en una oficina puede hacer demorar los papeles de una persona de otra nacionalidad porque está enojado con otros de esa nacionalidad. Los judíos han sufrido mucho por prejuicios de otros.

Pasos para enfrentar la ira

Muchos matrimonios recibirán bendiciones si el pastor puede ayudarles a reconocer su ira, identificar su fuente y neutralizar sus efectos directos e indirectos sobre sus relaciones. Vamos a mirar con más detalles todo lo que se involucra en esta declaración.

Reconocer la ira. Primero, ¿cómo puede un matrimonio reconocer la ira que tiene el uno para el otro? A veces el pastor tendrá que trabajar por un tiempo con un matrimonio para que ellos lleguen al punto de admitir que tienen ira. Algunas parejas tienen un matrimonio que es tan frágil que piensan que si admiten el tener ira podría traer la desintegración completa de su unión. Pero el enojo no reconocido o reprimido surge en declaraciones sarcásticas que hacen las personas con un tono humorístico. A veces hay agresión y enojo en el humor entre cónyuges. También en las fiestas, cuando todo el mundo supuestamente está divirtiéndose, salen indirectas que comunican el enojo latente. Sale también en el resentimiento que se expresa en muchas maneras en las relaciones diarias. O se manifiesta también en la úlcera que se desarrolla como resultado de la ira reprimida. El silencio puede ser una forma de ira. A veces sale en chorros de críticas con relación a la manera en que la esposa cocina, lava la ropa, plancha, a la manera en que el esposo hace el trabajo en el jardín o maneja el auto, y en muchas otras maneras. La lista se extiende en forma larga. Se ha dicho que la ira tiene un surtido de ropa tan variado como el de la Reina de Inglaterra. Puede vestirse en maneras muy diversas y puede ser camuflada de tal manera que no se reconoce fácilmente.

Cuando el pastor escucha la conversación entre una pareja, por un rato, puede ayudarles a llegar a estar más cómodos con su ira y a la vez ayudarles a ver que el mundo no se acaba si se enojan entre sí. Más bien, puede traer la mejor ocasión para mirarse a sí mismo en una forma profunda para descubrir y analizar exactamente lo que está pasando en las relaciones.

Si el pastor puede observar la manera en que la pareja "pelea" de vez en cuando, él logrará mucha comprensión sobre la calidad de la relación que ellos tienen. También él puede ayudarles a pelear en forma constructiva y ayudarles a ver las maneras en que ellos cubren su enojo con una fachada. Muchas veces ellos comienzan a pelear sobre cosas insignificantes, y así evitan las cosas más importantes. El pastor les preguntará si esta es la razón verdadera del disgusto. Si no sacan a la luz los asuntos serios en el matrimonio, pueden seguir en su fermentación y malograr la relación que ellos tienen. El pastor alerta simplemente puede hacer la declaración: me parece que el conflicto que ustedes manifiestan es simbólico de algo mucho más grande, de una lucha mayor que tienen. ¿Podrían hablar del asunto mayor y su significado? ¿Cuál es el problema básico? Muchas veces estas preguntas pueden traer un desahogo de las emociones y a la vez pueden aclarar la atmósfera. El matrimonio estará listo para mirar los problemas más profundos que tienen. Así, el ayudarles a reconocer y nombrar su enojo será el primer paso hacia la solución de sus dificultades.

Buscar el origen de la ira. El segundo paso, es identificar la fuente de la ira. Puede estar muy cerca de la superficie, o puede estar debajo de muchas capas de experiencias reprimidas y memorias del pasado. Puede llegar hasta las primeras experiencias en la niñez. Puede manifestarse en la hostilidad mal dirigida al cónyuge que más apropiadamente podría manifestarse hacia el papá y la mamá. Podría tener algo que ver con experiencias sexuales con personas del mismo sexo o del sexo opuesto durante los primeros años de vida. El pastor, a través de escuchar en forma creativa, posiblemente puede ayudar a las personas a descubrir las razones de su ira.

Una vez el autor fue invitado para aconsejar a un matrimonio de mayores de edad ya jubilados de su trabajo. Habían estado casados durante más de cuarenta años, pero vivían en medio de conflictos perpetuos. Ambos habían llegado a ser cristianos después de ser adultos. Durante unas pocas sesiones juntos reflexionamos sobre la niñez del esposo, y él descubrió que había repetido en su propio matrimonio los patrones de relación que había percibido en el matrimonio de sus padres desde los primeros años de su vida. El odiaba lo que había vivido durante la niñez, pero paradójicamente estaba repitiendo los mismos errores en su propio matrimonio. Al darse cuenta de las cosas que previamente no había reconocido, llegó a entender mejor la relación entre esas experiencias y la manera en que se relacionaba con su esposa. Esta comprensión revolucionó en forma completa su matrimonio y dio una base para mejorar las relaciones. Ellos trabajaron juntos en otras facetas de su matrimonio y han llegado a vivir con mayor grado de armonía en su relación.

La fuente de la ira puede ser identificada más facilmente en otros matrimonios. Puede descubrirse su raíz en algo que pasó durante el noviazgo, pero que nunca ha sido resuelto entre los dos desde la boda. A veces los malos entendidos surgen y nunca se aclaran. Las dudas relacionadas con la virginidad o la inexperiencia sexual del cónyuge antes del matrimonio a veces traen dudas y sombras en la relación entre los dos. Hace años aconsejé a un joven que se sentía engañado porque su novia no le confesó que no era virgen sino después de casados. Los secretos que se guardan el uno al otro pueden crear culpabilidad y establecer una barrera a la comunicación. Esto malogra la comunicación abierta en la relación. El intento de ocultar las experiencias del pasado puede manifestarse en las explosiones de ira que uno expresa hacia su cónyuge, y esto garantiza que no habrá relaciones íntimas durante esta época.

El reconocer la fuente de la ira no va a disolver esa ira en forma automática. Pero sí es el primer paso. Es como el médico que comienza su tratamiento tratando de analizar los síntomas que el enfermo manifiesta. Sean dolores, en alguna área del cuerpo, fiebre, o sea mal funcionamiento de algún órgano del cuerpo. Esto le ayuda para establecer el diagnóstico. Después, tiene que decidir cuál es el tratamiento más indicado para poder sanear el problema. Este tratamiento puede demorar un tiempo, pero se espera que resulte una cura. Así es con la relación en el matrimonio: cuando la pareja descubre el origen de su enojo, estará lista también para dar los pasos y buscar la manera de quitarlo.

Neutralizar la ira. El tercer paso que mencionamos es el neutralizar la ira, o abierta o latente, que ha afectado la relación entre el esposo y la esposa. El haber dado los dos pasos previos es un gran avance para poder lograr la meta. El cónyuge no sentirá el efecto tan marcado de las expresiones de enojo cuando descubre que son provocados por las experiencias del pasado muy remoto. La proyección es un mecanismo, posiblemente inconsciente, que puede traer el sacrificio de víctimas inocentes en el presente. Cuando el cónyuge descubre que él o ella no es la causa de su enojo, entonces el efecto no es tan dañino en la relación entre los dos.

Los matrimonios pueden desarrollar pasos prácticos y procedimientos que les ayudarán para disminuir su ira. El aprender a ser abierto y comunicar en forma directa puede aliviar mucha presión. Por ejemplo, el esposo en la mañana está muy ansioso de llegar a la oficina o a su trabajo a tiempo. Si la esposa toma mucho tiempo o demora mucho en la preparación del desayuno, él se pone más y más enojado. En vez de ventilar su ira en una forma directa y hablar con ella en tono áspero por la demora, él puede mencionar simplemente que necesita llegar a la oficina o al trabajo más temprano. Ella capta el mensaje y se apresura para complacerlo. Esto puede evitar el conflicto que surge cuando el esposo dice cosas dañinas o hirientes a su esposa; después, ella se siente irritada, y ellos pasan dos días en silencio o distanciados emocionalmente el uno del otro. La comunicación directa y sencilla de los hechos y las emociones puede ayudar mucho para evitar las horas desagradables.

Otro procedimiento es el explicar la fuente de la ira o la irritación. Muchas veces puede ser por algo que alguien ha dicho en la oficina o en el trabajo y el cónyuge trae esa experiencia a la casa. Le molesta y crea una depresión o una irritación durante la tarde. El aprender a tratar estos problemas en la oficina o en el trabajo donde acontecen y después dejarlos allí al salir para la casa, podría evitar la posibilidad de muchas horas de tristeza en los hogares. La esposa y los hijos que comprenden a su esposo y su papá pueden ayudar también en este punto. El pastor puede solicitar que la pareja tome medidas para encararse con la ira en forma directa. El entonces puede animarles a prometerse el uno al otro procurar seguir este procedimiento cuando surge un motivo de enojo. La implementación de estos pasos prácticos para resolver la ira puede ser muy útil. Cada pareja puede ser creativa en cuanto a las maneras que ellos utilizan para encararse con sus problemas. El proceso puede llegar a ser motivo de humor entre los dos.

El Problema del Alcohol

Las diferencias culturales dictan la actitud que tiene la gente con relación al alcohol. En algunas partes es problema solamente de los inconversos, porque no permiten que uno esté en la iglesia si tiene problemas con el alcohol. En otras culturas se permite entre cristianos el tomar bebidas alcohólicas en reuniones sociales o en ocasiones especiales, siempre y cuando la persona no vaya a un exceso. En otras regiones la norma es que todo cristiano se abstenga de toda forma de bebidas alcohólicas.

¿Cuáles son las causas del alcoholismo?

Los ministros deben saber cómo ministrar a personas que tienen problemas con el alcohol y a sus familiares. Tarde o temprano todo pastor tendrá que ayudar a personas que han sido víctimas de este vicio. El primer paso en ayudarles será el de lograr una comprensión de las causas del alcoholismo.

Muchos de los alcohólicos manifiestan una personalidad débil y dependiente emocionalmente. Utilizan el alcohol como una muleta para ayudarles a encararse con las circunstancias difíciles en que se encuentran. Puede ser resultado de haber tenido a padres dominantes que siempre han tomado las decisiones de sus hijos sin darles oportunidad de experimentar la libertad de tomar las decisiones y luchar con las consecuencias. Otros padres gastan demasiado en sus hijos, y consecuentemente ellos no aprenden a vivir en forma independiente. Tragedias en la niñez, como un accidente que deja a una persona inválida parcial o completamente, crean una inseguridad que se cubre con una dependencia en el alcohol. Hay un sin fin de circunstancias que pueden crear la posibilidad de una dependencia. El trabajo del pastor o consejero es ayudar a la persona alcohólica a descubrir las raíces de su problema.

¿Cómo puede ministrar el pastor?

Con frecuencia llaman al pastor para pedir su ayuda cuando hay problemas con el alcohol, porque la persona se ha vuelto violenta con personas en el hogar. Casi siempre el alcohólico se vuelve violento hacia los propios seres queridos. A veces la esposa del alcohólico buscará al pastor porque una cantidad excesiva de ingresos de la familia se gasta en ese vicio. También, la persona puede volverse incapaz de conseguir un trabajo o mantenerse en su trabajo, porque en su funcionamiento es inepto debido a este problema. La familia puede padecer hambre y otras necesidades apremiantes porque el dinero se va para sostener el vicio. El pastor tendrá que hablar con las personas que están involucradas en la situación, para ver qué se puede hacer. Puede tener un ministerio de significado con la persona que tiene el problema y especialmente puede dar apoyo moral y espiritual a los familiares víctimas. Si el pastor puede ayudarles a entender las razones por qué su familiar toma, esto les ayudará a soportar la carga.

El pastor puede ayudar al que es esclavo del alcohol a acudir a Jesús, la fuente de ayuda para cambiar su vida. La persona posiblemente no ha escuchado el evangelio, y la explicación de este mensaje y esta esperanza puede revolucionar su vida. El nuevo nacimiento da las bases para una regeneración moral y espiritual. Será la mejor ayuda que podría ofrecer. Si ya es creyente, el pastor le guiará para confesar su pecado, reconsagrar su vida al Señor y buscar depender del Espíritu Santo como un recurso para darle la fuerza de resistir la tentación. Si entrega su vida al Señor, incluyendo su debilidad, él se encargará de ayudarle.

Debemos animar a la iglesia a suministrar el calor emocional y espiritual y el compañerismo que tanto necesita el alcohólico y su familia. En las clases y grupos pequeños dentro de la iglesia estas personas pueden experimentar la aceptación y el apoyo moral y espiritual que será baluarte para ellos en su lucha. El pastor puede ofrecer consejos o terapia espiritual a las personas hasta que ellas puedan recoger los pedazos de la vida y seguir adelante. Algunas iglesias tienen un equipo de personas laicas preparadas para ir y acompañar al alcohólico cuando está sufriendo la tentación. Todos sabemos algo de los Alcohólicos Anónimos y las organizaciones para ayudar a los familiares del alcohólico. Es triste que a veces este grupo, que no profesa mayor vínculo religioso que el de reconocer a un Ser Supremo, puede brindar más aceptación y compañerismo que lo que ofrece la iglesia local y sus miembros.

Notas

[1] Guillermo Goff, *El Matrimonio y la Familia en la Vida Cristiana* (El Paso, Casa Bautista de Publicaciones, 1985).

[2] Virginia Satir, *Conjoint Family Therapy Therapy* (Palo Alto: Science and Behaviour Books, 1967) pp. 8-10.

[3] *Ibid.*, pp. 28ss.

[4] *Ibid.*, p. 54.

[5] Nathan W. Ackerman, *The Psychodynamics of Family Life* (New York Basic Books, Inc., 1958), p. 23. También el capítulo 12 en este libro da una discusión de los problemas de la niñez, su etiología, y los modos de tratarlos.

[6] Myron Madden, *Claim Your Heritage* (Philadelphia: Westminster Press, 1984).

[7] George Bennett, *When they Ask for Bread* (Atlanta, John Knox Press, 1970), pp. 54ss.

[8] Theodore Isaac Rubin, *The Angry Book* (New York: Collier Books, 1969) Este libro ilustra las maneras en que el enojo queda disfrazado y sale en otras maneras.

9

ACONSEJANDO A LA JUVENTUD

Introducción

En muchos países del mundo la mitad de la población tiene menos de veinticinco años, lo cual indica que mucho de nuestro tiempo se pasará en ministerios que tienen que ver con la juventud. En muchas iglesias las organizaciones juveniles son las que manifiestan más dinamismo y el empuje evangelístico más fuerte está con estos elementos. Las estadísticas indican que la mayoría de las personas toman la decisión de aceptar a Cristo antes de los veinte años de edad. Debemos invertir mucho de nuestro tiempo y talentos en la capacitación de estos elementos para servir al Señor, porque los líderes del futuro vienen de este grupo.

Los jóvenes de hoy se enfrentan con muchas dificultades. Las tentaciones abundan. A veces los padres están frustrados por la rebeldía o indiferencia de sus hijos a las normas morales de la familia. El capítulo actual es un intento de dar dirección a las personas que tienen la responsabilidad de aconsejar a los jóvenes y a los padres durante esta época tormentosa de su desarrollo.

Problemas en el Colegio

Síntomas presentes

Recientemente uno de los pastores de nuestra comunidad vino para hablar conmigo acerca de un joven en su iglesia que tenía dificultades con algunas de las materias del colegio. Me preguntó si estaría dispuesto a conversar con el joven. Acordamos una cita, y en el día señalado el pastor vino con el joven para presentármelo. Después, se retiró el pastor y nos sentamos para iniciar nuestra relación como consejero y aconsejado.

En un momento como éste se principia una relación de mucha potencialidad. Mi relación con el joven puede hacer una gran diferencia en su futuro. Y también, puede tener un efecto decisivo sobre mi propia vida. La clave para el progreso es la relación. En los momentos que pasamos juntos él me relata su dificultad y yo saco una impresión de quién es este joven. A medida que habla él también establece opiniones de mi persona: quién soy y si él puede estar abierto conmigo para hablar de sus problemas personales con franqueza.

Bajo rendimiento en el colegio. En el curso de nuestra conversación hablamos de su colegio y de los detalles relacionados con sus estudios, tales como cuáles son las materias en que anda bien y cuáles están dando mayores dificultades. El también conversa de sus compañeros de clase y del hecho que tiene pocos amigos. Menciona uno o dos compañeros con los que tiene relación de confianza para compartir sus pensamientos más recónditos. También habla de sus hermanos en el hogar y el conflicto que experimenta con frecuencia con una hermana un año mayor que él. También habla de la relación cálida que él tiene con su mamá y la relación fría y distante con su papá. En el curso de la primera hora tocamos muchas áreas de su vida que posiblemente contribuyen a las dificultades que tiene en el colegio. Es evidente que el joven es inteligente. Su dificultad con las materias en el colegio no se debe a falta de inteligencia; más bien se debe a los factores emocionales que le quitan mucha energía y motivación. Sus conflictos internos lo dejan con poca energía para dedicarse a sus tareas en los estudios.

Incertidumbre de las metas para el futuro. Cuando le pregunto en cuanto a sus metas en la vida, sus contestaciones son muy inciertas, lo cual me manifiesta una falta de interés en hacer sueños que podrían transformarse en metas. A la vez habla mucho de querer llegar a ser médico. Esta meta me parece muy irrealista frente a las dificultades actuales, los recursos limitados de la familia, y los pocos que son aceptados en las escuelas de medicina en el país donde vive el joven.

Mientras considero todo el panorama que me presenta este joven y sus dificultades actuales, encuentro dificultad en señalar un solo problema que sea causa de su rendimiento muy pobre en el colegio. Me llama la atención su falta de emoción y la falta de entusiasmo por cualquier cosa que está pasando en su vida en el presente. Tiene pocos amigos y toma poca iniciativa para aprender en las materias que está recibiendo con los profesores. Dice que siente mucha pena para invitar amigos a visitarle en su casa por las condiciones muy pobres en que vive en la casa.

Una relación débil con el padre. Tal vez la clave de los problemas del joven se radica en la dificultad que tiene por la relación muy débil con su papá. El menciona que su papá pasa mucho tiempo tomando bebidas alcohólicas, llega a la casa borracho, y trae a sus amigos embriagados a la casa con él. Esto humilla a los miembros de la familia y crea mucha tensión entre su papá y su mamá. También, este joven comparte que su padre insiste en que los hijos estén ocupados cada momento que están en casa. Si el papá llega a la casa y encuentra que uno de los hijos está tomando una siesta, él lo despierta y busca algo en que ponerle a trabajar en la casa. El padre se gana la vida haciendo el papel de payaso y mago, dando presentaciones en fiestas, reuniones sociales y funciones de entretenimiento en las campañas. Va a muchas fiestas para niños y allí actúa en el programa. También participa en fiestas de primeras comuniones y en programas de colegios de primaria. Esto significa que su horario es muy variable y que los ingresos de la familia son inciertos. A veces él exige que su hijo le acompañe para que le ayude. El hijo se pinta la cara y también hace el papel de payaso. El dice que se siente muy contento cuando actúa así, y que él puede actuar con más libertad en ese papel que actuar como una persona normal. A pesar del placer que tiene al trabajar como payaso, aparentemente no le agrada el compañerismo con el papá y no tienen una relación íntima.

Planeando un Programa para Ayudar al Joven

La ayuda para este joven ha venido porque yo he tomado el tiempo cada semana para explorar con él algunas de las emociones que tiene con relación a las muchas facetas de su vida que no le traen felicidad. El necesita establecer algunas metas claras y realistas para el futuro y después hacer planes concretos de la manera de lograrlas. También necesita encararse con su tendencia de soñar despierto durante el día, lo cual ocupa mucho de su tiempo y a la vez hace infructuosos sus estudios. Cuando tiene tareas o exámenes en sus cursos, no responde en forma satisfactoria, aunque insiste en que ha pasado tiempo en preparación. El invierte tiempo, pero no lo utiliza al máximo, porque otros eventos están aconteciendo en su vida y le quitan la capacidad de concentrarse en sus estudios.

El caso presentado en estas páginas señala uno de los problemas comunes de los jóvenes e ilustra la ocasión cuando los jóvenes buscan a un consejero. Muchas veces ellos llegan porque sus profesores o sus padres insisten, porque no están rindiendo bien en sus estudios.

El Papel del Pastor

Empatice con el estudiante. Como hemos mencionado previamente, el pastor debe tener mucho cuidado para reconocer que el problema con que se presenta el aconsejado no es siempre el problema básico en la vida de cualquiera. Sin descartar la seriedad del problema de que habla la persona primero, el pastor debe buscar y descubrir si hay otras dificultades y cómo pueden contribuir esas dificultades a su problema básico. Muchas veces la persona no está lista, ni tiene la voluntad, ni está en condiciones de hablar de otros problemas. En este caso el pastor debe tener paciencia y tratar los problemas que la persona quiere tocar en el momento. A medida que el pastor manifiesta su disposición para ayudar en estas áreas, probablemente el aconsejado estará listo para considerar otras facetas de su vida que también contribuyen a la dificultad, y ver que la solución de estos problemas traerá también soluciones en otras áreas de su vida.

Use un enfoque indirecto. A veces los problemas se solucionan mejor si no se enfocan en una forma directa. Por ejemplo, cuando un joven tiene problemas de exceso de peso o un defecto físico evidente, no es bueno mencionar en forma directa esta dificultad. Al conversar con la persona acerca de su relación con sus compañeros y con las personas del sexo opuesto, la persona puede mencionar el problema en forma espontánea y tomando su propia iniciativa. Si es una expresión espontánea de la emoción de la persona es mucho mejor que si el pastor tiene que hablar en forma directa de la dificultad. Cuando la persona admite en una forma abierta su necesidad en esta área es mucho más fácil ayudarle.

Consiga la cooperación de los padres. Hay muchos jóvenes que tienen dificultades para aprender. Frecuentemente los padres se llenan de ansiedad cuando descubren que su hijo tiene dificultades en el colegio. Es recomendable que el pastor anime a los padres a acudir a los oficiales del colegio y buscar recomendaciones de personas y agencias que pueden ayudar en tales circunstancias. Pocos pastores tienen la competencia de ser especialistas en ayudar a personas con esta clase de dificultades. Los profesionales pueden darle pruebas de inteligencia, pruebas de percepción, y otras para discernir sus capacidades verbales. Esto les da a ellos y a los oficiales del colegio la base para determinar la naturaleza exacta de la dificultad y en esta manera establecer un curso de acción. Se han visto casos de niños hiperquinéticos o disléxicos o con otras dificultades, cuyos padres y maestros los trataban durante muchos años como si fuesen hijos malcriados. Un diagnóstico temprano puede hacer una gran diferencia en el desarrollo futuro de estos niños.

Otra vez quisiera hacer hincapié en el papel del pastor para ayudar, el cual es animar a los padres a tomar las medidas necesarias para buscar ayuda profesional para sus hijos. A veces los padres tienen recursos económicos muy limitados y se resisten a buscar ayuda por temor de no tener los fondos con qué pagar tanta atención. El pastor puede ser una fuente de inspiración para animarles, para ponerles en contacto con las agencias en la comunidad que ofrecen la posibilidad de brindar ayuda profesional a las personas que la necesitan.

Luchas con los Impulsos Sexuales

El desarrollo de los impulsos sexuales

La mayoría de los jóvenes están confusos y cargados de culpa por causa de sus propios sentimientos sexuales y de sus intentos por enfrentarlos. Si son cristianos activos, probablemente se les ha dicho que deben reprimir sus experiencias sexuales hasta el matrimonio. Esto representa un ideal que ciertamente es deseable, pero no le dice al joven o la joven de dieciocho años qué hacer con esos intensos deseos que los inundan varias veces durante el día y la noche. Algunos se sienten muy culpables por las caricias, la masturbación y otros tipos de experimentación con los del sexo opuesto y también con los de su propio sexo. Algunos pueden tener profundos temores de ser homosexuales, basados en las emociones que tienen y que son incapaces de entender o controlar. Otros tienen una gran ansiedad porque temen que no son completamente normales, o que sus órganos sexuales no son adecuados para el sexo satisfactorio.

La tentación de experimentar

El pastor debe darse cuenta de que la mayoría de los jóvenes están llenos de dudas y temores durante esta etapa de su desarrollo. Algunos pueden recurrir a experiencias sexuales simplemente como medio de aliviar su ansiedad. Otros pueden aislarse y pasar el tiempo soñando despiertos. El pastor compasivo buscará estructurar reuniones y actividades con los jóvenes que les darán la oportunidad de expresar abiertamente sus emociones. También, debe de entrenar a un grupo de adultos que estén disponibles y sean sensibles a los problemas de los jóvenes para reunirse con ellos y ayudarles a encararse con sus tentaciones, con la presión que viene de sus compañeros inconversos, y a desarrollar una actitud positiva con relación a su fe cristiana y las normas morales. Una actitud de permisividad no es la solución, pero los líderes tampoco deben ser autoritarios ni legalistas. Deben poder crear un ambiente en el cual los jóvenes puedan abrirse, comunicar sus luchas, y compartir sus maneras de resistir la tentación de experimentar. La discusión en grupos puede ser un medio eficaz en que el uno recibe ayuda del otro. El darse cuenta que otros están luchando con las mismas tentaciones o dudas es recibir ayuda. La participación en el grupo puede ser el medio para que otros busquen al pastor o al líder de jóvenes para compartir en forma más íntima sus necesidades. También, puede avisar al pastor y otros líderes de la seriedad de los problemas que los jóvenes tienen. Esto dará oportunidad al pastor para acercarse más a las personas con dificultades y buscar la manera de ayudarles.

El pastor y los consejeros de jóvenes pueden lograr mucho al comunicarles a los jóvenes que ellos les aceptan aun con las tentaciones y las luchas que tienen con drogas, experimentación con el sexo, y otras dificultades. También, pueden comunicar que uno no está condenado si se masturba.[1] Pueden comunicar la aceptación de personas, aunque hayan estado involucradas en alguna clase de experimentación sexual que se basaba en la curiosidad y la presión del grupo. Algunos habrán sido víctimas de la violación sexual o de la crueldad de parte de padres, tíos, primos o vecinos. Ellos necesitan tener un ambiente sano en que pueden comunicar sus emociones como consecuencia de este trato. En cambio, si se les comunica la condenación por sus actos o una actitud negativa hacia lo que les pasó, esto tiende a cerrar las vías de comunicación y aísla a los líderes de la juventud.

La necesidad de dar información con sabiduría

El pastor necesita escuchar y entender el sentido que está detrás de las palabras que se le comunican. No tiene que ser muy agresivo para comunicar que es un "sábelo todo", pero puede dejar la puerta abierta para contestar preguntas adicionales que los jóvenes pueden tener. Cuando están hablando del sexo, debe ser abierto con la información, pero no demasiado explícito. Los jóvenes ya saben mucho más de lo que pensamos con relación al sexo. Ellos necesitan nuestra orientación moral y espiritual para entender que el sexo es una gran bendición de Dios, y una manera en que Dios enriquece nuestra vida. Los jóvenes rehuirán de un adulto que manifiesta demasiada agresividad para hablar del sexo y otros temas íntimos.

Tampoco es necesario que el pastor y los líderes de jóvenes comuniquen muchos detalles con relación a cualquier problema. El pastor puede dar muchos consejos sabios hablando en forma hipotética. Por ejemplo, podría decir: "Aunque una persona hubiera experimentado con la marihuana, esto no quiere decir que está condenada a la perdición. Simplemente necesita confesar a Dios, arrepentirse, y recibir el perdón que Dios ofrece." Esta declaración no demanda una confesión abierta, pero comunica la gracia y el perdón de Dios a la persona que haya usado una droga. El joven no necesita confesar más, ya ha recibido el mensaje que necesitaba, que Dios lo perdona. Su culpa puede aliviarse por medio de su confesión y oración de perdón a Dios en su alcoba cuando está solo. Probablemente va a sentir más tranquilidad en el futuro en la presencia del pastor si no ha confesado verbalmente todo lo malo que ha hecho. Al mismo tiempo, el pastor puede funcionar con felicidad, sabiendo que ha ayudado al joven en su vida.

El asunto del sexo premarital

Los jóvenes frecuentemente tienen interés en el tema del sexo premarital. Ellos sienten más y más la presión de la sociedad secular para ceder a las normas del materialismo y el humanismo, y echar a un lado "las prohibiciones anticuadas" del cristianismo. La corriente actual es buscar la liberación de las normas morales que caracterizaban a las generaciones anteriores. Muchos tienen amigos en la universidad o en el trabajo que están viviendo en una relación de amor libre o que comparten un apartamento donde viven varias personas de ambos sexos y participan del sexo con cualquier persona disponible cuando surge el deseo. Los jóvenes cristianos son considerados "santulones" y anticuados después de rehusar este tipo de proposiciones por causa de su fe cristiana.[2]

¿Cómo puede el pastor ministrar a la juventud que está cuestionando las normas morales de la fe cristiana? Primero, él puede asegurarles que entiende las presiones que ellos están sintiendo, y comunicar su empatía con ellos por tener que enfrentarse con amigos y compañeros de trabajo que se burlan de ellos por sus convicciones cristianas. Algunos jóvenes expresan sus deseos a las señoritas cuando salen, y si ellas no consienten al sexo, no son invitadas para salir la segunda vez. Esto les hace sentirse rechazadas porque no ceden a las demandas de los jóvenes. La iglesia cristiana debe comunicar un mensaje de esperanza para las personas que tienen que luchar en contra de las presiones hedonísticas del secularismo de nuestro día. Puede ofrecer oportunidades para que los jóvenes cristianos participen en paseos, excursiones y otras actividades donde no hay la tentación o la presión de echar a un lado las convicciones cristianas. A la vez, tenemos que ser más agresivos en comunicar las ventajas de esperar al matrimonio para el sexo y de ofrecer medios aceptables de sublimación de las energías sexuales en los jóvenes. Podemos ofrecer actividades sanas que hacen que sea aceptable no ceder a las presiones de la sociedad secular. Hay iglesias que han desarrollado programas especiales para ministrar a la juventud cristiana, y descubren que hay una reserva tremenda de talento y energía para invertir en el servicio del Señor.

El Embarazo Premarital

Una situación compleja en la que hay que ministrar

El pastor es llamado de cuando en cuando a aconsejar a jóvenes que ya han ido más allá de la etapa de decidir si deben involucrarse en actividades sexuales. Algunos vienen para consejo premarital y abiertamente confiesan que ya han tenido relaciones sexuales de una manera regular por algún tiempo. Otros vienen con el problema de embarazo premarital y quieren saber si deben tener un aborto en caso que sea legal en el país, o casarse, o tener el niño y darlo en adopción si el país ofrece esa posibilidad legal como una opción. Otros vienen con el problema de la culpa porque ellos ya han recurrido a un aborto ilegal y clandestino en el pasado. En algunos casos los padres todavía no saben el problema, y en otros casos los padres acompañan a la joven que está buscando consejo. ¿Qué puede decir el pastor, y cómo puede ser útil en estas situaciones?

Ayuda para la pareja

Primero, el pastor debe ser un agente que comunique el perdón y la gracia de Dios a los que están arrepentidos. No debe ser condenatorio, porque en la mayoría de los casos la persona ya se condena a sí misma y puede haber experimentado condenación y rechazamiento de padres y amigos. Ella necesita la seguridad de que Dios puede perdonar su pecado y restaurarla a una relación significativa con él y con los otros en la sociedad. La iglesia puede ser una comunidad de perdón y restauración. La familia cristiana puede rodear a esta persona con amor.

En caso de que los padres todavía no conozcan el problema, el pastor puede alentar a la joven a comprender que el mejor procedimiento es dejar que lo sepan inmediatamente. Puede ser necesario que el pastor se ofrezca a ir a la casa de los padres con la hija y estar presente cuando comparta las noticias. El puede orar en silencio para que los padres puedan enfrentarse con la noticia y manejar su propio enojo y dolor por la situación. Puede abrir puertas para la ventilación de los sentimientos por parte de todos los que están presentes e involucrados en el problema. Y sobre todo, debe ser un agente de reconciliación entre los padres y la hija y entre ellos y Dios. Puede alentar un tiempo de confesión, uno por uno, y promover un tiempo de unidad en la familia y de renovación de votos a Dios. Puede ser un momento muy hermoso, aun en medio de la tribulación para toda la gente participante. En ocasiones, experiencias trágicas como ésta ofrecen la base para un nuevo principio en las relaciones dentro de la familia.

El pastor debe tener cuidado de no hacer la decisión acerca de alentar a la pareja a casarse o a adoptar el niño. Puede ayudar a la gente facilitándole considerar todas las opciones de una manera objetiva, y darles aliento cuando escojan la opción que parece mejor para ellos en su situación particular. Al aconsejar a la gente acerca de la conveniencia del aborto se ponen en juego las convicciones personales del ministro. Su propia convicción de cuándo comienza la vida humana influirá en su consejo. El necesita ser capaz de darle a otra gente la opción de tener un punto de vista que difiera del suyo. El puede asegurarles que Dios entiende su situación y los aceptará aunque su decisión final sobre el asunto pueda diferir de la que él personalmente tomaría. El debe ser capaz de ser el agente para mediar la divina gracia a la gente en su tiempo de angustia.

El papel del pastor en este caso es sacar las diferentes opciones, y ayudar a la joven a considerar todas las facetas de los resultados de las varias decisiones. El puede ayudarle a ella a considerar cómo se sentirá a cinco o diez años de ahora cuando el niño pueda convertirse en víctima de los devastadores comentarios de sus compañeros en la escuela si ellos saben que fue concebido fuera del matrimonio. Una vez más, las actitudes prevalentes de la comunidad hacia esta circunstancia serán influyentes al tomar una decisión. Si la joven es capaz o no de asumir la responsabilidad de ganarse la vida para sí misma y para el niño es otro factor que debe considerarse. ¿Está disponible la abuela para ayudar en el cuidado del niño? En algunos casos el niño es entregado a los abuelos para que lo críen. ¿Qué piensan ellos de esto? Frecuentemente este será el deseo de los abuelos, y en algunas culturas no es nada extraordinario que el hijo de uno de los hijos sea criado en su hogar. Todos estos factores hacen difícil establecer normas para proceder y declarar cuál es la decisión correcta que debe tomarse. Puede decirse que el ministro ayudará a señalar a la gente la guía y la dirección divinas y para buscar la solución al problema. El puede ser el mediador de este perdón divino, y luego ayudar a la gente a sentirse bien en cuanto a la bendición de Dios en su decisión.

Ayuda para los padres

Cuando las familias tienen el problema de un embarazo premarital, usualmente los padres de la joven y el joven necesitarán mucha ayuda. Dependiendo de las circunstancias y de su reacción, ellos pueden tratar de hacerse cargo y hacer la decisión por su hija en cuanto al curso que hay que seguir. Los padres deben ser alentados a dar más libertad a la hija para que ella considere alternativas y llegue a una decisión de lo que debe hacer. Esto puede ser muy difícil para el padre o la madre, especialmente si ellos sienten que su propia reputación, y en algunos casos su posición de trabajo, están en juego. Usualmente, también, ellos serán los que pagarán los gastos médicos que resulten del problema. Por esta razón muchos querrán tomar la decisión. Un padre me comentó mientras se enfrentaba dolorosamente con este problema en su propio hogar: "Ha sido muy difícil para mí dejar que mi hija haga todas las decisiones acerca de si se quedará o no con el niño, si se casará con el joven, y en cuanto a los planes futuros, especialmente puesto que yo soy el que paga las cuentas."

Los padres necesitan tener una oportunidad de ventilar su enojo, y el pastor puede ser una persona comprensiva y neutral que puede facilitar esta catarsis. El puede alentar al padre y a la madre a dejar salir su enojo y resentimiento en una atmósfera de libertad y aceptación. Este será el primer paso para alcanzar el punto de ser capaz de perdonar y restaurar a su hijo o su hija a una relación de confianza con ellos.

En otros casos, la joven hija puede necesitar externar sus sentimientos. Ella puede buscar un "chivo expiatorio" (echarle a otros la culpa) y sus padres pueden ser el objeto de mucha de su hostilidad. Puede ser por causa de mucha o de muy poca libertad, por sentir falta de amor de parte de sus padres, por falta de disciplina, o por la preocupación de sus padres con su trabajo o negocio, u otros intereses que han resultado en un aparente descuido de las necesidades de la joven en el hogar. Cualquiera sea la situación, y como sea percibida, la hija y también los padres necesitan sincerarse unos con otros, perdonarse y buscar una nueva base para relacionarse al enfrentar las circunstancias difíciles en el futuro. El cuidado pastoral en esta situación tomará la forma de mediación y reconciliación. El pastor puede ser útil no por predicar mensajes a los miembros acerca de cómo deben perdonar y amar, sino más bien, siendo un partero que ayude a que nazcan estos elementos.

Muchas veces los miembros de las iglesias están ansiosos de comunicar que ellos no condenan a la persona y por eso la llenan de atención, afecto y regalos materiales. Esto a veces deja la impresión de que los jóvenes obtienen más atención cuando hacen lo malo que cuando hacen lo bueno. Las jóvenes de la iglesia que resisten la presión de permitirse una conducta inapropiada pueden sentir que están escogiendo el curso de acción menos deseable cuando ven a los miembros de la iglesia, a veces los líderes, corriendo al rescate de la persona que ha hecho mal.

El ministro necesita la sabiduría de Salomón para comunicar perdón sin poner en un pedestal a la persona que ha cometido un acto que ha resultado en desgracia para su familia y para la comunidad cristiana. Una joven que mantuvo sus ideales cristianos y finalmente no se casó, se quejaba de una de sus condiscípulas, que durante sus años de colegio era liviana con los jóvenes. Casi todas las otras jóvenes la consideraban de conducta dudosa, pero ella finalmente se casó bien, tuvo una familia y era bien respetada en su comunidad. La que se había quedado soltera se preguntaba si había escogido el mejor curso de acción cuando comparaba su situación como adulta con la de su antigua condiscípula.

¿Cómo puede el pastor apoyar para mantener las normas morales entre los jóvenes en la iglesia y la comunidad y al mismo tiempo ser agente de comunicación de amor, aceptación y perdón para los que caen en pecado? Esta situación demandará lo mejor de la dedicación del ministro, de su inteligencia, de su objetividad y de su competencia como ministro y consejero. El debe poder predicar los ideales cristianos sin compromiso; él también debe poder comunicar la gracia perdonadora de Dios sin vacilación. El tendrá un verdadero desafío para dirigir a su congregación a ser cristiana en todo respecto al tratar con estos asuntos.

Otra tarea que requerirá las mejores capacidades del ministro es el ministrar a los padres y a sus hijos cuando surge alguna crisis. Muchas veces los padres están tan heridos, tan enojados y tan resentidos, que reaccionan con amargura extrema y con decisiones que son radicales. El ministro debe ayudarles a ventilar sus emociones en maneras que no sean tan dañinas como lo serían si trataran con sus hijos directamente en ese momento. Tal vez él puede atenuar o sanear este enojo antes que se digan cosas dañinas que hagan el perdón y la restitución más difíciles. Los jóvenes pueden hacer lo mismo. Tal vez el ministro puede cumplir la función del "chivo expiatorio" del Antiguo Testamento dejando que la gente eche sobre él sus pecados, su enojo y su dolor, y entonces irse al desierto con esas emociones, aliviando así la situación de la familia. El puede recibir las emociones negativas de ambas partes y, sin embargo, no sentirse atacado. Su propia distancia y neutralidad son buenas fuerzas que le ayudarán en este tiempo.

El Uso de Drogas

Noticias alarmantes

Unos amigos llamaron recientemente para decir que les gustaría pasar para una breve visita y hablar de algo importante. Decidimos una hora, y ellos llegaron, mostrando obviamente alguna ansiedad en cuanto a la reunión. Finalmente, la madre explicó el motivo. Habían descubierto por medio de un conocido de negocios que los nombres de unos quince muchachos de la misma escuela estaban en las manos de la policía local, y estaban a punto de ser arrestados por fumar marihuana. ¿Qué debían hacer? La noticia estaba inquietando a todas las familias involucradas. El jefe del departamento de policía había avisado a esta familia y les había pedido avisar a los otros que le gustaría reunirse con ellos para tratar de evitar un arresto masivo en la escuela y trastornar a muchas familias. La reunión se había tenido, y los padres hicieron algunos planes para tratar de enfrentar el problema.

Algunos padres se fueron a casa enojados y enfrentaron a sus hijos con la noticia. Esto creó una escena conflictiva en la que surgieron profundos resentimientos. Otros pasaron el asunto por alto, como sin darle importancia, pensando que esto era una parte normal del crecimiento. Otros se fueron a casa a tener una plática personal íntima con sus hijos, y abrieron avenidas de comunicación que antes no habían existido.

Lo anterior es una ilustración de cómo el meterse en drogas puede tener lugar en casi cualquier comunidad. La mayoría de las familias han sido tocadas, directa o indirectamente, con drogas de alguna clase. Hay muchos factores que influyen en el procedimiento que debe seguirse. La clase de drogas y las cantidades son de importancia primaria. La edad de los hijos y la extensión de tiempo que han estado envueltos en drogas es otro factor importante. Las razones que dan para haber estado metidos en drogas son significativas. Las leyes que están en existencia y las que están siendo ejecutadas en cualquier país, también son pertinentes al asunto. La mayoría de los países se están moviendo de un rígido cumplimiento de leyes que prohíben la posesión y el uso de marihuana a una postura más indulgente. Esto resulta en que, lo que pudiera haber sido ilegal hace unos cuantos años y motivo de prisión o algún otro castigo, puede ya no ser un problema en algunos países. Sea como fuere, la mayoría de los padres se alarman considerablemente cuando se enteran de que su hijo ha estado envuelto en el uso de cualquier clase de droga.

Mejores relaciones con los padres

Muchos jóvenes que usan drogas fuertemente han tenido poco contacto y relación con sus padres. Eso es desafortunado, y puede ser la causa principal de que los jóvenes se vuelvan a las drogas. Puede ser para castigar a los padres, puede ser para llenar el vacío que experimentan por la falta de interés de sus padres en ellos. El pastor que está interesado en ayudar a los jóvenes y a los padres a enfrentar el problema de las drogas debe estar consciente de que la prevención es con mucho el mejor procedimiento. Para impedir que se involucren en drogas, los padres deben ser alentados a desarrollar y mantener una relación afectuosa con sus hijos y mostrar interés en aquellas actividades que mantendrán el interés de los jóvenes para así mantener intacta una relación íntima. Esto puede significar que el padre no pasará tanto tiempo en su trabajo o estará tan involucrado en otras actividades para dar tiempo a sus hijos. La mayor parte de la gente puede hacer la parte necesaria de su trabajo y todavía tener amplio tiempo para dedicar a sus hijos, pero esto significará que los padres planearán su tiempo libre en torno a actividades que incluyan a sus hijos y no aquellas actividades de las que sus hijos serán excluidos. Este hecho debe ser señalado a los padres cuando sus hijos todavía son jóvenes.

Prevenir el uso de drogas

Sea objetivo en su intento de ayudar. Frecuentemente los padres están tan avergonzados cuando descubren que sus hijos están involucrados en drogas que no saben a dónde volverse. Algunos padres piensan que para ser buenos ciudadanos ellos deben entregar a sus hijos a las autoridades que hacen cumplir la ley. Esto puede complicar el problema, y hará más difícil, si no imposible, que los padres puedan tomar la iniciativa para ayudar a sus hijos. Por esta razón, algunos expertos, como William Glasser, recomiendan que los padres no notifiquen a las autoridades.[3] Usualmente es infructuoso argumentar con el joven que la marihuana es dañina, aunque recientes estudios señalan que los que usan marihuana pueden estarse dañando a sí mismos y a sus hijos.[4] Es más provechoso procurar aumentar la profundidad de la relación con el hijo y así alentarlo a dejar la marihuana por sí solo.

Aliente a los padres a poner un buen ejemplo. En ocasiones los jóvenes tienen acceso a otras drogas que pueden ser más dañinas. A veces las consiguen buscando en el botiquín las drogas recetadas que sus padres toman para dormir y otros propósitos. Es recomendable que los padres no usen "animadores" (anfetaminas) o "calmantes" (barbitúricos) excepto cuando sea de extrema necesidad. Si son necesarias, esas drogas no deben estar al alcance de sus hijos. Algunas veces los jóvenes empiezan a usar las drogas por curiosidad. Escuchan y leen acerca de las sensaciones excitantes que vienen con el uso de esas diferentes drogas. Piensan que pueden ser transportados al mundo de la fantasía por un rato para escapar del aburrimiento de las rutinas diarias en la casa y la escuela. Para ser parte de algún grupo en la escuela, los jóvenes necesitan participar de la actividad de las drogas. Si no lo hacen, son ridiculizados y rechazados. La presión social puede ser una fuerza muy fuerte, porque los jóvenes están en una edad crítica.

Busque ayuda profesional adecuada. Puede haber casos en que el uso de drogas por parte del joven ha sido tan extenso que ya es un adicto. En este caso, él o ella pueden recurrir a robar para costear su adicción. En ocasiones se dejan atrapar por sus padres para persuadirlos de que necesitan su ayuda financiera para poder continuar su adicción. En estos casos los padres sabiamente deben buscar ayuda profesional. Pueden necesitar hospitalizar al joven por un tiempo en una institución médica o en algún otro lugar que se especialice en la rehabilitación de víctimas de las drogas. El pastor debe estar informado de los servicios que están disponibles en la comunidad donde sirve para estar listo a referir a su gente a los que pueden ayudarles mejor. El hasta puede tomar la iniciativa de poner a los padres en contacto con las personas responsables en las diferentes instituciones.

Cultive relaciones afectuosas con sus hijos. Algunos padres tratan de enfrentar el problema de las drogas en sus jóvenes amenazando con rechazarlos y echarlos de casa. Este es un error. Sea lo que sea que el hijo ha hecho, él debe poder sentir que puede venir a casa y encontrar allí padres compasivos que están interesados en su bienestar. El rechazamiento de los padres sólo servirá para llevar al joven más lejos de los ideales que a ellos les gustaría que él siguiera. Si el joven deja la casa voluntariamente, los padres deben asegurarle a él o ella, que hay un lugar al que puede regresar cuando desee. Cuando regrese, si regresa, los padres deben procurar crear una atmósfera de aceptación y afecto. Pueden insistir en que el joven no use drogas en la casa y que se avenga a la rutina regular de las actividades domésticas. Usualmente el joven estará contento de cumplir porque el contraste en la azarosa manera de vivir que ha sido una parte de su mundo de drogas será algo que él está dispuesto a dejar atrás.

La mayoría de los padres necesitarán ayuda de médicos, trabajadores sociales y otros profesionales para saber cómo rehabilitar a uno que ha estado envuelto extensamente con las drogas. El pastor puede dar aliento a los padres y también a los jóvenes cuando buscan seguir el mejor consejo disponible. La iglesia puede planear y promover actividades para mantener a los jóvenes ocupados en proyectos sanos para que no se sientan atraídos por las drogas. El pastor puede mostrar su afecto hacia los jóvenes y evidenciar su compasión presentando mensajes y conferencias que les ofrezcan alternativas positivas para el problema de las drogas. Los padres pueden solicitar la ayuda de otros amigos y padres y también de jóvenes para formar alianzas con sus jóvenes para impedir que les atraiga el mundo de las drogas. Muchas veces otras gentes que no son los padres pueden tener una influencia significativa en la vida de esos jóvenes. Para ellos, tener a alguien con quien compartir sus preocupaciones más íntimas puede hacer un mundo de diferencia. El pastor, además de ofrecer consejo pastoral, puede participar en reuniones juveniles, conferencias y reuniones de grupos para mantener a los jóvenes informados de los peligros de las drogas y también para mostrar interés en los jóvenes de su comunidad.

Notas

[1] Evelyn Duvall, *Love and the Facts of Life* (New York: Association Press, 1963), pp. 164-66.

[2] Evelyn Duvall, *¿Por qué esperar hasta el matrimonio?* (El Paso: Editorial Mundo Hispano, 1974), pp. 9-19.

[3] William Glasser, *The Identity Society* (Nueva York: Harper & Row, 1972), pp. 153-54.

[4] "Marijuana: Now the Fears Are Facts," *Good Housekeeping.* (May 1980), pp. 269-70.

10

LA CONSEJERIA EN ASUNTOS ETICOS Y RELIGIOSOS

Introducción

El vivir en la última parte del siglo XX nos ha empujado a una situación compleja y nos ha forzado a tomar decisiones que el hombre no había tomado anteriormente. El hombre tiene el potencial para hacer mucho más en términos de decidir si permite o no el nacimiento, cuándo continuar la vida y cuándo terminarla.

Tal vez un tema mucho más complejo que este de determinar el comienzo y el fin de la vida es la calidad de vida que la persona lleva. La fe cristiana procede sobre la base de que hay valores eternos y espirituales que ayudan a dar significado a la vida. Si seguimos estos valores, llegamos a un nivel de vida que es más alto porque descubrimos que la calidad de vida se mide en términos de relaciones y no de posesiones materiales o poder.

Asuntos Eticos

Factores que han creado dilemas éticos

Cambios en la tecnología. En los años recientes hemos visto avances en la tecnología que han hecho posibles los procedimientos en medicina que anteriormente no se creían posibles. La mayoría de los hospitales tienen ahora una sección de cuidados intensivos que hace posible mantener vivas a personas que en años anteriores habrían muerto rápidamente. La vida de muchos es salvada, pero la prolongación de la vida en algunos de estos casos es una bendición mixta. Como capellán tuve la oportunidad de visitar entre pacientes y miembros de familia que se sentían como víctimas de estos avances. En algunos casos los pacientes tenían enfermedades que daban pocas esperanzas de recuperación para vivir una vida normal. Algunos de ellos eran viejos y preferían que los dejaran en paz con el fin de morir pacíficamente en vez de prolongar su sufrimiento y la angustia de sus familiares, sin mencionar la suma astronómica de los gastos médicos que resultan de cada día de hospitalización en una unidad de cuidados intensivos. El uso de medidas heroicas hace ahora posible despojar al paciente del cumplimiento de su deseo de tener una muerte tranquila y repentina. El uso de un equipo tecnológico sofisticado, como el respirador artificial, coloca la decisión de la prolongación de la vida en las manos del doctor y las enfermeras. Sin duda, hay muchas cosas buenas que vienen de estas máquinas. La pregunta es saber cuándo deberán ser usadas y cuándo la máquina deberá ser desconectada con el fin de permitirle al paciente que se hunda tranquilamente en la eternidad.

Avances científicos. La ciencia médica ha avanzado considerablemente en los últimos años, lo cual agrega una tremenda responsabilidad moral sobre los que están en la profesión de la medicina. Por ejemplo, hay un examen llamado amniocentesis, que implica tomar una muestra del líquido amniótico alrededor del feto. El examen de este líquido hace posible detectar el setenta por ciento de los desórdenes genéticos del bebé venidero. Este conocimiento es usado como base para recomendar a la madre tener un aborto si el feto muestra señales de ser anormal. Si el pastor tiene en la feligresía de su iglesia una pareja que viene a solicitar consejo porque ha considerado la recomendación de su obstetra de tener un aborto basado en los resultados de este examen, ¿cuál será el consejo del pastor? Si la pareja ya ha tenido un niño que es anormal, pueden desear no tener otro. Querrán saber si es moralmente aceptable o no el tener un aborto.

Cambios culturales. Además de los desarrollos tecnológicos y científicos que hacen posibles y a veces necesarias las decisiones que anteriormente nosotros no considerábamos, reconocemos que en los últimos años ha habido muchos cambios en la actitud de las personas hacia muchos temas diferentes. La Iglesia Católica Romana ha seguido el principio casuístico por siglos, y ahora los evangélicos han enfrentado el mismo principio dentro de un esquema de relatividad en los temas éticos. Las decisiones que anteriormente eran simples son vistas ahora como complejas, porque debemos admitir que las circunstancias hacen una diferencia. Joseph Fletcher y otros han propuesto la nueva moralidad basada en la determinación de lo que es el amor en cada situación específica.[1]

Mientras trabajaba en un hospital yo ministré a una pareja que luchaba con el interrogante de qué hacer con su infante que había nacido con el síndrome de Down (mongolismo). Hace unos pocos años no habrían considerado dar el niño al estado, pero esta fue su decisión final después de considerar sus circunstancias. Un tiempo después yo hablé con un hombre de otro Estado quien compartió conmigo la alegría que él y su esposa habían experimentado a través de los años cuando cuidaron con amor a su hija mongólica, ahora una adulta. El dijo que su mundo había sido bendecido inmensamente por la presencia de esa hija en su casa. Su capacidad para dar y recibir amor incondicionalmente había revolucionado sus propias actitudes y acciones. ¿Quién puede decir que la anterior pareja tomó la decisión equivocada y que la última pareja actuó en una forma cristiana? Otros temas relacionados con el aborto, la eutanasia, y trasplantes de órganos tienden a forzarnos a reconocer que las circunstancias atenuantes hacen una diferencia en cuanto a las implicaciones morales de una decisión.

Alternativas filosóficas que compiten

Hedonismo: Cuando consideramos los asuntos de la ética contemporánea, enfrentamos un número de posiciones filosóficas diferentes que rivalizan con los ideales cristianos. El hedonismo en sus formas modernas de expresión parece ser la filosofía básica que influye en el proceso de tomar decisiones de muchas personas. Si el placer físico y personal es la meta más alta en la vida, entonces probablemente escogeremos los senderos que impliquen la mínima cantidad de dolor y responsabilidad personal con el fin de ser más libres. Francamente visité entre los miembros de la familia que parecían reflejar este punto de vista básico cuando preguntaban por qué el médico no desconectaba las máquinas que mantenían a su madre o padre vivos para no posponer más la repartición de la herencia familiar. En un caso el doctor dijo claramente a una mujer madura que ella no debería tener tanta prisa en deshacerse de su madre. La cultura sensual de que hablaba Sorokin hace varios años parece haber florecido en su plenitud, al observar la variedad de placeres sensuales que están disponibles a través de los clubes de "Playboy", cines de pornografía cruda, materiales de lectura, y otras orgías. El hedonismo moderno está disfrutando de su apogeo.

Utilitarismo. El esfuerzo por decidir qué da la suma mayor de bienestar al número mayor de personas crea ansiedad ética a través de algunas de las decisiones complejas que algunas personas son forzadas a tomar. Una familia luchó con sus sentimientos de confusión, aflicción y cólera al recibir las noticias de que su hijo había sufrido un accidente automovilístico. El no tenía posibilidades de sobrevivir y el doctor quería autorización para tomar los riñones y los ojos de su hijo para otros pacientes que los necesitaban. Fue casi demasiado pedirles que fueran altruístas y utilitarios y que pensaran en la bendición que sería para otros al tener la oportunidad de vivir normalmente con los órganos de su hijo.

Hace unos pocos años un comité en una ciudad metropolitana

recibió mucha publicidad cuando trató de escoger los diferentes candidatos para las máquinas de diálisis, dado que ellos tenían más pacientes que necesitaban el diálisis que el número de máquinas disponibles.[2] El comité formuló los siguientes criterios para ayudarlos a decidir quién debería ser salvado por el diálisis: (1) ¿Cuáles son las edades relativas y la salud de las personas que necesitan diálisis? (2) ¿Cuáles son las contribuciones relativas que cada una de estas personas puede aportar a la sociedad? (3) ¿Qué obligaciones financieras adquirirá la familia y en qué condición los dejará el tratamiento? (4) ¿Cuáles son las mejoras potenciales para la humanidad que la persona puede aportar si su vida es prolongada? Lucharon con las ventajas y las desventajas de permitirle a un genio que está haciendo investigaciones sobre las curas del cáncer tener la preferencia sobre un hombre anciano que está semiinválido y no tiene parientes vivos. También debatieron entre la persona joven y otra persona de más edad que ya había educado a su familia y estaba jubilada. Muchas personas se opusieron al uso de todos estos criterios para decidir a quién debería dársele la oportunidad de vivir a través de la máquina de diálisis. ¿Quién puede poner un valor a la vida de otro? Estas son decisiones muy reales que la gente tiene que tomar.

Absolutismo. Otra base filosófica que ofrece opción al tomar decisiones éticas es el absolutismo. Esta posición mantiene que en cada asunto hay algo correcto y algo incorrecto. Los fariseos en el día de Jesús parecían resolver problemas de esta índole sin considerar las circunstancias o los efectos de sus decisiones sobre las personas. Estaban listos para apedrear a la mujer adúltera. Preferían que las personas continuaran lisiadas o ciegas en vez de ser sanadas en sábado y con ello violar una ley ceremonial. Preferían que las personas pasaran hambre en vez de comer sin cumplir los requisitos ritualistas de lavar sus manos antes de comer. Emmanuel Kant resolvió problemas morales con sus imperativos categóricos, que hicieron posible establecer la justicia y la injusticia de cualquier problema. Algunos se sienten hoy más cómodos cuando pueden apelar a una regla y con ello simplemente declarar que un problema es correcto o incorrecto, aceptable o inaceptable, bueno o malo. Un médico dice que resuelve el problema del aborto en esta forma. Cuando la ley aprobó el aborto en los Estados Unidos en 1973, este médico decidió que él no haría abortos. Cuando los pacientes los solicitaban, él les explicaba su posición y los remitía a un colega que los trataba. Sus colegas decidieron hacer abortos basados en las circunstancias sin considerar los aspectos morales.

Implicaciones para pastores

Cuando están relacionados con las raíces éticas de nuestra fe. Cuando ministramos a personas que están enfrentando, y algunas veces son víctimas de estos cambios radicales en nuestro mundo, estamos forzados a confiar en nuestros fundamentos judeocristianos para darnos los principios que necesitamos para ayudar a formar la base para las decisiones con que les ayudamos a tomar a otros.

Una de las enseñanzas básicas que forma la fundación para todas las demás es que el hombre es creado a la imagen de Dios. Esto quiere decir que la vida humana es sagrada y que es un regalo de Dios. Como tal, nadie tiene el derecho de quitarle este regalo a cualquier otro. Todo lo que es hecho para preservar y enriquecer la vida puede ser bendecido por el pastor. Otras acciones pueden ser cuestionadas. Nos preguntamos cuáles serán las consecuencias de su elección. Esto usualmente les ayudará a clarificar su pensamiento sobre los problemas. Podemos explicarles las esperanzas de Dios sobre los problemas que son claros. Esto es lo que las personas usualmente esperan cuando vienen a consultar al hombre de Dios.

Cómo está relacionada con nuestro prójimo. Una de las enseñanzas básicas de la fe cristiana incluye la paternidad de Dios y la hermandad del hombre. Esto implica que Dios ha dotado toda la vida humana con significado y nadie tiene el derecho de poner más valor sobre una persona que sobre otra. El geneticista Theodosius Dobzhansky ha dicho: "Si capacitamos al débil y al deformado para vivir y propagar su clase, enfrentamos la posibilidad de un anochecer genético para toda la raza humana. Pero si les dejamos morir o sufrir cuando podemos salvarlos o ayudarlos, enfrentamos la certidumbre de este anochecer".[3] Necesitamos recordar que hay validez en los principios de la santidad de la vida, justicia para toda la humanidad y compasión para los otros como una defensa contra la crueldad y la tiranía.

Este principio implica que no hay lugar para una actitud de superioridad de una raza o nacionalidad sobre otra. Esto también implica que todos somos responsables de tener amor los unos por los otros e interés en el bienestar de los otros. La profesión médica lucha intensamente con el uso de la tecnología que está ahora a su disposición. Anteriormente, el médico procedía sobre una base de presentimiento que venía de palpar con sus manos con el fin de diagnosticar. Ahora tiene a su disposición mecanismos que eliminan su necesidad de palpar y que probablemente da un diagnóstico más preciso de la enfermedad y necesidades del paciente. Además, ¿ante quién es responsable el doctor? ¿Es responsable hacia el paciente, la compañía que lo contrata, o el gobierno? Estos temas nos ayudan a ver que frecuentemente el médico camina un poco solitario cuando lucha por tomar una decisión correcta. El tiene más capacidad ahora para extender la vida al menos por un período de tiempo, que anteriormente. ¿Está jugando el papel de Dios? Debemos incrementar nuestro entendimiento ético de todos los factores y apoyar al doctor que lucha con los problemas de la vida y la muerte.

Areas específicas de aplicación

El problema del aborto. En años recientes los gobiernos de algunos países han tendido a legalizar el aborto, estableciendo que la mujer adulta tiene el derecho de determinar lo que sucede a su cuerpo. Anteriormente el aborto era ilegal en la mayoría de los países y permitido en algunos solamente cuando dos opiniones médicas declaraban que la vida de la madre estaba en peligro si el embarazo continuaba hasta el tiempo normal para el nacimiento del bebé. Ultimamente la Corte Suprema en los Estados Unidos ha cambiado su decisión anterior de legalizar el aborto para decir que el Estado de residencia tiene autonomía en esta esfera. Por mucho tiempo ha existido controversia sobre los "abortos terapéuticos" porque las personas (médicos, pacientes y oficiales civiles) no pueden estar de acuerdo sobre el lugar para marcar la línea para determinar si es terapéutico o no.

El argumento principal para la legalización del aborto era el hecho de que se practicaban muchos abortos ilegales cada año con consecuencias trágicas. Usualmente eran practicados bajo condiciones clandestinas, que aumentaban grandemente las posibilidades de infección. Muchas mujeres mueren anualmente de tétano o de otras infecciones causadas por el aborto. Hay también el peligro de perforación del útero. Estos problemas influyeron para que en muchos países resolvieran legalizar el aborto, para asegurar que se practique bajo condiciones higiénicas. Otros insisten en que sea practicado en los primeros tres meses del embarazo.

Los argumentos en contra de la práctica del aborto son numerosos. Primero, debe reconocerse que el feto es un ser humano desde el tiempo de la concepción. Cada ser humano tiene el derecho de vivir. Segundo, practicar el aborto porque quizá el bebé esté deformado implica que algún ser humano o agencia tiene el derecho de determinar quién deberá vivir. Tercero, muchos creen que hay sólo un paso del aborto a la eutanasia, en la cual el hombre mismo se pone como juez para decidir cuándo la vida de otro ser humano debe terminar. Cuarto, practicar el aborto por conveniencia porque una familia no quiere otro niño o para proteger el nombre de una joven soltera es fomentar el egoísmo más extremo.

Las condiciones específicas varían en cada país y las leyes sobre el aborto probablemente son diferentes, pero podemos formular algunos principios básicos que guiarán al pastor. Primero, la vida humana es creada a la imagen de Dios y por lo tanto es sagrada. Nadie tiene el derecho de tomar la vida que pertenece a Dios (Gn. 9:6). Segundo, uno debe depender del mejor consejo profesional cuando se enfrente con una situación que involucra una amenaza para la vida de la madre. También, debemos depender de los médicos y su capacidad profesional cuando recomiendan que el embarazo debe ser terminado debido a problemas de la madre o complicaciones en el feto. Yo creo que el pastor debe animar a la familia para seguir los consejos de un respetable y competente médico. Tercero, las jóvenes solteras que se encuentren embarazadas pueden buscar otras soluciones en vez del aborto. Dar en adopción al bebé o conservarlo para que sea criado por la madre son opciones viables que ofrecen menos consecuencias negativas que el aborto.

Consentimiento informado. ¿Tiene el paciente el derecho de saber acerca de su estado? ¿Está el médico obligado a decirle al paciente y/o a su familia toda la verdad con relación a su enfermedad? El tema del consentimiento informado forma parte del cuadro aquí. Antes de pedirle al paciente su permiso para cualquier tipo de procedimiento, ¿tiene el derecho de saber acerca de las consecuencias posibles, ya sean positivas o negativas de tal procedimiento?

Estas son algunas de las preguntas que se han levantado en los años recientes y confunden a los pacientes y médicos. Algunas veces los doctores sienten que han llegado a ser "chivos expiatorios" y que las personas son injustas en su prisa por criticar o poner una demanda por tratamiento erróneo. El ministro debe ser consultado por los médicos y pacientes que son miembros de su iglesia cuando luchan con el interrogante que los perturba. Los pacientes querrán saber si deben someterse o no a la cirugía que quizá ponga en peligro su vida o los deje inválidos. El pastor buscará inspirar confianza en el médico de parte del paciente. El paciente estará animado a confiar en el cirujano y en el Señor cuando busca una salud mejor.

Eutanasia. La palabra "eutanasia" viene del griego y significa "muerte buena, muerte feliz, muerte fácil". Edgar Jackson define la eutanasia como un juicio médico sustentado por el consentimiento legal para apresurar la muerte "con el fin de aliviar el sufrimiento de una enfermedad incurable".[4] Hoy en día hay un interés creciente en este tema. Algunas personas están hablando de terminar sus vidas por su propia voluntad cuando deciden hacerlo. Algunas parejas hablan de pactos de muerte. ¿Cómo difiere este tipo de muerte del suicidio? ¿Hay diferencia? Frecuentemente el pastor visita entre pacientes que tienen enfermedades incurables y se da cuenta de las medidas heroicas que son usadas para mantenerlos vivos. Muchos de ellos desean la liberación que viene con la muerte. El pastor se pregunta acerca de los esfuerzos, gastos y sufrimiento adicional para el paciente y los miembros de la familia que resultan de este proceso. De cuando en cuando alguien dirá: "¿No sería mejor dejar que el paciente muera?"

Mientras que quizá lleguemos a un acuerdo con esta declaración, hay una gran diferencia entre esto y "ayudarle al paciente a morir".

Los médicos toman el Juramente Hipocrático, que dice: "Yo seguiré ese método de tratamiento que, de acuerdo con mi habilidad y juicio, considero el mejor para el beneficio de mis pacientes y me abstengo de cualquier cosa que sea perjudicial y mala. Yo tampoco daré una droga mortífera a nadie, si me la solicitaran, ni haré una sugerencia a su efecto." Aunque obedecen la letra de este juramento, la mayoría de los médicos son forzados a tomar decisiones que afectan la extensión de la vida al escoger no continuar con una droga o medicamento que puede prolongar el sufrimiento aun cuando no hay esperanza de recuperación.

La mayoría de las personas están en contra de la idea de someterse a la solicitud del paciente para que se le dé algo que termine con su sufrimiento al terminar con su vida. Ciertamente, nos oponemos a que otros tomen la decisión por nosotros de cuándo terminar con la vida. Algunos dividen la eutanasia en activa y pasiva, insistiendo en que la eutanasia activa es mala pero la eutanasia pasiva es cristiana, al permitir a la persona morir con dignidad.

Las razones para resistir la eutanasia involucran el principio de la santidad de la vida, la dignidad de la personalidad, el sexto mandamiento del decálogo: "no matarás", la dificultad en determinar el proceso de la "vida y de la muerte", los principios de la compasión y misericordia cristiana, y el principio de los derechos personales y la libertad personal. En algunos países es posible firmar un documento legal, en el cual la persona dicta que no deben ser utilizadas medidas heroicas en un esfuerzo por mantenerlo vivo.

Por varios días visité y hablé con el esposo de una nueva madre que estaba en cuidados intensivos después de un paro cardíaco sólo unos días después de dar a luz a su bebé. Estaba inconsciente y había estado conectada a un respirador artificial por varios días sin señales de mejoramiento. Los médicos habían insinuado al esposo, de acuerdo con su comprensión de lo que ellos dijeron, que sería mejor apagar la máquina. El habló conmigo acerca de este dilema. Me dijo que una vez, hace tiempo, su esposa le había dicho que ella nunca desearía ser mantenida viva como una inválida dependiendo de otros. ¿Estaría él equivocado al dar su consentimiento para permitir que desconectaran la máquina? Le contesté que yo sentía que el Señor entendía la situación y la lucha que estaba teniendo. No debería sentirse culpable si seguía las recomendaciones de los médicos. Justo cuando estaban listos para desconectar la máquina hubo un mejoramiento repentino en las condiciones de su esposa. En el transcurso de una semana ella estaba fuera de cuidados intensivos, aunque semiinconsciente. Después de un tiempo fue trasladada a un sanatorio particular cerca de su finca para recuperación adicional. No tuve más contacto con ellos, pero estoy seguro de que su esposo se siente bien acerca de la recuperación de su esposa; aunque en el momento crítico estaba listo a encararse con la separación y la muerte. Los doctores temían que ella nunca volviera a ser normal, porque no sabían cuánto tiempo había transcurrido entre su paro cardíaco y el momento en que lograron que su corazón latiera de nuevo.

De esta manera se le pide al pastor caminar y acompañar a otros en el sendero lleno de tristeza. Sentirá que los enfermos anhelan alcanzar la muerte para sentirse libres de sufrimiento. El les dirá "adiós" y acompañará a los miembros de la familia mientras pasan de la vida a la muerte. Es un privilegio especial tener la oportunidad de ministrar en este momento. Aunque no queremos apresurar el momento para ninguno, tampoco debemos insistir en mantenerlos vivos con tratamientos heroicos por nuestro egoísmo. Dejamos el misterio de la vida y la muerte en las manos del Creador.

El pastor ministrará a muchos que enfrentan problemas médicos que involucran problemas éticos. La bioética es un campo relativamente nuevo y los médicos necesitan nuestro apoyo cuando luchan con problemas que tienen implicaciones morales. ¿Ofreceremos a ellos y a sus pacientes un pan o una piedra?

El Consejo a los Que Tienen Dudas Religiosas

¿Qué causa las dudas religiosas?

El pastor tiene ocasión de ministrar a personas que tienen dudas acerca de los asuntos religiosos. Usualmente el ateo confirmado en la comunidad no busca ayuda pastoral, pero las personas jóvenes que están siendo enfrentadas con teorías ateístas y filosofías materialistas buscan con frecuencia al pastor para pedir consejo. Otros que son escépticos o que nunca han abrazado la fe cristiana, ocasionalmente pueden tener razón para buscar al pastor y confiarle algún otro problema y comunicarle también sus dudas. Cuando los jóvenes buscan una fe auténtica y personal aparte de la que ha sido impuesta sobre ellos por sus padres y otras figuras de autoridad, naturalmente surgen preguntas del porqué de ciertas creencias. También, cuando tienen contacto con otras personas de influencia que son ajenas a la fe cristiana, a quienes respetan y a quienes reconocen como personas inteligentes, naturalmente se preguntan cómo estas personas funcionan sin ninguna fe. Otro grupo que busca ayuda del pastor es el de aquellos cristianos consagrados que, debido a algunas circunstancias especiales en su vida, están atravesando ahora un momento de duda porque la fe cristiana no ha logrado satisfacer la necesidad especial que ellos sienten.

Por ejemplo, hay personas que sienten que Dios ya no responde más a sus oraciones. Otros parecen haber perdido su fe debido a alguna tragedia que vino a pesar de su fidelidad a Dios. Todas estas ilustraciones y circunstancias especiales indican que hay numerosas oportunidades para que el pastor ayude a las personas que tienen dudas religiosas.

Factores inconscientes. Es bueno considerar los factores inconscientes que contribuyen a las dudas que tienen las personas. Por ejemplo, las personas vienen a hablar acerca de sus dudas y más tarde descubren que su problema básico no es de dudar en el aspecto religioso, sino aflicción reprimida que no han podido resolver debido a una pérdida importante en el pasado. Otro caso es el del joven que siente que Dios lo ha abandonado porque ya no siente más su presencia como cuando era niño. El pastor ayuda a la persona a descubrir que el problema básico es la muerte del padre del joven hace unos pocos meses. Otros sienten que Dios está enojado con ellos, o que se sienten condenados. Mientras conversan por un rato con el pastor descubren que el problema básico es algún pecado que cometieron, y ahora su culpa les hace dudar en esta forma acerca de Dios. Todas estas ilustraciones señalan los factores inconscientes que pueden estar involucrados en el fenómeno de la duda religiosa.

Gordon Allport hace una presentación convincente del hecho de que las dudas que tienen las personas, tienen su origen en la relación de uno con sus padres.[5] Freud insistía en que la fe religiosa es una extensión de las actitudes de uno hacia su padre natural.[6] Esto significa que la hostilidad hacia el padre de uno puede resultar en un rechazo de la religión. Freud sostenía que la creencia en Dios es una proyección de dependencia y amor asociada con el padre terrenal. El veía la religión como una ilusión que llegaría a estar pasada de moda cuando el hombre evolucionara hacia una persona más madura. Allport concluye que tanto la creencia como la duda pueden reflejar inconscientemente las actitudes de uno hacia sus padres.

Las dudas que llevan a algunas personas al ateísmo pueden ser una evidencia de un interés intenso en los asuntos religiosos. Así debemos reconocer que la reacción de resistencia puede caracterizar a la persona que viene al pastor con dudas profundas. Su profundo interés en Dios y los problemas religiosos pueden estar manifestando esto mismo en protestas violentas. Saulo, el fariseo, perseguía a los cristianos, pero posteriormente llegó a ser uno de los evangelistas y misioneros más dedicados. El pastor que trata cuidadosamente a las personas jóvenes con dudas puede estar ayudándoles a avanzar a una fe más madura. El poeta inglés Tennyson es a menudo citado: "Existe más fe en la duda honesta, créeme, que en la mitad de tus credos."[7]

Así pues, el ministro debe brindar aceptación y simpatía a los jóvenes que expresan sus dudas. Debe reconocer que, por lo general, la persona está dando un mensaje que puede ser interpretado como un grito de ayuda para resolver algunas preguntas intelectuales y emocionales que están en el corazón de su fe.

Problemas que contribuyen a la duda. Walter Houston Clark menciona algunos factores generales que están en juego y que hacen que la duda sea una experiencia común entre los jóvenes.[8] Primero, menciona el desarrollo lógico y natural de la mente. Con este desarrollo viene la capacidad de cuestionar ideas que han sido presentadas anteriormente como verdades y que el niño ha aceptado. Luego, usa estas capacidades que ha desarrollado y comienza a tratar de razonar para decidir si estas ideas son lógicamente sanas o no. Puede tener la mente investigadora de un matemático o un científico, o puede solamente necesitar responder a la pregunta: ¿por qué? con mucha frecuencia. Nosotros como líderes religiosos no debemos escandalizarnos cuando una persona joven comienza a ejercitar estas habilidades. Debemos darles apoyo y asegurarles que muchas de las verdades religiosas no están para ser explicadas en una forma lógica o científica; más bien hay que aceptarlas por la revelación.

El segundo factor que Clark menciona es la influencia de la tradición de la religión en la que uno ha sido criado. Algunos grupos animan a los jovenes a desarrollar una fe que es más el resultado de su auténtica experiencia, mientras otros han enseñado que las verdades son para ser aceptadas de Dios, de la iglesia o del líder espiritual, sin cuestionar. Aquellos que han estudiado los grupos que tienen dudas indican que los protestantes y los judíos tienden a dudar más que los católicos. La razón es que aquéllos animan a las personas a hacer un compromiso basado en su propia investigación personal. Llegan a la edad y el punto de decidir por ellos mismos y no aceptan simplemente algo que han aprendido de memoria en sus clases durante la niñez. Starbuck hizo un estudio citado por Clark que mostró que la mujer tiende a tener más dudas que el hombre, pero es primordialmente debido al hecho de que más mujeres tienen sentimientos religiosos que hombres. El estudio también indica que el hombre duda más en un nivel racional, mientras que los elementos emocionales entran más fuertemente en las dudas de la mujer.

El tercer factor que Clark menciona que tiene influencia en la duda son las diferencias fisiológicas entre el hombre y la mujer. Estudios realizados indican que la mujer tiende a dudar en una edad más joven que el hombre, hecho que se atribuye al desarrollo más temprano de la mujer. Las dudas en la mujer parecen seguir un ciclo que está relacionado cercanamente con su naturaleza emocional. Sus dudas religiosas parecen estar relacionadas cercanamente con períodos de depresión emocional y cuando otros problemas la tienen en un período de confusión.

Clark llama "impulsos de la vida y la muerte" al cuarto factor que influye en la duda. La duda que es una expresión del impulso de la vida tendría que ver con la actividad y cambio en la vida de la persona. La búsqueda de la verdad puede ser clasificada como una duda que se deriva del impulso de la vida. Una ilustración de duda que nace del impulso de la muerte serían aquellas que involucran el avance de uno hacia la pasividad. Cuando surge la duda como consecuencia del deseo de uno de evadir la responsabilidad, podría ser clasificada como el impulso de muerte.

Dudas causadas por dolencias espirituales. Frecuentemente, los hipócritas en la iglesia son señalados como la razón de que alguien tiene dudas. Cuando era pastor joven escuché frecuentemente esta excusa como la razón para justificar la falta de participación en las actividades de la iglesia. Estoy seguro de que debe haber existido alguna justificación, al menos a veces, porque algunas personas que son activas en la iglesia no son siempre completamente honestas en todos sus negocios, ni están más allá de la posibilidad de ser tentadas. Ocasionalmente algunas de ellas caen en pecado. La iglesia necesita tratar con aquellos que tienen testimonios cuestionables en la comunidad, pero al mismo tiempo, el pastor necesita reconocer que los que dudan por causa de ellos pueden estar buscando "chivos expiatorios" en sus esfuerzos por excusarse a sí mismos. Es fácil encontrar mucho en la iglesia que se puede condenar si uno está buscando tal cosa. Las personas que han estudiado la historia de la iglesia son capaces de citar casos específicos, tales como las Cruzadas, cuando la sangre fue derramada en nombre del servicio de Cristo, y las personas fueron conquistadas a través de la espada y no con amor. Pueden citar casos cuando los herejes fueron quemados en la estaca porque no pronunciaron las palabras correctas al verbalizar sus creencias. Casos como estos y muchos otros pueden ser usados como excusas para explicar o justificar una falta de participación en el movimiento cristiano.

Es importante que el pastor también reconozca las expresiones de duda como síntomas de enfermedad espiritual. Es inútil intentar responder con lógica o tratar de contestar las críticas que los escépticos pueden lanzarnos. Sus expresiones pueden ser su manera de racionalizarse a sí mismos por su manera de vivir. El pastor sabio, siguiendo una estrategia suave de apoyo, puede ayudar a la persona para que llegue a reconocer lo que está haciendo. El pastor puede expresar su acuerdo con lo que es verdad en las acusaciones que otros hacen en contra de la cristianidad.

Areas de duda religiosa

Dudas relacionadas con el origen de la religión. Hay muchos que tienen dudas relacionadas con el origen de la religión. Sospechan que el concepto de Dios es una fabricación del hombre.[9] Los intentos de analizar el origen de los impulsos religiosos han hecho que algunos duden. Es la opinión de muchos que sus sentimientos religiosos tienen origen en alguna expresión primitiva de miedo por parte del hombre porque no podía entender los fenómenos de la naturaleza en el mundo. Por ejemplo, el hombre primitivo no podía entender la causa del trueno y por eso desarrolló la idea de que los espiritus estaban enojados, ya fuera entre ellos o con el hombre por alguna razón. El hombre buscó, por lo tanto, apaciguar la ira de los dioses a través de una clase de comportamiento que fuera aceptable. La venida de la lluvia o su falta, era interpretada como una expresión del favor divino o de su cólera, dependiendo de cómo habían actuado las personas para agradar o disgustar a los dioses.

Aunque el presente trabajo no intenta ahondar profundamente en los orígenes de las religiones, es importante enfatizar el mensaje bíblico relacionado con la creación del universo y del hombre por Dios. El hombre tiene la imagen de Dios y muchos ven esto como el elemento fundamental en la religiosidad del hombre. En los primeros capítulos del Génesis vemos al hombre trayendo sus ofrendas a Dios en un acto espontáneo como una expresión de su gratitud por las bendiciones de la cosecha. Las clases de ofrendas que cada uno trajo y las consecuencias de estos ofrecimientos abrieron paso a muchas discusiones acerca de lo que es aceptable para Dios y por qué algunos tipos de ofrendas no fueron aceptables. La mayoría de los comentarios concluyen que la aceptabilidad o inaceptabilidad de las ofrendas tenían mucho más que ver con las actitudes del corazón de la persona que hacía el ofrecimiento y no tanto con la naturaleza del ofrecimiento que era llevado.

Dudas que involucran la ciencia y la religión. Ocasionalmente el pastor encuentra a personas con un trasfondo científico y una mente investigadora, que insisten en que el ser religioso es ser no científico. Uno de los rasgos básicos del método científico es la intención con la que miran la vida. Son entrenados para dudar de todo hasta que sea probado. Esto indudablemente nos lleva al progreso, porque el avance acontece como resultado de la lucha que viene a través de una búsqueda constante por nuevas verdades. El someter la fe religiosa a las evaluaciones que son una parte del método científico presenta muchas dificultades, porque la experiencia religiosa es subjetiva y basada en la revelación. Es también difícil para los científicos usar el método científico en su trabajo y a la vez dejar lugar para lo sobrenatural. Sin embargo, hay muchos que lo hacen.

En años recientes más y más científicos están echando una segunda ojeada a sus creaciones.[10] Ellos se dan cuenta de que la tecnología ha traído muchas bendiciones a la humanidad, pero ha tendido también a deshumanizar al hombre y a hacer la vida mucho más impersonal. Más y más científicos están retornando a posiciones más positivas sobre las creencias religiosas y a un reconocimiento de la importancia de los valores espirituales y morales.

Las personas que dudan debido a que la religión no admite el método científico pueden estar menos inclinadas a usar esto como una excusa, puesto que parece que hay un regreso a la fe cristiana por parte de muchos científicos y un intento por reconocer los impulsos religiosos como válidos para las personas que están involucradas en asuntos científicos tanto como seculares. Tanto los científicos como los religiosos en el pasado tendían a acusar al otro de aislar los diversos aspectos de la vida en áreas que no permitían que la razón o la fe formaran parte del otro compartimiento.

En muchas formas los que creen en la religión la pasan mucho más difícil que los científicos. El científico tiene su método por medio del cual verifica su hipótesis hasta que hay certeza, lo cual produce una ley. Por su parte, los religiosos buscan determinar un significado en la vida a través de la afirmación de la creencia en un juego de doctrinas que producen una vida que tiene validez ética, estética y espiritual para el individuo. Hay mucha subjetividad en este peregrinaje. La precisión del científico elude al religioso, pero continúa luchando con la posibilidad de estar cómodo con lo que descubre la ciencia y lo que la fe religiosa revela. Hay algo adentro que lo provoca a continuar su peregrinaje en ambas direcciones.

Al tratar con las personas con dudas religiosas debido a conflictos supuestos o implicados con la ciencia, debemos mostrar franqueza y sinceridad. No podemos tener una mente cerrada e insistir en que alguien que acepta las explicaciones científicas del origen del hombre y del universo es imposible de ayudar. No tenemos que insistir en la renuncia de un punto de vista a fin de que alguien tenga fe. Es mejor animar a alguien a buscar la verdad y continuar en su peregrinaje para encontrar la fe en vez de tratar de entrar en una discusión polémica acerca del uno o del otro. La mayoría de las personas serán guiadas a una fe más profunda paulatinamente cuando ven las obras de Dios en el universo. Una persona con la mente abierta puede salir bien de un tiempo de duda y llegar a una fe más genuina y profunda.

Dudas relacionadas con la Biblia. Hay otros que vienen al pastor que creen en Dios, aprecian y practican su fe consistentemente, pero tienen dificultades con ciertas creencias y doctrinas de la fe cristiana. Pueden tener dudas acerca de la inspiración de la Biblia y su interpretación para nosotros hoy, el nacimiento virginal, la resurrección de Cristo, la validez de algunos de los milagros que son afirmados en la Biblia y otras enseñanzas específicas. ¿Cómo ayudamos a estas personas? Primero, debemos reconocer que hay cierta cantidad de pluralismo religioso que es normal e inevitable. Es imposible dictar un credo exacto o una representación de la verdad y luego forzar a todos los demás a creerlo sin ninguna variación. Las diferencias individuales en la personalidad, temperamento y habilidades intelectuales forman una diversidad de creencias. Esta diversidad puede ser de beneficio al final para la fe cristiana, porque da la variedad y creatividad que son fuerzas positivas y contribuyen a la expansión del mensaje cristiano.

Algunas personas pueden aceptar las enseñanzas sin requerir una explicación lógica. Su Dios es poderoso y su fe abarca toda faceta. Otros tienden a necesitar más libertad para satisfacer sus propias tendencias intelectuales en una base más lógica. Yo creo que necesitamos aceptar a aquellas personas que ven mucho de las enseñanzas bíblicas como figurativa y simbólica aunque yo personalmente, las acepto literalmente.[11] Es mejor dar lugar a las personas que difieran de nosotros y no ser tan insistentes en que expliquen su teología exactamente en la terminología que usamos nosotros. El significado de las palabras y la diferencia entre la comprensión del remitente y el receptor es algo que debe tomarse en cuenta. Por lo tanto, si podemos ser flexibles en nuestra expresión de creencia y permitir cierta flexibilidad, será de mucho provecho.

Dudas que involucran la finalidad de la fe cristiana. Algunas personas se quejan porque hay muchas religiones diferentes en el mundo y todas ellas afirman tener la verdad. ¿Por qué debe ser aceptado el cristianismo como la religión final cuando otras hacen la misma afirmación? Podemos citar las Escrituras que ayudarán a mostrar que Jesucristo es el único Salvador de la humanidad (Hch. 4:12; Ro. 1:19-21). Jesús dijo: "Yo soy el camino, la verdad y la vida: nadie viene al Padre, sino por mí" (Jn. 14:6).

El pastor que tiene un trasfondo en religiones comparadas puede señalar los diferentes aspectos de la religión cristiana que son únicos.[12] Aunque no se ganará mucho con una actitud polémica, aquellos que tienen dudas sinceras en cuanto al aspecto único del cristianismo apreciarán que el pastor comparta con ellos por qué consideramos la religión cristiana como la única.

Una de las mejores explicaciones en cuanto al poder del cristianismo es dado cuando el pastor menciona los cambios significativos que vienen a aquellos que experimentan el Nuevo Nacimiento. Puede citar individuos cuyas vidas han sido cambiadas. Algunos han sido adictos a las drogas, otros pueden haber sido alcohólicos, algunos pueden haber sido escépticos, pero cuando todos ellos tienen contacto con el Cristo vivo que los salva del pecado, tienen un testimonio que desafía la duda.

Son testimonios vivos de la verdad y la validez de la fe cristiana y su poder para transformar las vidas.

Los dilemas éticos que vienen debido al adelanto del hombre a través de la ciencia y la tecnología nos desafían mientras mantenemos nuestra religión tradicional y valores morales y nos esforzamos por tomar las mejores decisiones. Las dudas religiosas vienen a algunos y los dejan inseguros acerca de qué creer. El pastor está presente para ayudar a los que luchan con los problemas de la vida y la muerte, la fe y la duda y lo bueno y lo malo. La relación que mantiene con su pueblo le ayudará a caminar con ellos a través de los senderos de la muerte, la duda y el sufrimiento. En vez de tratar de pensar en una respuesta apropiada a cualquier declaración debe procurar asegurarles de su presencia y aceptación. Esto les ayudará a salir victoriosos.

Notas

[1] Joseph Fletcher, *Situation Ethics—The New Morality* (Philadelphia: Westminster Press, 1966), pp. 26-31.

[2] Paul Ramsey, *The Patient As Person* (New Haven, Conn.: Yale University Press, 1970), pp. 246-48.

[3] Ibid., pp. 70, 71.

[4] Edgar, Jackson, *¿Is Euthanasia Christian?* Christian Century (March 8, 1950), p. 300.

[5] Gordon W. Allport, *The Individual and His Religion* (New York: The Macmillan Company, 1950), pp. 100, 101.

[6] *Ibid.*, p. 103.

[7] Tennyson, Alfred Lord, *"In Memoriam"*.

[8] Walter Houston Clark, *The Psychology of Religion* (New York: The Macmillan Company, 1958), pp.139-41.

[9] Allport, *op. cit.*, pp. 107-110

[10] James H. Jauncey, *Science Returns to God* (Grand Rapids: Zondervan Publishing House, 1961).

[11] John P. Newport and William Cannon, *Why Christians Fight Over the Bible* (Nashville: Thomas Nelson Inc., 1974).

[12] E. Luther Copeland, *El Cristianismo y otras Religiones* (El Paso: Casa Bautista de Publicaciones, 1977), pp. 169-88.

11

EL MINISTERIO PARA LAS PERSONAS EN SITUACIONES DE CRISIS

Introducción

Tarde o temprano cada uno de nosotros se ve envuelto en una crisis de una clase u otra. Para algunos puede ser un incidente crítico que cambia completamente la dirección de la vida. Para otros puede ser el paso por las etapas normales de las experiencias de la vida día por día y año tras año, sin los sentimientos intensos que están involucrados en situaciones de emergencia.

Una de las más grandes oportunidades que llegan al pastor es la experiencia de poder acompañar a las personas en los momentos críticos. Por esta razón el presente capítulo insistirá en la importancia de la presencia como una influencia primaria sobre otros cuando están sufriendo. Además de y a pesar de lo que uno dice en tiempo de crisis, las personas no olvidarán el hecho de que su pastor estuvo presente para caminar con ellas a través de la prueba severa de sufrimiento. Perdonarán muchas otras omisiones, pero es difícil pasar por alto la negligencia en esta ocasión.

El Significado de la Crisis

La palabra "crisis" significa "tiempo crucial" o "punto decisivo" en el curso de los acontecimientos. La tradición dice que la palabra viene de dos caracteres chinos que significan "peligro" y "oportunidad". Todos estos conceptos tienen su pertinencia dentro del contexto del uso que estemos haciendo del término. En el presente capítulo veremos la forma en que los acontecimientos críticos crean oportunidades para que el ministro sea eficaz en una dimensión que no sería posible bajo otras circunstancias.

La vida en el crisol

Wilbur E. Morley, en un artículo sobre la teoría de la intervención en tiempo de crisis, presenta un concepto con un diagrama que ayuda a ver la situación que enfrentan las personas que están en crisis y cuáles son los resultados de ésta.[1] Cuando las cosas están marchando bien en la vida de uno, su mundo puede ser comparado con un triángulo, el cual descansa sobre su base con cierto grado de estabilidad. Uno está moviéndose firmemente en la dirección de una salud emocional mejor o un malestar mayor, dependiendo de muchos factores diferentes que funcionan en la vida. Pero, cuando una crisis se desarrolla, inmediatamente el triángulo es movido a una de sus puntas o ángulos. Esto significa que la vida de la persona ha llegado a ser inestable momentáneamente y el resultado final podría ser una persona con menos estabilidad emocional. Podría también resultar en una persona que tiene mayor estabilidad emocional y espiritual. La dirección que toma su vida en este momento de crisis es determinada por la severidad de la crisis, sus mecanismos de defensa y las contribuciones de personas significativas que lo rodean en este momento difícil. El apoyo de los amigos, de los parientes y del pastor es decisivo para la salud futura y bienestar. En el momento de una crisis la persona tiende a ser influida más fácilmente que cuando las cosas están normales. Por eso algunos acuden al alcohol o a las drogas en una crisis, mientras que otros se vuelven a Dios por ayuda espiritual. Mucho depende del sentido de valores de las personas que tienen contacto con aquellos que están experimentando la crisis.

Momento de decisión

La mayoría de los ministros ha tenido la experiencia de tratar de ayudar a una persona que está en las garras de una crisis. Esta persona puede acudir a Dios por primera vez o volver a consagrar su vida, o hacer otros votos acerca de los diferentes modos de vivir su vida cuando salga de la dificultad actual. Unos pocos días más tarde el ministro puede visitar, cuando la peor parte de la crisis ha pasado y encuentra que la persona está fría e indiferente hacia el ministro. Actúa como si ya hubiera olvidado las determinaciones que tomó hace tan sólo unos pocos días. Esto se vio en la experiencia de un empleado de un hospital que enfrentó una cirugía del corazón. Los cardiólogos le explicaron los peligros potenciales de la cirugía. A consecuencia de esto, el paciente llamó a su hermano, quien es un ministro, pero de quien había estado alejado por varios años. Buscó reconciliación con él y confesó su negligencia para Dios en la presencia de su hermano. Entonces, él escribió cartas relacionadas con todos sus negocios comerciales y haciendo disposición de inversiones y otras propiedades.

Instruyó a su esposa de los procedimientos que debía seguir en caso de que no saliera bien de la cirugía. Utilizó las pocas horas antes de la cirugía en una conversación con su hermano y su esposa, acerca de los aspectos espirituales de la vida. El había descuidado estos aspectos espirituales, pero confiaba en que el Señor lo perdonaría. Oraron por la ayuda de Dios para los cirujanos durante la cirugía.

El paciente salió bien de la cirugía. Una semana después lo visité y me sorprendí al encontrar su actitud completamente cambiada. Había regresado a su actitud crítica hacia su hermano y la iglesia. Estaba otra vez interesado mucho más en los asuntos materiales. No hizo referencia a las promesas que había hecho antes de la cirugía.

El pastor posiblemente conoce a personas que reaccionan en esta forma. También, tiene experiencias con personas que luchan por cumplir con sus promesas. El punto es que cuando uno está enfrentando una situación crítica, su vida es influida más fácilmente. El ministro puede aprovechar esta situación y ser activo en ayudar a las personas hasta donde pueda, y no sentirse desolado cuando las personas olvidan sus promesas una vez que la crisis ha pasado.

El pastor sabio debe ayudar a las personas a ser más objetivas y no alentar promesas extremas que pueden ser lamentadas después que ha pasado la crisis. El debe reconocer algunas promesas extremas como una evidencia de agitación emocional o inestabilidad en vez de una salud emocional madura y una dedicación sincera al Señor. Por ejemplo, cuando el hijo de alguien está enfermo, el padre puede hacer votos de promesas al ministro que parecen pasar más allá del punto de la sabiduría. El ministro puede sugerir suavemente que la persona piense bien en el asunto antes de tomar una decisión de tanta consecuencia. Un hombre quiso ir al banco y tomar prestada una gran suma de dinero, para darle un regalo especial a todos los empleados del hospital que habían cuidado a su esposa durante su enfermedad. Su intensa aflicción lo impulsó a pensar en esta manera. El no comprendía que era contra la política del hospital que los empleados recibieran regalos especiales de esta naturaleza. El hubiera contraído deudas adicionales que habrían complicado más su ya precaria condición financiera debido a la enfermedad de su esposa. Fue animado por el capellán para expresar verbalmente su aprecio sin intentar darles algún regalo monetario. Lo hizo, se sintió mucho mejor y evitó crear problemas para la administración del hospital.

La Dinámica de una Crisis

El doctor Stanley Stanoff, un prominente siquiatra en una de las ciudades más grandes de los Estados Unidos, ha mencionado la relación entre el suceso crítico y la respuesta emocional de parte de los afectados. Muestra cómo al momento de la crisis el involucramiento emocional está tan cercano que la persona está completamente incapacitada para pensar lógicamente. En seis semanas él podrá pensar de manera diferente acerca de la pérdida y considerar sus sentimientos. Seis meses más tarde tendrá una sensación aún más distante y podrá verbalizar con más lógica que antes. Seis años más tarde es asombroso ver como está separada la experiencia del enlace emocional. Esto explica cómo es posible que una persona llegue a desligarse emocionalmente de otra a través del paso del tiempo. Las personas pueden formar nuevas alianzas después de un período de aflicción. Esto nos ayuda, además, a saber que no debemos esperar decisiones basadas en la lógica de una persona que está en la angustia de una experiencia crítica.

Larry Bugen[2] ha desarrollado otro concepto importante que está relacionado con la intervención de la crisis. El establece que el grado de posibilidad de prevención o no prevención de la crisis afectará las reacciones emocionales de la persona. Por ejemplo, cuando alguien está enfermo incurablemente y perdura por un largo período de tiempo antes de la muerte, los miembros de la familia usualmente entran en una especie de aflicción anticipada y están más preparados para enfrentar el momento de la muerte. En el momento de la muerte, sentirán alivio porque se darán cuenta de que su ser amado ya no está sufriendo. Por el contrario, cuando un accidente que podía haber sido evitado ocurre y causa la muerte repentina, la reacción de aflicción será mucho más dramática. Puede ser violenta. Continuará por más tiempo que si la muerte hubiera sido esperada.

Otro factor que funciona en la dinámica, es el grado de relación con la persona involucrada en la crisis. Si el cónyuge de uno está involucrado en un accidente y muere, causará una reacción mucho más intensa que si el cónyuge muriera de una enfermedad prolongada. Al mismo tiempo, si un tío al que no se ha visto por varios años muere de repente, no causará una reacción tan intensa como la muerte de un amigo que vemos frecuentemente. Así vemos que las condiciones que rodean la crisis, tanto como el grado de relación con aquellos involucrados en la crisis, influyen en la intensidad de la reacción y el tiempo necesario para ajustarse a la crisis.

Clases de Crisis

Las crisis evolucionistas

Las crisis evolucionistas son aquellas que le llegan a la gente a medida que pasa por las etapas normales de la vida. Comenzar a asistir al colegio, comenzar a trabajar en el primer empleo remunerado, casarse, comenzar los estudios en la universidad, dejar la casa, graduarse de la universidad, tener el primer hijo, cambiar de lugar de empleo, ser despedido de un empleo y enfrentar la jubilación, son todos "momentos importantes" en la vida e involucran una gran cantidad de emociones intensas. Aun cuando tratemos de prepararnos para cada una de estas experiencias, hay un grado de sacudimiento que ocurre en el momento en que acontecen. Tales experiencias involucran ansiedad e inseguridad; otras involucran satisfacción y felicidad. Todos buscamos la compañía de otros en tiempos críticos. Si es una experiencia feliz y desagradable, necesitamos tener la oportunidad de dialogar sobre nuestros sentimientos. Si somos felices, buscamos a otros con quienes podemos celebrar nuestros momentos de alegría. Por esta razón, el pastor y los otros líderes cristianos pueden ser personas muy importantes en tiempos como éstos. La iglesia es sabia si tiene la costumbre de reconocer especialmente a personas que logran metas especiales en la esfera tanto secular como cristiana. Deberá tener, además, un ministerio para aquellos cuyas crisis no son momentos de regocijo.

Las personas necesitan tener oportunidades de recibir ayuda del pastor y de las juntas de la iglesia cuando estén enfrentando estas crisis evolucionistas. Hay buenos libros disponibles que pueden dar información e inspiración y con ello preparar a las personas para estos eventos. Una buena preparación anticipada puede quitar los bordes ásperos de esas experiencias que representan un golpe para nuestro ego. Por ejemplo, las personas que se preparan para la jubilación, económica y emocionalmente, son capaces de cambiar la dirección de su vida y hacer la transición sin dificultades serias. Planean involucrarse en negocios incidentales significativos, pasatiempos y otras actividades que les den satisfacción, que ocupen su tiempo y les ayuden a sentirse importantes. El cambio de lugar de trabajo de uno después de varios años con la misma compañía puede servir como el estímulo preciso para mantener a una persona alerta y creativa.

Crisis fortuitas

Las clases de crisis que reclaman nuestra atención como pastores y ministros son las crisis fortuitas. Son experiencias que llegan de repente, amenazan nuestro bienestar por un tiempo y luego pasan en unos días o semanas. La persona será diferente como resultado de esta crisis. Las ilustraciones de estas crisis son enfermedades serias e inesperadas, accidentes que dejan a las personas tullidas o inválidas, el descubrimiento de que el hijo de uno o unos amigos cercanos está involucrado con drogas, problemas con la ley, la infidelidad del cónyuge de uno, la muerte de un ser querido o la despedida inesperada del sitio de trabajo. Cada uno de estos casos puede tener un juego especial de dinámica que lo acompañan, dependiendo de las circunstancias especiales, el grado de amistad, la personalidad individual de las personas involucradas y la tendencia emocional y temperamental de aquellos atrapados en una crisis. Algunas personas tienen una estabilidad emocional básica que les caracteriza a ellas mismas y hace posible que se enfrenten con estos incidentes críticos sin ser asolados. Otros "se rinden" a la más leve provocación. Si una persona ha experimentado pérdidas anteriores, probablemente estará más capacitada para soportar esta experiencia sin un quebrantamiento emocional. Especialmente será cierto si atravesó la crisis anterior en una forma saludable.

¿Cuál es la reacción inmediata de la persona que recibe la noticia de alguna tragedia? Por regla general, la persona es afectada visiblemente. Puede llorar, gritar o reír. Si no hay reacción emocional, esto puede indicar la posibilidad de problemas más adelante. Los mecanismos de negación están funcionando. El pastor debe hablar con la persona con la esperanza de lograr que desahogue sus emociones. La persona puede estar aturdida por la noticia. El escepticismo puede ser la actitud predominante por un tiempo. Usualmente el abrazo de simpatía de una persona que significa mucho para el doliente traerá una expresión abierta de las emociones.

El escritor ha tenido la oportunidad de observar una amplia variedad de reacciones mientras servía como capellán en un hospital general y quirúrgico. Cuando el cirujano traía la noticia de que el ser querido no había resistido la cirugía, algunas personas se ponían histéricas inmediatamente. Vi a una mujer gritando y corriendo por los pasillos de un hospital en Paraguay cuando le dijeron que su esposo había muerto. En otra ocasión estaba al lado de un hombre de edad madura que en forma seca me preguntó, después de que los doctores le informaron que su esposa había muerto, qué papeles necesitaba firmar para así salir del hospital en la forma más rápida. La enorme diferencia en las reacciones en estos dos ejemplos puede ser explicada por diferencias sexuales, culturales, temperamentales y circunstanciales. Todas estas diferencias pueden ser discutidas en detalle con provecho.

Al pastor se le llama para ministrar a toda la gente, pero él especialmente debiera tratar de facilitar la expresión de los sentimientos en aquellos que parecen no tener una reacción emocional. Si puede desarrollar una relación de confianza con la persona, usualmente ésta apreciará sus intentos de ser útil. No es sabio tener un patrón de expectaciones para que cada persona la siga en forma estereotipada. La presencia del pastor para orar silenciosamente con la familia, conversar suavemente del significado de la vida del involucrado en la crisis y la seguridad de su disponibilidad para ayudar en un ministerio futuro, son elementos importantes. El pastor sensitivo puede captar las espectaciones de las personas presentes y responder de conformidad con las circunstancias.

Pasos del Ministerio en Momentos de Crisis

Warren L. Jones ha presentado los tres pasos fundamentales de la intervención en momentos de crisis.[3] Ellos son: (1) Lograr comunicación con las personas en crisis. (2) Reducir la crisis a lo esencial. (3) Hacer un inventario de las capacidades del paciente y sus recursos para encararse con la crisis. Debemos mirar más de cerca a medida que avanzamos en los pasos de este proceso.

Establezca comunicación

Muchas veces el pastor ya ha establecido comunicación con aquellos en crisis, porque los ha ministrado por medio de los cultos y otros ministerios a través de los años. Es mucho más fácil acercarse a la persona y su familia y ministrar cuando la relación de confianza ha sido cultivada previamente. Yo lo sentí profundamente como capellán en el hospital. Si yo había estado allí y visitado a la familia antes de la cirugía, mi visita después de la cirugía comenzaba en un nivel más íntimo de lo que hubiera sido si yo estuviera visitándolos por primera vez después de la cirugía. Mi ministerio diario en la sala de visitas fuera de la unidad de Cuidados Intensivos, preparaba el camino para mi ministerio cuando llegaban nuevas familias. Casi siempre me presentaron como el capellán que pasó el tiempo con ellos y que oró con ellos.

Cuando el pastor aparece en la sala de emergencia del hospital, es de esperar que sea bien recibido por el personal debido a sus ministerios en ocasiones anteriores allí. Las personas lo reconocerán como un hombre de Dios y dependerán de él inmediatamente para un ministerio espiritual. El pastor tiene la puerta abierta para averiguar con la familia qué ha sucedido y así preparar su ministerio en conformidad con las circunstancias.

El pastor debe estar alerta a captar las señales iniciales de culpa o la tendencia de echar la culpa sobre alguna persona involucrada en la crisis. Esto indicará la necesidad de un ministerio más extenso en el futuro. Mentalmente, el pastor deberá registrar estos problemas y estar alerta a las oportunidades de ministrar cuando las circunstancias futuras lo permitan. Cuando varias personas están involucradas en una crisis, debe circular entre las víctimas y los miembros de su familia con el fin de estar disponible a ministrar donde haya la mayor necesidad.

Cuando personas desconocidas llegan al pastor con una situación crítica, es importante averiguar ciertos hechos acerca de la persona y de la situación. ¿Quién es la persona? ¿Cuál es el problema actual como lo ve la persona? ¿Por qué ha venido por ayuda ahora? ¿Por qué la persona ha buscado a un ministro? ¿De quién más ha buscado ayuda esa persona? ¿Quién más está involucrado en la crisis? ¿Qué espera esa persona que haga el pastor? Las respuestas a estas preguntas le darán una perspectiva al pastor que lo guiará en su plan de acción en su ministerio. Puede evaluar la situación de acuerdo con la realidad y desarrollar un plan para dar la mejor clase de ayuda que sea posible, según las circunstancias.

La mayoría de las personas que no son miembros de la iglesia vienen al pastor porque algún miembro de la iglesia los ha animado a hacerlo. El pastor debe responder a estas personas en forma bondadosa. La persona puede llegar a confiar en él debido a lo que ha escuchado anteriormente de la habilidad del pastor. Algunos que necesitan ayuda dudan y vacilan por un tiempo antes de buscarla de verdad. Una disposición positiva de parte del pastor ayudará a quebrantar la resistencia.

Reduzca la crisis a lo esencial

La persona que viene por ayuda debido a una crisis, no es capaz de hablar lógicamente. Probablemente expresa muchas emociones simultáneamente. El pastor puede facilitar la catarsis mientras escucha atentamente el relato de lo que ha sucedido. La persona puede no estar en condiciones de relacionar los diferentes hechos que está expresando. Es responsabilidad del pastor evaluar la situación y reducir el problema a sus componentes. Es provechoso para la persona si el pastor señala los aspectos más serios de la situación. Los problemas deben ser reducidos a una dificultad central. Es beneficioso si la persona puede lograr enfocar una área específica por un tiempo. Al resolver esta faceta, otras pueden ser eliminadas o colocadas en una nueva perspectiva.

Muchas veces las personas son renuentes a buscar ayuda siquiátrica porque temen que el siquiatra encuentre que tienen muchas dificultades que los abrumarán. Este es un pensamiento erróneo, porque la mayoría de nuestros problemas radican en una dificultad básica. Nuestros otros problemas son complicaciones adicionales, las cuales son el fruto de esta dificultad. El siquiatra no "descubrirá" el problema de uno; él ayudará a la persona a que llegue a conocer su propia dificultad para que tome medidas para hacerle frente en la manera más aceptable posible.

Muchos que vienen por ayuda tienen emociones reprimidas que necesitan ser expresadas. Ellos pueden expresar ira, frustración, culpa, ansiedad, vergüenza, aflicción y muchas otras emociones. Cuando se descargan de una manera espontánea, viene el alivio. Son capaces de relajarse. Son capaces, entonces, de hablar lógicamente acerca de lo que está sucediendo en su vida y los pasos que deben seguir para enfrentar la situación. El descubrimiento de que alguien tiene interés en él y su problema es una fuente de estímulo.

Frecuentemente se descubre que el problema que tiene la mayoría de las personas es que alguna necesidad no ha sido o no es satisfecha en el tiempo presente. Estas necesidades insatisfechas se manifiestan en varias formas de comportamiento. Pueden manifestarse en enfermedades sicosomáticas. Los médicos someten al paciente a diferentes clases de exámenes, pero no pueden encontrar bases orgánicas para la enfermedad. Estas personas sienten dolor y tienen síntomas somáticos, pero el problema no puede ser identificado en el mal funcionamiento de algún órgano del cuerpo. Concluímos que ellos tienen enfermedades inducidas por las emociones negativas. Cuando alguien les ayuda a tratar con la necesidad insatisfecha en su vida, los síntomas desaparecen. El pastor puede reconocer estas necesidades insatisfechas más rápidamente que las personas. Puede ofrecer posibles soluciones, las cuales, si son implementadas, pueden resolver la dificultad inmediata.

El proceso de "reducir" el problema varía según la naturaleza de éste. Si hay una situación de emergencia, es necesaria la acción inmediata del pastor. Cuando ha pasado la crisis inmediata, entonces el pastor puede hablar más detenidamente y durante varias sesiones con el fin de ayudar a la persona a aislar factores y encararse con las fases más críticas de su modo de adaptación.

Haga un inventario de los recursos

Tratar con el problema de una persona involucra el tomar decisiones que pueden cambiar la dirección en la cual se está desenvolviendo esta persona en la vida. El aconsejado necesita establecer nuevas metas y poner en marcha un nuevo curso de acción con el fin de realizar estas metas. El pastor debe ayudarle a descubrir que las cosas pueden ser diferentes en su vida. Se le puede hacer ver que debe ser un agente de cambio activo a medida que planea su futuro. El pastor puede mencionar rasgos de la personalidad de la persona que funcionan como fuerzas y ventajas cuando se mueven en nuevas direcciones para acciones futuras. El estímulo de la confianza expresada en un momento crítico puede cambiar el curso de la vida de una persona.

Yo experimenté esto personalmente cuando era un joven de diecisiete años y estaba terminando la secundaria con planes inciertos para el futuro. La decisión de estudiar en la universidad fue el resultado de la influencia de personas importantes en la iglesia, que inspiraron en mí una gran confianza propia en mi futuro. La decisión de buscar entrada en los estudios de postgrado después de la preparación básica en el Seminario fue el resultado del estímulo de un amigo que está ahora en la presencia del Señor. La elección del lugar de ministerio fue el resultado del estímulo especial de alguien que mostró interés en mí y mis dones en la enseñanza. Todas estas ilustraciones buscan decir que nosotros, como colaboradores, podemos tener influencia significativa sobre aquellos que están buscando hacerle frente a su situación, ya sea una crisis fortuita por algún accidente o una crisis evolucionista.

El pastor sabio debe llamar la atención a las habilidades de uno mismo como un medio de ayudarle a resolver la crisis en su vida. Cuando alguien está enfrentando una situación crítica, tiende a sentir que su mundo se ha despedazado, que es impotente y que ya no tiene futuro. Puede ser ayudado si lo desafiamos para utilizar el depósito de sus propias fuerzas para reconocer sus dones y su potencial. Debe hacérsele ver que la vida continúa. A su tiempo verá las cosas desde una perspectiva diferente. El pastor puede, además ayudar a la persona a tomar la responsabilidad de su vida y controlar las circunstancias internas y externas con el fin de lograr el resultado más positivo de las dificultades que le han llegado.

Edgar Jackson le dio a su libro sobre consejería en la crisis el título: *Coping With the Crises in Your Life* (Encarándose con las Crisis en Su Vida), el que enfoca especialmente esta etapa del proceso.[4] El discute en su libro las crisis por etapas evolucionistas tanto como las crisis accidentales, y enfatiza la necesidad de usar recursos espirituales al enfrentar experiencias críticas que nos llegan a todos.

Una parte del enfrentamiento con la crisis es encararnos con las fuerzas externas que operan en nuestro mundo. Nosotros podemos apelar a muchos recursos externos de ayuda que están disponibles. Las personas que tienen problemas con el alcohol deben tomar la iniciativa para buscar ayuda a través de instituciones, tales como Alcohólicos Anónimos, la que ofrece ayuda a las personas en estas condiciones. Lo mismo es cierto en los centros de rehabilitación, que ofrecen ayuda a los que están involucrados con las drogas. En algunas comunidades puede haber agencias de gobierno que ofrecen ayuda a las personas con diferentes clases de problemas.

El pastor debe ayudar al aconsejado a pensar acerca de todas las posibilidades como medios de tratar la crisis. Debe guiar a la persona a considerar los resultados potenciales de cada curso de acción. La persona puede eliminar algunas de las posibilidades como indeseables o porque traen consecuencias que la persona no está lista a enfrentar. Como resultado de este proceso el aconsejado las eliminará todas, menos una o dos posibilidades. Debe ser alentado a tomar tiempo adicional con el fin de meditar sobre su curso de acción. Deberá ser animado también a orar por la dirección divina.

Una faceta del proceso de tomar una decisión es la consideración del costo, emocional y material, de cometer un error. ¿Qué tan costoso será tomar una decisión que descubriremos más tarde que era la equivocada? ¿Puede la decisión ser invertida? ¿Qué tan costoso será retroceder y moverse en una dirección diferente? Por ejemplo, si un hombre de cincuenta años está considerando la posibilidad de cambiar de empleo, necesita mirar la posibilidad desde toda perspectiva. ¿Será posible conseguir un empleo diferente? ¿Qué sucederá si no está satisfecho con ese nuevo trabajo? ¿Habría alguna posibilidad de regresar a su trabajo anterior si deseara hacerlo? Estos factores pueden motivarlo a decidir que sería mejor permanecer con el empleo que tiene actualmente.

El pastor debe evitar crear una actitud de dependencia por parte de los que están buscando ayuda. En algunas culturas este problema es mucho mayor que en otras. Algunos centros que se especializan en la intervención de la crisis establecen un máximo de seis veces que ellos verán a un cliente, con el fin de prevenir la tendencia de desarrollar dependencia sobre otros por ayuda. Es muy posible dar la clase de ayuda que la mayoría de las personas necesitan en unas pocas sesiones. Desde el comienzo el pastor debe orientar a la persona al hecho de que asumirá responsabilidad por ella misma y por su futuro dentro de unas pocas semanas.

El pastor debe evitar tomar decisiones por el aconsejado. Debe averiguar si el aconsejado se siente bien acerca del curso de acción que ha sido discutido y si puede abrazarlo como su propia decisión. El pastor debe presentar varias alternativas, pero no debe tomar decisiones sobre el curso de acción a seguir. Cuando la persona ha hecho la elección, el pastor puede afirmar esta decisión y ayudar a la persona a llegar hasta el fin con la decisión que ha tomado. Algunas veces los primeros pasos son los más difíciles, porque pueden representar el entrar en un territorio desconocido y poco familiar. Pueden involucrar mucho dolor. El pastor puede ir al lado de la persona y animarla en los primeros pasos en el camino hacia una manera nueva de pensar y actuar.

Ocasionalmente, los primeros pasos dentro de una nueva aventura revelarán que ésta fue un error. Cuando esto sucede el pastor puede ayudar a la persona a retroceder en su curso de acción y reagruparse para un nuevo comienzo. Es difícil para algunas personas admitir que han cometido errores. Podemos abrir puertas para ellas, hablando figurativamente, con el fin de ayudarlos a retroceder y encaminarse en nuevas direcciones.

La mayoría de las personas tienen recursos dentro de ellas mismas y en sus contactos con otros, que pueden darles la fuerza que necesitan para enfrentar la mayoría de las crisis que le llegan. Necesitan la colaboración de una persona importante que les ayude a ordenar todas las emociones que rodean una crisis y ayudarles a planear un curso de acción para el futuro inmediato y el más remoto. El pastor es, en muchos casos, la persona que puede dar este sentido de estabilidad en una situación crítica. El pastor puede ofrecer esperanza a la persona que está confundida en la intensidad de una experiencia crítica. La esperanza es un elemento importante para ayudar a cualquier persona a enfrentarse con las diferentes experiencias de la vida. Cuando las personas tienen esperanza, continúan en sus esfuerzos por resolver sus propios problemas. Así el pastor siempre buscará las evidencias de esperanza que existen en cualquier situación.

La reacción de dolor agudo

Hace unos años, poco antes de la Navidad, recibí una llamada para ir al hospital de la universidad local porque una familia de la que varios eran miembros activos de la iglesia local, habían sido víctimas de un accidente automovilístico. Paramos todas nuestras actividades y fuimos inmediatamente a la sección de urgencias del hospital. Cuando pasamos por la entrada, un hermano, que es líder de su iglesia local, se me acercó. Con sus ropas manchadas de sangre, su cara hichada, varias partes de su cuerpo con raspaduras y sangre sobre ellas, cayó en mis brazos con esta declaración: "¡Oh, doctor Giles, Marta está muerta!" Marta era el nombre de su hija, una adolescente que apenas había terminado el bachillerato. Era una bonita joven cristiana que era una líder en las organizaciones de jóvenes en la iglesia. Ella iba sentada en el asiento delantero del microbús Volkswagen con su padre, mientras que el resto de la familia estaba en los asientos traseros del vehículo. El padre iba manejando. Había chocado de frente con un camión; Marta fue lanzada contra el parabrisas, se le quebró la nuca y murió instantáneamente. En los siguientes momentos, escuché las lamentaciones de angustia del padre debido a la muerte de su hija y las lesiones de su esposa y otro hijo.

Después de unos momentos insistimos en que Héctor se recostara en una de las camillas del hospital. Los doctores estaban ocupados dando atención médica a su esposa. Debido al severo golpe en su cabeza él también empezó a sentirse mareado. Cerró sus ojos por unos momentos, mientras yo tomé un pañuelo para secar sus lágrimas y limpiar el sudor de su frente y su cuello. Se durmió, pero a los pocos instantes abrió sus ojos y preguntó: "¿Dónde estoy?" Yo contesté que estaba en el hospital. El preguntó: "¿Qué sucedió?" Yo le expliqué que había tenido un choque en el vehículo. El preguntó: "¿Cómo está Santiago?" (su hijo menor). Yo le respondí que estaba bien. "¿Cómo está Janeth?" (su otra hija) Yo le expliqué que también estaba bien. "¿Cómo está Zoila?" (su esposa) Le expliqué que estaba lesionada pero que los doctores decían que estaría bien. Entonces preguntó vacilantemente: "¿Cómo está Marta?" Yo le dije que ella había recibido un golpe fuerte en el accidente y que estaba muerta. El arrugó la frente, lanzó un angustioso quejido y dijo: "¡Oh, no! ¡Yo la maté!" Yo sequé su cara con mi pañuelo y traté de consolarlo con la explicación que el podría sentirse mejor al saber que había sido un buen padre, y que ella había sido una muchacha tan buena y tan bonita que él no debía tener remordimientos acerca de su trabajo como padre para criarla. Después de un momento se calmó, cerró sus ojos, y cayó en un sueño ligero de nuevo, pero a los pocos instantes despertó alarmado y repitió la misma serie de preguntas. Cada vez Marta era la última persona por la que preguntaba. Cada vez cuando le decía que ella había muerto, volteaba su cara hacia la pared y lloraba con la pregunta: "¿Qué voy a hacer?" Me senté al lado de la camilla, toqué su brazo y su hombro, continué secando su cara buscando consolarlo acerca de su hija y de los otros miembros de la familia. Después de algún tiempo el personal del hospital nos informó que habían internado a su esposa en un cuarto privado en otra sección del hospital y que podíamos ir allá para estar con ella. Fuimos a ese sector, entramos en el cuarto y lloramos silenciosamente cuando el esposo se inclinó sobre la cama, besó a su esposa y la sostuvo entre sus brazos. Ellos estaban andando en el valle del dolor y la tristeza física y mental debido a los acontecimientos de las últimas horas.

Después de pasar un rato en el hospital, llevamos a Héctor a nuestra casa, le dimos comida caliente y se acostó en una cama. A la mañana siguiente desperté temprano y fui a su cuarto para ver cómo estaba. Cuando se despertó, preguntó: "¿Dónde estoy?" Le expliqué que lo habíamos traído a nuestra casa y que había pasado allí la noche. No recordaba lo que había pasado, y yo tuve que explicarle de nuevo acerca del choque. Cuando le expliqué que Marta había muerto empezó a llorar de nuevo y a decir: "¿Qué voy a hacer?" Le dimos algo de desayunar, alguna de mi ropa limpia para que se pusiera, y lo llevamos al hospital de nuevo para ver a su esposa. El resto del día se llenó con detalles relativos al servicio funeral y al entierro de Marta. Después, fue hospitalizado por causa de su agotamiento físico y emocional debidos a los eventos de la tragedia. Yo lo visité varias veces durante los siguientes días en un esfuerzo por ser una fuente de consuelo para él.

La experiencia anterior ilustra cómo el ministro es una fuente vital de ayuda en tiempos críticos. El debe ir de inmediato al lado de las personas que están en una crisis tan pronto como se entere. El debe hacer contacto con las personas que están más cercanas al evento crítico. Un apretón de manos, una palmadita en la espalda o un abrazo, comunicarán el interés de uno por los que están en un tiempo de crisis. Unas cuantas palabras de consuelo serán una fuente de ayuda para las personas. El pastor puede necesitar ayudar a la gente a tomar algunas decisiones, según la naturaleza de la crisis. Si hay otros miembros de la familia presentes, pueden ser alistado para ayudar con detalles de arreglos. La presencia física del pastor y de los hermanos cristianos en tiempos como éstos siempre será recordada con gratitud. El pastor y otros líderes cristianos pueden ocuparse en oración silenciosa para que la gracia de Dios se haga evidente en la vida de los envueltos en tan difícil situación.

Las reacciones de mi amigo son típicas de los que están envueltos en dolor agudo. Sus mecanismos de negación estaban constantemente en acción, buscando convencerlo de que el accidente en realidad no había pasado, y su constante repetición de una serie de preguntas relacionadas con los diferentes miembros de la familia que estaban en el vehículo indica cómo los temores innatos de uno asaltan en un momento de crisis. El pastor debe tener en mente la importancia de señalar la realidad a los que son víctimas de alguna crisis. Necesita repetirles los detalles de lo que pasó, para que su sistema pueda asimilar los hechos adecuadamente.

El ministerio de presencia es significativo en tiempos como estos. El pastor es visto como representante de Dios, y cuando aparece en escena, la mayoría de la gente tiene un sentido de tranquilidad. De alguna manera parece que el cuadro no es tan desesperado porque el mensajero de esperanza está presente. El pastor es visto como una persona que se interesa por su gente. Su presencia será vista como una expresión de amor. Así como Jesús se identificó con la gente que sufría, el ministro debe ser visto entre los cojos, los ciegos, los hambrientos y los que tienen problemas de otra naturaleza.

Además de la presencia física del pastor, él debe tener la serenidad para evaluar la situación y decidir del curso de acción apropiado. El puede preguntar si otros miembros de la familia han sido informados de la dificultad, y hacer arreglos para avisarles. Si la policía debe ser notificada, él puede sugerir que se haga. Usualmente a alguien tiene que asignarse la responsabilidad de conseguir ayuda financiera para las víctimas de la crisis. El pastor puede sugerir la persona más indicada para que se haga cargo de este aspecto de ayuda. El puede enlistar a damas de la congregación que vayan al hogar de la familia y ayuden en las muchas tareas que necesitan ser hechas allí.

Estos detalles administrativos, sin embargo, no son el principal papel del pastor en ocasiones como estas. El debe ser la fuente de ayuda espiritual. El debe llevar su Biblia o Nuevo Testamento en su bolsillo. Puede abrirlo de cuando en cuando y leer partes que ofrezcan consuelo a aquellos que están en angustia. Hablará suavemente a las diferentes personas acerca del amor de Dios que cuida a los que están viviendo momentos difíciles de angustia. Puede participar con oraciones cortas con individuos y con el grupo entero. Su énfasis sobre lo espiritual ayudará a brindar calma y confianza a los que están presentes.

El pastor puede también ayudar a las personas a dar significado a lo que está sucediéndoles. No es el momento de tratar de explicarles por qué Dios permite que los accidentes sucedan o por qué los niños y los jóvenes tienen que morir en la flor de la vida, pero él puede ayudar a las personas a buscar un significado profundo a estas preguntas. Puede ayudar a las personas a establecer una comunicación con Dios a través de la experiencia del sufrimiento.

Notas

[1] Wilbur E. Morley, "The Theory of Crisis Intervention" *Pastoral Psychology* (April, 1970), p. 16.

[2] Larry Bugen, *Human Grief*, artículo mimeografiado disponible para los capellanes en el Centro Médico Baylor, Dallas ,Texas (1978).

[3] Warren L. Jones, *The A-B-C-Method of Crisis Management, Mental Hygiene* (January, 1968), pp. 87 ss.,citado por Howard W. Stone, *Crisis Counseling* (Philadelphia: Fortress Press,1976), pp. 32-46.

[4] Edgar N. Jackson, *Coping With the Crises in Your Life* (New York: Hawthorn Books, Inc., 1974).

12

LA CONSEJERIA EN TEMAS RELACIONADOS CON LOS INTERESES FINALES

Ministerio a los afligidos

La crisis más grande de la vida es la muerte. Agita las emociones como ninguna otra experiencia. Su fuerza poderosa es descrita en una sola relación en las siguientes palabras:

> La muerte hace a una relación lo que Dios no permite que ningún hombre haga. La muerte separa. Cuando esto sucede, la aflicción es inminente como una crisis dolorosa. El matrimonio hace de un hombre y una mujer una carne. La muerte rompe esa unidad. La muerte de uno deja al otro como un mero fragmento de una persona. Esa experiencia de fragmentación es conocida por nosotros como aflicción.[1]

El presente estudio está interesado en las reacciones de los que quedan después de la muerte de un amigo o un ser querido. Uno no debería estar interesado solamente por la adecuada y apropiada disposición de los restos físicos de la persona que ha muerto, sino también por un ministerio adecuado para los que están afligidos.

Definición del dolor

La forma en que una persona reacciona ante la muerte de alguien que ha sido importante en su vida es comúnmente llamado sentimiento de duelo o dolor. Esta reacción puede variar de una angustia extrema del espíritu, en la que la persona llora libremente, o puede ser un sollozo ahogado. A veces hay personas que no manifiestan dolor. El dolor ha sido descrito como ansiedad por una pérdida significativa.[2]

Otros se refieren al dolor como una fuerza destructiva que es violenta en sus ataques e inflexible en su persistencia.[3] Esto envuelve la separación de los seres queridos, que causa una pérdida profunda que la persona siente por un largo período.

Síntomas de dolor

El dolor tiene síntomas o manifestaciones tanto físicos como emocionales. Quizá el estudio más completo en esta área ha sido logrado por Erich Lindemann, un siquiatra de Boston, que estudió las reacciones de dolor en las personas cuyos familiares y amigos perecieron en un accidente que destruyó el Club Nocturno Coconut Grove en 1942.[4] Lindemann dice que los síntomas más severos de aflicción vienen de diez días a dos semanas después de una tragedia.[5] Los síntomas físicos son una sensación de estrechez en la garganta, ahogo con dificultades en la respiración, suspiros, una sensación de vacío en el estómago y una falta de fuerza muscular. Los disturbios respiratorios resultan frecuentemente cuando la persona es alentada a hablar acerca de su pérdida. Algunos se quejan de que no tienen apetito y que tienen que forzarse para comer. Dicen que la comida no tiene sabor o que sabe a arena.

Freud realizó estudios de las reacciones del dolor y enumeró las características emocionales de la aflicción como (1) una melancolía profundamente dolorosa, (2) la anulación de los intereses en el mundo exterior, (3) la pérdida de la capacidad para amar, y (4) la inhibición de toda actividad.[6] Estas reacciones serán mencionadas más detalladamente en las páginas siguientes.

El propósito del dolor

La mayoría de las personas están muy perturbadas durante el proceso de la aflicción porque tienen muy poco control sobre la expresión de sus emociones. No pueden entender qué les está sucediendo. Temen poder estar perdiendo la cordura. Algunos se esfuerzan por retener las lágrimas, aunque les gustaría realmente permitir que salieran.

La investigación moderna en el área de las reacciones del dolor nos han ayudado a ver que hay una cierta cantidad de "trabajo de dolor" que una persona tiene que hacer después de experimentar una pérdida por la muerte. Es a través de esta experiencia que una persona se libera a sí misma de la relación íntima que ha existido y vuelve a invertir su capital emocional en nuevas y productivas direcciones para la conservación de la salud y bienestar de su vida futura en la sociedad. Las lágrimas son "válvulas de presión" de la naturaleza y tienen el efecto de aliviar y calmar al doliente.[7] La descarga lacrimal puede resultar del dolor emocional tanto como del dolor que evoca el derramamiento de lágrimas. "Cuando los estímulos de aflicción, decepción, enojo o gozo abrumadores exceden la tolerancia del organismo, el estado resultante de tensión es aliviado por una liberación de energía de varios órganos o sistema de órganos que anulan la tensión."[8]

El Proceso del Dolor Normal

Jackson establece que las reacciones del dolor pueden estar condicionadas en cuatro formas: (1) por la estructura de la personalidad del individuo; (2) por los factores sociales que están en función con relación al individuo; (3) por la importancia del difunto en la vida del sobreviviente; y (4) por la estructura de los valores del individuo.[9] Es posible predecir cómo alguien va a reaccionar al dolor por el tipo de personalidad que se tiene. "La persona que es inmadura y dependiente, en su esfuerzo por compensar sus sentimientos de insuficiencia personal, exagera su inversión en las emociones para apoyar a otros, y es así más vulnerable emocionalmente a la pérdida de su objeto amado."[10]

Etapas en el proceso del dolor

Depresión. La depresión es usualmente el primer enemigo amenazante para los dolientes cuando viene la pérdida. Tendrán tiempo para sentarse y pensar en el ser querido que se ha ido de esta vida. Se sentirán muy solos, especialmente si están jubilados y tienen mucho tiempo disponible. Son frecuentemente los casos en que el cónyuge puede intentar el suicidio con el fin de estar con la persona querida que ha muerto. Cuando el pastor visita la casa de estas personas, puede sentarse y hablar con ellas acerca del ser querido que se ha ido. Algunas veces las personas querrán hacer preguntas acerca de la muerte, el cielo y la vida en el más allá. Ellos pueden querer simplemente participar en reminiscencias con el pastor acerca de las experiencias de años anteriores. El pastor deberá sentir que este tiempo está bien invertido, porque está ayudando a esas personas a que regresen a su vida normal.

Anhelo. Por el anhelo nosotros queremos decir que la persona desea revivir el pasado o pasar largos períodos de tiempo pensando en que quiere ir a estar con el ser querido que ha muerto. Son incapaces de hacer planes por sí mismos para el futuro, porque la vida ha perdido su sentido para ellos. Esto está relacionado estrechamente con la depresión. Las personas mayores tienden a pasar más tiempo en esta etapa que las personas jóvenes. Los jóvenes y los adultos jóvenes, más que las personas mayores, tienden a tener más habilidad para involucrarse en su trabajo, lanzarse a nuevas aventuras en sus negocios y establecer nuevas amistades.

Hostilidad. Una parte del proceso del dolor es la expresión de cólera que las personas tienen por la muerte de alguien importante en sus vidas. Este enojo puede manifestarse hacia los médicos y enfermeras, el empresario de las funerarias o cualquier otra persona que tuviera algo que ver con el paciente en los últimos días de su vida. El pastor escuchará acerca de los errores del cirujano, del cuidado deficiente de las enfermeras en el hospital y las otras formas en las que las personas no llegaron a la altura de las expectativas. El no deberá tratar de defender a estas personas, más bien simplemente reconocerá que es la forma del doliente para adaptarse a su pérdida.

A veces la persona está furiosa con el difunto. El esposo puede sentir que su esposa lo ha abandonado dejándole con dos o tres hijos para educar. La esposa puede sentir que su difunto esposo no hizo la adecuada preparación para su familia en caso de muerte, o que sus negocios no estuvieran en orden. Algunas veces las personas tienen dificultad en expresar su ira hacia la persona que ahora está muerta. Cuando el matrimonio se ha caracterizado por conflictos, la persona puede sentir que Dios lo está castigando debido a la actitud expresada hacia el cónyuge mientras que estaba vivo. Los niños tienden a sentirse culpables si han estado disgustados con un padre que muere de repente. Sentirán que han contribuido a su muerte. Los padres a veces se sienten culpables cuando un niño muere, porque tienden a sentir que no hicieron todo lo posible para prevenir la muerte.

El pastor debe escuchar activamente a aquellos que comparten con él sus sentimientos interiores. No debe tratar de persuadirlos a no sentirse así. La mejor terapia es ayudarles a exteriorizar sus sentimientos. Cuando el pastor comunica el mensaje a las personas de que él los acepta con sus sentimientos negativos, esto facilinará que ellos confíen en él.

Culpa. Ya hemos mencionado la culpa en la sección anterior, porque algunas veces la culpa viene inmediatamente después de la cólera. Los sentimientos de culpa aparecen en la mayoría de las personas durante el proceso de resolver el dolor. Se sienten culpables porque no hicieron lo suficiente por la persona en los últimos días antes de la muerte. Hablan diciendo: "Ojalá hubiera llamado al doctor o a la ambulancia antes." Pueden mencionar una discusión que tuvieron con el difunto en los años anteriores y que aún los hace sentirse culpables. El pastor no tratará de persuadir a las personas a no sentirse culpables. En vez de eso, contestará con empatía y les indicará que él entiende los sentimientos que ellas están expresando. Hará respuestas que indican que está prestando toda atención a la línea de pensamiento del que está hablando. Puede señalar las cosas que la persona hizo, las que representaron interés, amor y servicio.

Aceptación de la pérdida y la reafirmación de la vida. La etapa final del proceso del dolor es la de la aceptación. La persona con el tiempo se da cuenta de que la vida continúa. Lentamente el afligido archiva los recuerdos de las relaciones pasadas con la persona que ha muerto. Se aleja de la tristeza que ha prevalecido desde el momento de la muerte. La persona separa los sentimientos emocionales de la experiencia de la pérdida. Así, él o ella comienza a hacer planes para el futuro que no incluyen a la persona muerta. La persona puede hablar de mudarse a otra casa o hasta a otra ciudad e iniciar nuevos negocios y aventuras sociales. El estímulo de lo nuevo es terapéutico para ella.

Las personas que han estado casadas y han perdido a su cónyuge pueden comenzar a hablar acerca de la posibilidad de desarrollar amistades con personas del sexo opuesto. Pueden hacer referencias a su interés en encontrar la oportunidad de conocer a nuevas personas. Deben ser animadas por el pastor y otros que trabajen con ellas en los programas de la iglesia. Para muchos la oportunidad de casarse de nuevo nunca llegará. En algunas culturas puede ser considerado más bien inapropiado el que la viuda piense en el matrimonio, mientras que se espera que el viudo se case después de un tiempo prudente a la muerte de la esposa.

La aceptación de la pérdida sucede paulatinamente. La persona llega a agradecer a Dios por la relación que tuvo en el pasado, pero reconoce que ya no perdura esta relación. Algunos hacen una visita final y decisiva al cementerio y expresan allí sus últimas manifestaciones del dolor. Un amigo mío me dijo que hubo algo final y decisivo en su visita al cementerio dos años después del entierro de su primera esposa. A los pocos meses él estaba casado de nuevo y avanzando en nuevas direcciones en su vida.

Se dice que el proceso del dolor termina cuando la persona renuncia a su anhelo por la persona desaparecida y acepta el mundo real sin ese ser querido. El o ella se involucra en las actividades diarias sin pensar constantemente en la persona que ya no estará presente. Afirma que la vida es buena y desafiante y avanza hacia el futuro con una actitud de confianza.

Indicaciones anormales de dolor

Si una persona no es capaz de resolver su dolor en un período de seis meses a un año, entonces hay la posibilidad de que el dolor se ha convertido en algo patológico y destructivo.[11] La ausencia de manifestaciones de dolor y la aflicción prolongada son ambas indicaciones de una necesidad de ayuda en el manejo de la situación.

Una indicación del dolor anormal es cuando el afligido se rehúsa a reconocer la pérdida. Se han reportado casos en que el doliente prepara un lugar en la mesa a la hora de comer, para la persona que ha muerto, o rechaza prescindir de la ropa y otros artículos del difunto. Algunos han escrito cartas al difunto, actuando como si él estuviera de viaje. Otros van al cementerio diariamente; se sientan y conversan con el difunto.

Otra manifestación de duelo anormal es cuando una persona se casa de nuevo rápidamente. El viudo puede casarse con una buena amiga de la difunta, a fin de pasar mucho tiempo conversando acerca de la persona que ha partido. Puede buscar a alguien que se asemeje físicamente a la persona que ha muerto o a alguien que esté comprometido en el mismo tipo de trabajo. Todas estas acciones son indicaciones de que no ha resuelto su aflicción adecuadamente. Otro indicio de duelo no muy sano es llegar a estar involucrado en una aventura comercial muy súbita tomando riesgos innecesarios.

Las reacciones de la aflicción pueden ser retrasadas por varios meses. Cuando una segunda persona de importancia en la vida del doliente muere, hay una expresión excesiva de lágrimas y otras formas de dolor. En este caso la persona está doliéndose de la primera pérdida en vez de la segunda. Algunas veces se les dice a los cristianos erróneamente que ellos no deberán llorar si el ser querido era un creyente, porque él se ha ido a un lugar mejor. Esta enseñanza reprime la aflicción y hace necesario un trabajo de dolor en el futuro. De otra manera el doliente puede manifestar síntomas sicosomáticos de enfermedad.

Lindemann menciona nueve alteraciones en la conducta de la persona doliente a las que llama "reacciones distorsionadas".[12] Estas son: (1) Hiperactividad, sin manifestar un sentido de pérdida; (2) la adquisición de síntomas pertenecientes a la enfermedad del difunto; (3) una enfermedad médica reconocida, de naturaleza sicosomática, tal como la colitis ulcerosa, la artritis reumatoide y el asma; (4) una alteración en su relación con amigos y parientes; (5) hostilidad furiosa contra personas específicas, posiblemente el doctor o el cirujano; (6) una alteración de la conducta que asemeja proporciones esquizofrénicas; (7) la pérdida por demasiado tiempo de patrones de interacción social; (8) actividades que son perjudiciales a la existencia social y económica de uno; y (9) depresión excesiva con tensión, agitación, insomnio, sensaciones de inutilidad, autoacusación severa, y una necesidad abierta de castigo. Tales personas pueden intentar suicidarse. Necesitan la compañía de amigos o familiares por un tiempo o ayuda profesional para superar esta etapa de su dolor.

El papel del ministro con el doliente

La oportunidad de ayudar. El doctor Lindemann sugiere que la persona que sufre una pérdida por muerte ordinariamente necesita de seis a doce horas del tiempo de alguien para hablar acerca de su pérdida y adaptarse nuevamente a la vida normal sin ese ser querido. El siente que el colaborador debe ser el médico, pero reconoce que es imposible en la mayoría de los casos, porque los médicos no disponen de tiempo. Los ministros y trabajadores sociales pueden desempeñarse adecuadamente con los casos ordinarios del dolor y remitir los casos más serios a un siquiatra.

Michaelson enfatiza el papel del ministro en esta circunstancia, en la siguiente declaración:

> ¿Quién de todas las personas profesionales puede ayudar a un hombre a bien morir? El médico, por supuesto, puede ayudarlo antes de la muerte, pero al morir, es demasiado tarde. ¿Quién está allí para administrar el bálsamo que puede reducir la picadura de la muerte? El empresario de la funeraria puede poner cosméticos en la cara del difunto y hacerlo parecer como si estuviera durmiendo. El médico puede anestesiar a la persona y reducir el dolor de los últimos suspiros del moribundo, y en esta forma reducir el aguijón de la muerte. Pero, ¿quién puede desafiar la cara de la muerte misma? Yo digo, con toda posibilidad de ser acusado de orgullo profesional, que hay solamente uno: el ministro. Sólo él tiene lo que la Biblia llama "las palabras de la vida eterna", las cuales son al final, lo que el moribundo necesita.[13]

Kean sugiere que el ministro no deberá esperar a ser consultado en casos del dolor.[14] El deberá, más bien, tomar la iniciativa para ministrar, aunque las personas pueden tratar de esconder sus sentimientos.

Algunos ministros encuentran dificultades en tratar con personas que sufren de dolor. Cuando este es el caso, el ministro necesita hacer un estudio concienzudo de su propia salud emocional. Posiblemente tiene problemas latentes que necesitan ser tratados. Un ministro rehusó hacer varias visitas en el hospital debido a sus reacciones emocionales severas en tales circunstancias. Algunos pastores hacen arreglos para el funeral por teléfono y aparecen en la escena justo a tiempo para el servicio. Luego desaparecen tan pronto como el servicio ha finalizado. Estas son indicaciones de que el ministro necesita pasar algún tiempo hablando acerca de sus propias dificultades relacionadas con la muerte y el dolor.

El mensaje del funeral. Caben unas pocas sugerencias para el pastor con relación al mensaje del servicio fúnebre. El ministro debe hacer un esfuerzo para que a través del servicio fúnebre ayude a las personas a enfrentar la realidad de la muerte y sus efectos. Declaraciones tales como: "El no está muerto; se ha ido por un tiempo", son inapropiadas. El pastor tampoco deberá identificar la muerte como la "voluntad de Dios". El objetivo primario del mensaje funeral es ofrecer consuelo al afligido. Deberá ser una afirmación de nuestras creencias cristianas en la vida después de la muerte y en el cielo como morada de los creyentes por toda la eternidad. No necesita ser largo. Puede referirse brevemente a la vida del desaparecido. Las referencias deberán ser verídicas. Si la persona no vivió una vida ejemplar, no deben hacerse referencias a este caso. El pastor hará bien en citar abundantemente la Biblia, utilizando los pasajes que ofrecen esperanza en la vida futura.

El tiempo después del funeral. El período inmediato después del servicio fúnebre ofrece oportunidades al pastor para servir como consejero. El ministro debe mostrar interés genuino y comprensión. Debe facilitar la expresión libre de cualquier emoción que tienen los doliente.[15] También, puede ser dañino si les dice a las personas que pongan manos a la obra, que dejen sus preocupaciones atrás y que enfrenten el futuro valerosamente.[16] Generalizaciones como: "Todo el

El pastor no debe hacer declaraciones que tienden a anestesiar al doliente. También, puede ser dañino si les dice a las personas que pongan manos a la obra, que dejen sus preocupaciones atrás y que enfrenten el futuro valerosamente. Generalizaciones como: "Todo el mundo se recupera del dolor", "De aquí a seis meses te sentirás diferente", y "A su tiempo lo olvidarán", no dan consuelo. Otra declaración que comúnmente se escucha es: "Ella no está muerta de verdad. No la has perdido, sino que la has ganado." Intentos como estos para tranquilizar a la persona tienden a hacerle sentir más el vacío.

El pastor debe darse cuenta de sus propias limitaciones al tratar con el doliente. Debe estar consciente de la tendencia que las personas tienen de llegar a ser demasiado dependientes de él. No debe cortar su relación con el doliente repentinamente, pero tampoco deberá alimentar la dependencia de las personas sobre él. Cuando visita a los que están en dolor, les puede decir que su visita semanal será reducida a una visita cada dos o tres semanas, porque otras personas están demandando su tiempo también.

El Ministerio con los que Amenazan Suicidarse

¿Quiénes intentan suicidarse?

Los estudios muestran que hay ciertas condiciones que viven las personas, que hacen que los intentos de suicidio sean más frecuentes. Mencionamos algunas de estas condiciones con el fin de que el ministro esté alerta a las cosas que representan señales de alarma.

Aquellos que han experimentado el duelo recientemente. Las estadísticas muestran que hay un número mayor de intentos de suicidio entre aquellos que han perdido un padre o un cónyuge dentro de los dos años anteriores, que entre la población en general. Los estudios también indican que hay cinco veces más intentos de suicidio entre aquellos que experimentan el dolor que entre la población en general.

Una de las razones para esta situación parece ser la falta de sistemas de apoyo para ayudar a aquellos que han experimentado una muerte. Esto señala la necesidad de que el pastor y las personas de la iglesia sean más agresivos en ofrecer ayuda para aquellos que están en dolor.

Aquellos cuyos padres se han divorciado. El suicidio entre los adolescentes es la segunda causa más frecuente de muerte violenta en los Estados Unidos, después de accidentes automovilísticos y de motocicletas. Los estudios muestran que una de las causas más frecuentes de intentos de suicidio entre los jóvenes es el divorcio de los padres. El doctor Perry Gross, un cirujano en una gran ciudad, declara que los jóvenes pueden ser lo suficiente inteligentes para lograr entrar en universidades privadas, pero no pueden entender todo lo que está en juego cuando sus padres les informan que están considerando el divorcio. Esto crea tanta turbación en algunos de ellos, que creen que no hay razón para continuar viviendo.

Los que tienen ciertas tendencias de la personalidad. Hay ciertas características de la personalidad que parecen indicar una gran tendencia al intento de suicidio: (1) La personalidad obsesiva es una cuyo mundo tiene que funcionar en una manera muy rígida y organizada. Si no lo hace, tiende a ser incapaz de adaptarse. No tolera incertidumbre y flexibilidad. (2) La persona con un historial de depresión emocional frecuentemente intenta el suicidio. Esta persona vive bajo una nube oscura donde quiera que vaya. Algún día puede actuar por sus emociones, e intentar ponerle fin a su vida. (3) Otros intentan el suicidio debido a un sentimiento extremo de amor u odio hacia otro. Leemos frecuentemente en los periódicos la cantidad de damas jóvenes que se suicidan porque su enamorado las rechaza por otra. Se ha dicho que el suicidio es el último acto de la cólera y la venganza.

Verdades y falsedades acerca del suicidio

E. S. Shneidman y N. L. Farberow han realizado investigaciones extensas con personas que amenazan con el suicidio, y escribieron un libro definitivo sobre el tópico, titulado *The Cry for Help* (El Grito de Ayuda). Ellos registraron un número de verdades y de falsedades de las personas que consideran intentar quitarse la vida. *Primero*, hay un dicho común que dice que quienes hablan de matarse nunca lo harán. Los hechos muestran que ocho de diez personas que se suicidan previamente han dado pistas y advertencias acerca de sus planes. Por lo tanto, debemos tomar una amenaza como algo serio. *Segundo*, la persona que amenaza con el suicidio está jugando con la muerte, con la esperanza de que alguien escuchará su grito de ayuda. Realmente, ellos no quieren madarse. *Tercero*, las personas pasan por la etapa de pensar en suicidarse. Cuando la crisis ha pasado, tienden a adaptarse de nuevo y encaminarse en la vida con un propósito. Por lo tanto, nuestra tarea es ayudarles a pasar la crisis inmediata que están enfrentando. *Cuarto*, el suicidio no es más frecuente entre los ricos que entre los pobres. Los estudios muestran que personas de todos los niveles socioeconómicos intentan quitarse la vida. No es la enfermedad del hombre rico ni la maldición del hombre pobre. *Quinto*, la tendencia a contemplar el suicidio no es heredada, como algunos pretenden creer. Hay casos en los cuales varios miembros de una familia han intentado el suicidio, pero no significa que sea una enfermedad o algo heredado dentro de la familia. *Sexto*, la persona que intenta suicidarse no es un enfermo mental necesariamente. Los estudios de casos de suicidio indican que la mayoría de las personas que intentan suicidarse son miserablemente infelices, pero no necesariamente están enfermas mentalmente.[17]

El cuidado pastoral para la persona que intenta el suicidio

Esté alerta a las señales. Cuando el pastor está involucrado en sus visitas rutinarias entre aquellos que están pasando por el dolor, entre los que están deprimidos y los que tienen otras dificultades, debe estar alerta para captar cualquier señal que indique que quizá la persona está contemplando la idea de quitarse la vida. Contrariamente a la opinión popular, la persona no está usualmente temerosa de hablar acerca de sus pensamientos. Recibe gustosamente la oportunidad de compartir su agitación interior y está esperando que esta persona intervenga de alguna manera para impedir su intento. Usualmente, las personas desean que alguien las detenga. English y Pearson hicieron esta observación acerca de los pensamientos suicidas:

> Aunque (el paciente) puede ocasionalmente tenerlos y ocultarlos, generalmente es muy franco acerca de ellos y recibe con agrado la oportunidad de hablar acerca de ellos y busca protección de ellos. No es dañino hablar acerca del suicidio porque la discusión no consiente en la idea, ni tampoco ofende o hiere el orgullo de la persona. Si la pregunta es formulada calmadamente y hecha en forma franca y abierta junto con otras, no tiene significado especial más allá de una búsqueda racional de información.[18]

Ofrezca el cuidado pastoral con empatía. En visitas que el pastor hace entre los miembros y miembros en perspectiva de la iglesia puede escuchar las señales que le dan las personas. El siguiente relato muestra cómo una persona joven habló abiertamente con un estudiante acerca de sus planes para suicidarse. La madre del joven había estado enferma por algún tiempo. El era el único medio de sostenimiento para ella y estaba sin trabajo en el momento actual.

El siguiente relato recoge palabra por palabra el ministerio del estudiante:

Estudiante: Dices que estás sin trabajo.

Joven: Sí. He estado buscando trabajo por varios días ahora, pero nadie desea contratarme.

Estudiante: Te encuentras muy desanimado debido a la enfermedad de tu madre y la dificultad en conseguir trabajo.

Joven: Sí. Parece ser que todo y todos están en contra mía en este momento. No sé qué hacer.

Estudiante: A veces sientes como si no hubiera solución a tus problemas.

Jóven: Sí. En realidad yo he decidido darme por vencido.

Estudiante: ¿Qué quieres decir?

Joven: Bueno, yo he estado conservando estas píldoras por varias semanas, de las que el doctor le da a mi madre. Ahora tengo suficientes para terminarlo todo. (Muestra un sobre que contiene píldoras.)

Estudiante: ¿Sientes que tu situación es desesperante?

Joven: Los médicos dicen que mamá no puede vivir mucho más, sólo unos pocos días. Cuando ella se haya ido, si yo no puedo conseguir trabajo, voy a tomar un puñado de estas píldoras y decir adiós a este. . . mundo.

Estudiante: Bueno, yo sé que has tenido una época difícil con la enfermedad de tu madre y no has tenido éxito en conseguir trabajo, pero debes darte cuenta de que nosotros cuidamos de ti aquí. Trataremos de ayudarte.

Joven: He estado durmiendo en un cuarto de la iglesia. Pero el pastor me dijo que tenía que desocupar. Trasladé a mi madre la semana pasada porque los olores de su enfermedad eran feísimos. Ella está ahora en un hospital de caridad. El pastor dijo que yo era perezoso o ya habría conseguido trabajo. Pero lo he intentado, realmente lo he hecho. Ojalá alguien me creyera (empieza a sollozar).

Estudiante: Bueno, Tomás, yo te creo. Permíteme asegurarte que haré todo lo que esté a mi alcance para ayudarte. ¿Por qué no me das esas píldoras que tienes y me dejas guardarlas? Hablaré a mis amigos y veré si pueden ayudarte.

El joven entregó las píldoras al estudiante pastor. Este estudiante y otros contribuyeron para comprar comida para el joven. Dentro de una semana su madre murió. Los estudiantes y los profesores le dieron dinero suficiente para pagar los gastos del entierro de su madre. A los pocos días después del funeral se fue a otra ciudad con la esperanza de encontrar empleo y estar cerca de otros parientes.

El relato anterior muestra cómo las personas usualmente hablan abiertamente acerca de las frustraciones que los fuerzan a contemplar el suicidio. Si el consejero responde en una manera franca y abierta, sin parecer escandalizado, la persona se sentirá en libertad y aprovechará la oportunidad de ventilar sus sentimientos. Si el consejero reacciona con la idea de que este pensamiento es escandaloso o un pecado grave, entonces la persona probablemente se abstendrá de dar cualquier detalle adicional acerca de sus sentimientos o planes.

Dé estímulo positivo realista. El estudiante fue sincero al ofrecer ayuda y lo hizo. El pastor o auxiliador no debe ofrecer esperanza falsa con promesas no realistas. Cada pastor necesita un fondo de emergencia de la iglesia que él pueda administrar y de ese modo ayudar a las personas que están desamparadas. El estudiante también alistó la colaboración de otros para el joven y para los gastos del entierro de su madre. Usualmente el pastor puede encontrar una fuente de esperanza que pueda ofrecer a la persona en crisis. Cuando es apropiado el uso de recursos espirituales, no deberá vacilar en ofrecer la lectura de alguna parte de la Biblia y orar con la persona en crisis. Deberá también ofrecerse para comunicarse con amigos y parientes y animarlos a darle un poco de atención especial por un tiempo, hasta que sea capaz de enfrentar sus problemas. A veces hay grupos especiales en la iglesia a los que les gusta visitar y ministrar a las personas que tienen necesidades especiales.

Recomiende buscar especialistas cuando sea indicado. A veces es necesario remitir a la persona a un siquiatra o a una agencia de salud mental con el fin de prevenir su intento de quitarse la vida. El pastor debe ser capaz de evaluar la situación y decidir acerca del problema. Si no hay parientes o amigos que estén disponibles para ayudar a la persona, el pastor puede tomar la iniciativa para recomendarles que vayan a donde un especialista o a una agencia de caridad en la comunidad. Cada país tendrá recursos diferentes y programas médicos de caridad que varían dependiendo de su necesidad. Cobran una cantidad que es proporcional a los ingresos de la persona o a los ingresos de la familia. Aunque esta ayuda no es tan amplia como la que recibiría la persona si tuviera los recursos para un hospital privado o un terapeuta personal, estas agencias prestan un servicio valioso. Ayudan a la mayoría de las personas a superar la crisis y enfrentarse con su situación en el futuro.

Qué hacer en caso de un suicidio verdadero

A pesar de todo lo que el pastor y los otros hacen para ministrar a alguien que amenaza con suicidarse, probablemente el pastor tiene ocasión durante su carrera para ministrar a los miembros de la familia de uno que se ha quitado la vida. Pueden haber aparecido como las personas menos indicadas para hacer semejante cosa y puede que no haya dado indicaciones de su angustia. Lo más importante para hacer bajo estas condiciones es estar presente con los sobrevivientes con el fin de que ellos puedan ventilar sus propias emociones. Sorpresa, pena, ofensa, culpa, cólera, pueden mezclarse todos juntos y demorar meses para disolverse. Estos parientes necesitarán varias horas del tiempo del pastor u otras personas con el fin de que ellos se adapten a los efectos de experiencia tan trágica. El pastor debe alistar laicos para ayudar que deben ser entrenados para escuchar y participar en este ministerio. Debe entrenarlos por unas semanas. Esto se puede hacer mientras los laicos acompañan al pastor en las visitas que hace entre los miembros de su comunidad.

El pastor debe ayudar a la familia que ha experimentado el suicidio animándola a enfrentar su dolor abiertamente y sin tratar de esconder la verdad. El ocultar información de esta naturaleza causa un efecto negativo sobre los miembros de la familia. Ellos siempre se preguntan si la gente sabe la verdad cuando hablan acerca de la muerte de su ser querido. Es mejor promover la salud mental y espiritual admitiendo y enfrentando abiertamente lo que ha sucedido. En una conferencia que dio una siquiatra en un hospital general, ella compartió abiertamente la información que su primer esposo se había quitado la vida. Luego, mencionó en privado que se sentía mucho mejor y dijo que en el futuro ella tenía menos que ocultar. Esto provocó franqueza entre todos los miembros del grupo.

A veces los miembros sobrevivientes de la familia tienen sentimientos intensos de culpa acerca de sus fallas hacia aquel que se ha quitado la vida. Pueden tener ira intensa, la que limita su eficacia en su trabajo. En este sentido podemos decir que el suicidio logra su meta, porque trae sufrimiento a los que sobreviven. Un buen ministerio pastoral ayuda a estas personas a lograr la paz con ellas mismas y con el difunto y les anima a comenzar nuevas experiencias estimulantes en el futuro. La mejor ayuda que puede dar el pastor es estar dispuesto a escuchar y responder con empatía a los que comparten su culpa y su enojo.

El Ministerio a los que Tienen Enfermedades Incurables

Un futuro incierto

Las personas se enferman. Van a un médico, que da órdenes para varios exámenes, radiografías y estudios para diagnóstico. A algunos se les dice que el médico ha descubierto un tumor, un mal funcionamiento de algún órgano, o alguna otra condición que parece ser asunto serio. Algunas veces recomiendan la cirugía, que se realiza inmediatamente. En otras ocasiones se recomiendan otras clases de tratamiento. Casi siempre los médicos tienen esperanza y buscan inculcarla en el paciente y los miembros de la familia. Cuando parece desesperante la situación, el médico, por lo general, comparte esta verdad y sugiere el mejor procedimiento para enfrentar un futuro incierto.

En una ocasión fui llamado para traducir para el médico de una paciente que no entendía inglés. El médico le dijo a la paciente que tenía cáncer en los pulmones. Se le había hecho una cirugía previamente, y habían tenido la esperanza de que se hubiera removido el tejido canceroso. Pero ahora era evidente que el cáncer se había propagado. El médico explicó detalladamente el tratamiento que iban a seguir, sin decir específicamente que no había esperanza. Cuando la paciente escuchó la noticia, comenzó a gritar con sorpresa: "¡Oh, Dios, oh Dios!" Después que el doctor se hubo ido, ella continuó verbalizando sus sentimientos de desesperación. Ella había entendido que su estado era serio y que había una posibilidad de morir en poco tiempo. El médico le dijo que reuniera a su madre, su esposo y sus hijos para hacer planes para su cuidado futuro.

Después de unos días la paciente fue dada de alta del hospital y fue sometida a un programa de terapia de radiación como paciente externa. Perdió su cabello por los tratamientos y compró una peluca inmensa de color rubio. Su esposo hizo una promesa al Señor que él no se afeitaría o cortaría el pelo hasta que ella estuviera bien. A medida que el tiempo pasaba, su esposo lucía más y más barbado y peludo. Ellos venían al hospital de visita de vez en cuando. Sonreían calurosamente cada vez y me aseguraban que ella se estaba sintiendo mejor cada día. Su enfermedad está aparentemente en remisión ahora.

En otro caso, una mujer de treinta y ocho años vino al hospital para exámenes. Tuvo cirugía y murió en una semana. Tuve pocas oportunidades de hablar con ella antes de la cirugía y sólo una vez después. Me dijo que deseaba que las cosas pudieran haber sido diferentes en su vida, su hogar y con sus hijos. Estaba preocupada acerca de lo que pasaría con ellos después de que ella muriera. Hablé con su esposo varias veces. Parecía sentirse aliviado porque ella no iba a demorarse ni a sufrir por mucho tiempo. El estacionó su camión, que tenía facilidades para dormir adentro, en el estacionamiento del hospital, con el fin de estar lo más cerca posible de ella. El lloró profusamente cuando ella murió, y parecía estar haciendo planes para el futuro en la mejor forma posible.

Estas dos ilustraciones muestran las vastas diferencias en la forma en que las enfermedades catastróficas afectan a las diferentes personas. Algunos se demoran meses o aun años al experimentar una remisión de la propagación del cáncer. Entonces de repente son derribados de nuevo. Otros mueren rápidamente después de darles primero el diagnóstico. Es imposible para el doctor decirle al paciente y a la familia con certeza cuánto tiempo tienen. De la actitud del paciente depende mucho.

Reacciones de los que tienen enfermedades incurables

Estudios extensos han sido realizados en años recientes con relación a las reacciones de las personas que están terminalmente enfermas. La doctora Elizabeth Kubler-Ross y Carl Nighswonger han trabajado intensamente en esta área y nos han dado información sobre el progreso en la actitud y modo de pensar del paciente.[19] Ellos mencionan las siguientes etapas, las cuales ni son delineadas claramente, ni son necesariamente progresivas en cada paciente.

Negación. La primera reacción de la mayoría de los pacientes cuando recibe la noticia que tienen enfermedad incurable es la negación. Dicen: "No lo creo. No puede ser verdad." O pueden decir: "Esto no me está sucediendo de verdad. Los del laboratorio han confundido los informes con los de otro paciente." Comienzan a hablar acerca del hecho de tener solo cuarenta y cinco años y sus parientes han vivido setenta años. Pueden aun ir a otro médico o a otra ciudad y someterse a exámenes más extensos. Pueden mostrar más vigor ahora que antes del diagnóstico y hacerse creer a ellos mismos que se están sintiendo mejor.

Cólera. La cólera es la etapa siguiente. Estos pacientes se vuelven furiosos contra Dios, sus familiares, sus médicos, su trabajo y otros. Sienten que Dios los ha tratado injustamente. Una mujer que había perdido a su esposo dijo: "Sentíamos que Dios nos había hecho una mala jugada cuando primero nos dimos cuenta de que mi esposo tenía una enfermedad incurable." Ellos critican fuertemente al médico por no haber descubierto la enfermedad antes. Acusan a otros por no darse cuenta de esto con tiempo para hacer algo. Ellos preguntan: "¿Por qué no podría haberle sucedido a otra persona?" Sienten que tienen mucho todavía para hacer en la vida. Si están en el hospital resisten colaborar con el equipo de enfermeras. Resienten el hecho de haber perdido la autonomía sobre sus cuerpos y que ahora otros les están dando órdenes acerca de su cuerpo y su comportamiento.

El pastor y los otros líderes cristianos necesitan prestar atención a lo que está sucediendo al paciente cuando pasa por esta etapa. Algunas veces nos sentimos tentados a juzgarlos y decirles que su cólera es inapropiada. El mejor ministerio pastoral para estas personas es la aceptación de sus sentimientos de furia. Si estuviéramos en esa posición, probablemente estaríamos manifestando las mismas emociones. El pastor puede esperar cólera. Si no la encuentra en la superficie, probablemente está reprimida mientras que él está presente en el cuarto. A veces los miembros de la familia informarán que el paciente está colérico e indispuesto cuando otros no están presentes. Si el pastor no encuentra ira, puede sospechar que el paciente está encubriendo sus emociones.

Regateo. Durante el estado del regateo la persona reconoce que el malestar es real, es real lo que le está sucediendo y la muerte es inevitable. La persona empieza a regatear con Dios, pidiendo más tiempo. Expresa su deseo de continuar viviendo hasta que una meta importante sea alcanzada por ella o algún miembro de la familia. Pide sólo un poco más de tiempo hasta que su nieto se haya graduado de la escuela secundaria o la universidad. Si logra esta meta, entonces la persona establece otra meta un poco más lejana en el futuro y comienza a esforzarse por alcanzarla.

Cuando el pastor visita durante esta etapa de enfermedad, la persona expresa felicidad por estar todavía viva y habla de la meta inmediata que tiene por delante. Aprenden a vivir con su cáncer y a hablar acerca de él abiertamente. Se dan cuenta de que deben aprovechar cada minuto que tienen. Usualmente, experimentan una intimidad mayor en su matrimonio y en otras relaciones. Pueden querer hablar con el pastor acerca de sus intereses espirituales que son de gran importancia para ellos ahora que se dan cuenta que su tiempo es corto.

Depresión. La depresión está presente desde que la persona se da cuenta de que tiene una enfermedad incurable. A medida que la enfermedad progresa, la persona ve que hay poca o ninguna esperanza. La persona se debilita físicamente. La depresión se profundiza. La persona se da cuenta de que está gastando una gran cantidad de dinero en su tratamiento. Se preocupa acerca de los gastos médicos y del entierro. Se da cuenta de que nunca podrá regresar al trabajo y de que muchas metas que tenía en la vida no serán logradas. El paciente prefiere estar solo y duerme una gran parte del tiempo. Los visitantes no son tan importantes como antes. Algunas veces el equipo del hospital o los miembros de la familia deben despertar al paciente y presionarle para que tome los medicamentos y para que atienda otras necesidades.

Cuando el pastor visita durante esta etapa de la enfermedad, encuentra que las personas tienen pocos deseos de hablar. Usualmente dejan que el pastor tome la iniciativa para decir lo que está sucediendo en la iglesia y entre las personas de la comunidad. Por lo general están contentas con la lectura de un pasaje corto de la Biblia y una oración breve. El pastor necesita poder responderles donde están y no pensar que tiene que intentar levantar sus ánimos. Por el contrario, debe responder en una manera calurosa y amigable y asegurarles de su amor e interés por ellas y los miembros de su familia.

Aceptación. Los pacientes alcanzan una etapa en la que aceptan su enfermedad y la verdad de lo breve de su tiempo. Usualmente se vuelven más tranquilos. Dependiendo de la enfermedad, pueden perder la fuerza y aun la conciencia en los últimos días. Duermen más y algunas veces solicitan que ningún visitante venga a verlos. Los adultos algunas veces solicitan que sus hijos no vuelvan a visitarlos. Expresan muy poca emoción. Muestran poco interés en lo que está sucediendo en el mundo. Un paciente de sesenta y cinco años me dijo que él sabía que estaba muriendo y que no quería preguntarle nada a nadie. Dijo que él lo sabía por la forma de actuar de su esposa cuando venía a visitarlo, pero que él no quería conversar sobre el tema con ella. Tampoco le preguntaba al doctor acerca de su condición. Era amigable, pero simplemente no quería saber nada acerca de su futuro. Parecía contento consigo mismo y con su situación. En unos pocos días, murió calmadamente.

Esperanza. La esperanza está presente desde los comienzos de una enfermedad incurable, pero disminuye a medida que progresa la enfermedad. Al principio, el paciente busca y experimenta con todas las clases de tratamiento y pone mucha esperanza en nuevas formas de tratamiento que están siendo desarrolladas. Algunos oran y creen que Dios los va a curar. Un prominente pastor de una iglesia en una gran ciudad anunció que Dios lo curaría después de que los cirujanos lo operaran y declararon que sólo tenía un tiempo corto de vida. La iglesia tenía servicios de oración que duraban toda la noche para orar por la sanidad de él. Hasta su muerte sostuvo que Dios lo curaría. Después que murió, muchos de sus feligreses insistían en que Dios lo había curado de verdad de su enfermedad, pero que Dios lo quería en el cielo con él.

A veces el paciente experimenta remisión a causa de algún tratamiento. El doctor y el paciente se regocijan por este hecho y están agradecidos porque el paciente tiene más tiempo. Algunas veces las personas que creen que se mueren, recobran su salud y viven normalmente por largo tiempo. Es imposible predecir cuándo morirán las personas. La esperanza es un elemento importante en sus vidas. Debemos animar siempre a las personas a tener esperanza y fe en el poder de Dios para curar. Como ministros, somos agentes de la esperanza. Podemos citar pasajes de la Biblia que animen a todos a tener esperanza. (Ro. 5:2; 1 Ts. 1:3; Tit. 1:2; 1 P. 1:3).

El cuidado pastoral a los enfermos desahuciados

El cuidado pastoral para los enfermos incurables debe responder al paciente desde su marco de referencia, dependiendo de donde están en el proceso particular de su enfermedad. La mayoría del tiempo debe ser invertido en escuchar para apoyar. Estas personas pueden querer abrir sus corazones y decirle al pastor cosas que han estado ocultas de los demás. Pueden querer tener tiempo para confesarse de pecado. Querrán saber más acerca de Dios, la muerte y la vida eterna. Querrán hablar acerca de sus temores. O pueden desear hablar acerca del futuro de su cónyuge o sus hijos. El pastor debe estar preparado para responder al paciente, dependiendo de dónde está en su estado mental y en su peregrinación espiritual

El pastor siempre debe evitar el ir al cuarto del enfermo con su propia agenda, y especialmente cuando un miembro está muriendo. Debe sentirse libre para hablar con las personas acerca de la fe de ellas, y la mayoría de las personas estará ansiosa por aclarar cualquier pregunta o duda que tenga. El pastor puede afirmar la fe que percibe y escucha en las expresiones del paciente. Puede hablar calmadamente con él acerca de la necesidad de confiar en Cristo al enfrentar un futuro incierto.

A veces los miembros de la familia solicitan que el pastor esté presente cuando el médico tiene que decirle al paciente que tiene una enfermedad incurable. El pastor debe aceptar esta invitación, pero debe ser cuidadoso de no actuar como si Dios fuera a intervenir y cambiar el diagnóstico médico. No deberá ofrecer una cura divina, ni tampoco debe ser fatalista y actuar como si la situación fuera desesperante. Puede asegurar a las personas de su interés por ellas y su disposición para ir y ministrarles de cuando en cuando. Es apropiado orar en voz bien baja con la familia y solicitar la ayuda de Dios en esta situación. Además, debe estar disponible para hablar con los diferentes miembros de la familia cuando la oportunidad se presente. Su cuidado pastoral en esta ocasión es muy importante para el paciente y los miembros de su familia.

Conclusión

El pastor o laico ejercitará el cuidado pastoral y la consejería dentro de una armazón teológica que está basada en la Biblia y es apropiado a los problemas que las personas enfrentan en nuestros días. Fundamental en este ministerio es una teología que sea adecuada para satisfacer las múltiples demandas de un ministerio dinámico en un mundo cambiante.

La relación que establece el pastor o laico con aquellos a quienes ministra será el elemento principal para brindar cambio en la actitud, creencia y comportamiento. Por esta razón el pastor buscará establecer y mantener una relación que facilitará el ministerio. Hemos enfatizado el lugar del ministerio de presencia, porque esta presencia fue básica en el ejemplo de Jesús cuando él se identificó con las personas necesitadas de su ministerio. Sus ejemplos nos inspiran a darnos nosotros mismos en un ministerio de encarnación para otros.

El pastor usará todo lo que ha podido aprender de las disciplinas seculares incluyendo las ciencias del comportamiento, en sus intentos para ministrar. Estas disciplinas serán suplementarias, la base para el pastor será la teológica y bíblica. Las verdades bíblicas nos dan las normas para vivir exitosamente y, por lo tanto, serán determinantes en nuestro ministerio. El pastor eficaz y el seglar aprenderán las aplicaciones apropiadas de estas verdades y los momentos apropiados para su utilización. Los recursos de la Biblia, la oración, la adoración individual y en grupos, y la meditación privada serán valiosos medios de ayuda para aquellos que ministran. Equipar a las personas a escoger y utilizar sabiamente entre estos recursos será un ministerio significativo para aquellos que están luchando con los problemas tanto como para prevenir los problemas futuros.

Hemos buscado señalar temas en la superficie y debajo de la superficie que hayan contribuido a los problemas que ocasionaron la necesidad para el cuidado pastoral y la consejería. Hemos evitado deliberadamente el método que ofrece respuestas estereotipadas, porque sentimos que tienden a pasar por alto los temas específicos, los cuales contribuyen a la dificultad y la individualidad de cada persona. El pastor y laico pueden relacionarse con las personas, explorar con ellas su situación, y de ese modo ayudarles a obtener una comprensión de cómo pueden trabajar hacia una solución. A través del uso de recursos espirituales que están disponibles en la fe cristiana cada persona puede encontrar la dinámica que él o ella necesita para avanzar en nuevas direcciones en su vida.

Notas

[1] Carl Michalson, *Faith for Personal Crises* (New York: Charles Scribner's Sons, 1958), p. 164.

[2] Wayne E. Oates, *Anxiety in Christian Experience* (Philadelphia: The Westminster Press, 1955), p. 48.

[3] William Rogers, *Ye Shall Be Comforted* (Philadelphia: The Westminster Press, 1955), p. 12.

[4] Erich Lindemann, "Symptomatology and Management of Acute Grief" *American Journal of Psychiatry,* CI (1944).

[5] Citado por Edgar N. Jackson, *Coping with the Crises in your Life,* (New York: Hawthorn Books, Inc., 1974), p. 196.

[6] Sigmund Freud, "Mourning and Melancholia", *Collected Papers,* Vol. IV (London: Hogarth Press, 1950), p. 153.

[7] Edgar N. Jackson, *Understanding Grief* (New York: Abingdon Press, 1957), p. 154.

[8] Gert Heilburnn, "On Weeping", *Psychoanalytic Quarterly,* XXIV (1955), p. 245.

[9] Jackson, *Understanding Grief*, p. 27.

[10] *Ibid.*

[11] Rogers, *op. cit.*, p. 12.

[12] Lindemann, *op. cit.*

[13] Michalson, *op. cit.*, p. 170.

[14] Charles D. Kean, *Christian Faith and Pastoral Care* (Greenwich, Conn.: The Seabury Press, 1961), p. 104.

[15] Jackson, *Understanding Grief*, p. 156.

[16] Richard C. Cabot and Russell L. Dicks, *The Art of Ministering to the Sick* (New York: Macmillan Co., 1952), p. 315.

[17] Norman L. Farberow and Edwin S. Shneidman, *The Cry for Help* (New York: McGraw-Hill Book Co., Inc., 1961), pp. 13-14.

[18] O. Spurgeon English and Gerald H. J. Pearson, *Emotional Problems of Living*, Third Edition (New York: W. W. Norton & Co., 1963), pp. 524-25.

[19] Elisabeth Kubler-Ross, *On Death and Dying* (London: Coller-Macmillan Ltd., 1969).

BIBLIOGRAFIA

Adler, Alfred. *La Ciencia de Vivir.* México: Editorial Diana S. A., 1964.

Adler, Alfred. *El Sentido de la Vida.* México: Editora Latinoamericana S. A., 1956.

Allport, Gordon. *Psicología y Psicoanálisis de los Rasgos del Carácter.* Buenos Aires: Editorial Paidós, 1968.

Beley. *Niños Inestables.* Barcelona: Editorial Luis Miracle, 1957.

Benson, C. H. *Guía para la Obra de la Escuela Dominical.* San José: Editorial Caribe (n.f.).

Berge. *Cómo Educar al Hijo.* Buenos Aires: Editorial Víctor Lerú, 1957.

Bergeron. *Psicología de la Primera Infancia.* Barcelona: Editorial Luis Miracle, 1956.

Brachfeld. *Los Sentimientos de Inferioridad.* Barcelona: Ed. Luis Miracle, 1959.

Carnegie, D. *Cómo Suprimir las Preocupaciones y Disfrutar de la Vida.* Buenos Aires: Editorial Cosmos, 1959.

Carnois. *El Drama de la Inferioridad.* Barcelona: Editorial Luis Miracle, 1958.

Cavanagh, John R. *Los Consejos Pastorales.* Madrid: Studium Ediciones, 1966.

Cerney, J. V. *Cómo Desarrollar una Personalidad de Un Millón de Dólares.* México: Editorial Diana S. A. 1964.

Cramer. *Psicología y Salud Mental.* Miami, Florida: Editorial Caribe, 1976.

Durand-Dassier, Jacques. *Psicoterapia sin Psicoterapeuta.* Segunda Edición. Madrid: Marova, 1974.

Erismann. *Psicología Aplicada.* México, D. F. Editorial Nacional S. A. 1951.

Erismann. *Psicología General.* México: UTEHA (1966).

Faria. *Psicología.* Bogotá: Librería Voluntad S. A. 1952.

Fosdick, H. E. *Conócete a Ti Mismo.* Buenos Aires: Editorial Guillermo Kraft, 1948.

Freud, S. *Psicología de las Masas y Análisis del Yo.* México: Editorial Iztaccihuatl S. A. (n.f.).

Freud, S. *La Interpretación de los Sueños II.* Mexico: Editorial Iztaccihuatl S.A.

Freud, S. *Totem y Tabú.* México: Editorial Iztaccihuatl S. A. (n.f.).

Fromm-Riechman, Frieda. *La Psicoterapia y el Psicoanálisis.* Buenos Aires: Ediciones Hormé, 1965.

Fromm-Riechman, Frieda. *Principios de Psicoterapia Intensiva.* Buenos Aires: Editorial Hormé, 1965.

Giles, James E. *La Psicología y el Ministerio Cristiano.* El Paso: Casa Bautista de Publicaciones, 1978.

Glover. *Freud o Jung.* Buenos Aires: Editorial Nova, 1951.

Guifford. *Sicología General.* (Trad. Emma Sánchez). México, D. F. Editorial Diana S.A. 1959.

Guntrip. *El "Self" en la Teoría y la Terapia Psicoanalítica.* Buenos Aires: Amorrortu Editores, 1961.

Gutiérrez, José. *Método Psicoanalítico de Eric Fromm.* Bogotá: Ediciones Tercer Mundo, 1965.

Haddox, Benjamín. *Sociedad y Religión en Colombia.* Bogotá: Ediciones Tercer Mundo, 1965.

Harkness, Georgia. *Noche Oscura del Alma.* Buenos Aires: Methopress, 1964.

Harris, Thomas. *Yo Estoy Bień, Tú Estás Bien.* Barcelona: Ediciones Grijalbo, 1973.

Heuyer. *Introducción a la Psicología Infantil.* (Trad. J. L. Matute). Barcelona: Editor Luis Miracle, 1953.

Hightower, James E. (Compilador). *El Cuidado Pastoral desde la Cuna hasta la Tumba.* El Paso: Casa Bautista de Publicaciones, 1987.

Horney, Karen. *Nuestros Conflictos Internos.* Buenos Aires: Editorial Psique, 1968.

Horney, Karen. *¿Piensa Usted Psicoanalizarse?* Buenos Aires: Editorial Psique, 1965.

Hudson, R. L. *La Religión de una Mente Sana.* El Paso: Casa Bautista de Publicaciones, 1954.

Hudson, R. L. *La Formación de la Personalidad Cristiana.* El Paso: Casa Bautista de Publicaciones (n.f.).

Hughes, Thomas. *La Psicología de la Predicación y de la Obra Pastoral.* México: Casa Unida de Publicaciones (n.f.).

Hymes. *Para Ser un Buen Padre.* Buenos Aires: Editorial Víctor Lerú, 1957.

Jung, C. G. *El Hombre y Sus Símbolos.* (Trad. Luis Escobar Bareño). Madrid: Aguilar (1966).

Jung, C. G. *Símbolos de Transformación.* Buenos Aires: Editorial Paidos, 1962.

Jung, C. G. *El Yo y el Inconsciente.* Barcelona: Edit. Luis Miracle, 1933.

Jones, E. S. *¿Es Realidad el Reino de Dios?* México: Casa Unida de Publicaciones, 1950.

Kunkel. *El Consejo Psicológico.* Barcelona: Editorial Luis Miracle, 1957.

Leavell. *El Discípulo de la Escuela Dominical.* El Paso: Casa Bautista de Publicaciones, 1958.

Lebovici. *Tics Nerviosos en el Niño.* Barcelona: Editorial Luis Miracle, 1957.

Lemkau, Paul. *Higiene Mental.* México: Fondo de Cultura Económica, 1963.

Lewin. *Psicoanálisis de la Exaltación.* (Trad. José Lemus Arcaico). Buenos Aires: Edit. Nova, 1953.

Little, L. Gilberto. *El Cristiano y la Tensión Nerviosa.* Chicago: Editorial Moody (n. f.).

Menninger, Karl. *Teoría de la Técnica Psicoanalítica.* México: Editorial Pax-México S. A. 1960.

Montreuil-Strauss. *Educación y Sexualidad.* Buenos Aires: Editorial Víctor Lerú S. R. L. 1957.

Pages, Max. *Psicoterapia Rogeriana.* Buenos Aires: Editorial Paidos, 1976.
Ponce. *Psicología de la Adolescencia.* México: UTEHEA (1938-1968).
Porot. *La Familia y el Niño.* Barcelona: Editor Luis Miracle, 1955.
Pradel. *Cómo Formar Hombres.* Bogotá: Ediciones Paulinas, 1959.
Rank, Otto. *El Trauma del Nacimiento.* Buenos Aires: Editorial Paidos, 1961.
Ray. *Cómo Superar Nuestros Defectos y Aprovechar Nuestras Energías.* Buenos Aires: Ediciones Cosmos, 1956.
Ritchie. *El Desarrollo del Alma.* Lima, Perú: Librería El Inca, 1942.
Ruda, Oswaldo. *Psicoanálisis, Reflexiología y Conversión Cristiana.* Ediciones Certeza, 1964.
Sanders, J. O. *Una Clínica Espiritual.* Chicago: Editorial-Moody (n.f.).
Savage, Juan. *Relaciones Sexuales y el Matrimonio.* Lima: Librería El Inca (n.f.).
Sherril. *La Infancia.* Buenos Aires: Librería La Aurora., 1943.
Smith, Manuel. *Cuando Digo No, Me Siento Culpable.* Barcelona: Editorial Grijalbo, 1979.
Stekel. *Educación de los Padres.* Buenos Aires: Ediciones Imán, 1953.
Sutherland, J. D. et. al. *El Psicoanálisis y el Pensamiento Contemporáneo.* Buenos Aires: Editorial Paidos, 1962.
Tournier, Paul. *Fatiga en la Sociedad Moderna.* Buenos Aires: Editorial Paidos, 1962.
Urcola. *La Influencia del Cine en la Conducta del Niño y del Adolescente.* Buenos Aires: Editorial La Aurora, 1949.
Vallejo. *Antes Que Te Cases.* Madrid: Editorial Plus-Ultra, 1946.
Weatherhead, Leslie. *La Salud de la Personalidad.* México: Casa Unida de Publicaciones (n. f.).
Wells, Harry K. *Quiebra del Psicoanálisis de Freud a Fromm.* Buenos Aires; Editorial Platina, 1964.
Whitaker, Carl y Malone, Thomas. *Las Raíces de la Psicoterapia.* Barcelona: Labor, 1967.
Whitley. *Psicología del Niño.* Filadelfia: Publicación del Comité Central de Educación Religiosa (1930).
Wilde. *El Psicoanálisis.* Bogotá: Editorial Pío X Ltda. 1959.